# 二十四史

郑红峰 主编

〔第二卷〕

光明日报出版社

# 张衡列传

张衡字平子，南阳西鄂人也。世为著姓。祖父堪，蜀郡太守。衡少善属文，游于三辅，因入京师，观太学，遂通《五经》，贯六艺。虽才高于世，而无骄尚之情。常从容淡静，不好交接俗人。永元中，举孝廉不行，连辟公府不就。时天下承平日久，自王侯以下，莫不逾侈。衡乃拟班固《两都》，作《二京赋》，因以讽谏。精思傅会，十年乃成。文多，故不载。大将军邓骘奇其才，累召不应。

衡善机巧，尤致思于天文、阴阳、历算。常耽好《玄经》，谓崔瑗曰："吾观《太玄》，方知子云妙极道数，乃与《五经》相拟，非徒传记之属，使人难论阴阳之事，汉家得天下二百岁之书也。复二百岁，殆将终乎？所以作者之数，必显一世，常然之符也。汉四百岁，《玄》其兴矣。"安帝雅闻衡善术学，公车特征拜郎中，再迁为太史令。遂乃研核阴阳，妙尽璇机之正，作浑天仪，著《灵宪》、《算罔论》，言甚详明。

顺帝初，再转，复为太史令。衡不慕当世，所居之官，辄积年不徙。自去史职，五载复还，乃设客问，作《应闲》以见其志云：

原有闲余者曰：盖闻前哲首务，务于下学上达，佐国理民，有云为也。朝有所闻，则夕行之，立功立事，式昭德音。是故伊尹思使君为尧、舜，而民处唐、虞，彼岂虚言而已哉，必旌厥素尔。咎单、巫咸，实守王家，申伯、樊仲，实干周邦，服衮而朝，介圭作瑞。厥迹不朽，垂烈后昆，不亦丕欤！且学非以要利，而富贵萃之。贵以行令，富以施惠，惠施令行，故《易》称以"大业"。质以文美，实由华兴，器赖雕饰为好，人以舆服为荣。吾子性德体道，笃信安仁，约己博艺，无坚不钻，以思世路，斯何远矣！曩滞日官，今又原之。虽老氏曲全，进道若退，然行亦以需。必也学非所用，术有所仰，故临川将济，而舟楫不存焉。徒经思天衢，内昭独智，固合理民之式也？故尝见谤于鄙儒。深厉浅揭，随时为义，曾何贪于支离，而习其孤技邪？参轮可使自转，木雕犹能独飞，已垂翅而还故栖，盍亦调其机而铦诸？昔有文王，自求多福。人生在勤，不索何获。曷若卑体屈己，美言以相克？鸣于乔木，乃金声而玉振之。用后勋，雪前吝，婞很不柔，以意谁靳也。

应之曰：是何观同而见异也？君子不患位之不尊，而患德之不崇；不耻禄之不夥，而耻智之不博。是故艺可学，而行可力也。天爵高悬，得之在命，或不速而自怀，或羡旃而不臻，求之无益，故智者面而不思。阽身以侥幸，固贪夫之所为，未得而豫丧也。枉尺直寻，议者讥之，盈欲亏志，孰云非羞？于心有猜，则簋飧馔铺犹不屑餐，旌瞀以之。意之无疑，则兼金盈百而不嫌辞，孟轲以之。士或解裋褐而袭黼黻，或委锸筑而据文轩者，度德拜爵，量绩受禄也。输力致庸，受必有阶。

浑元初基，灵轨未纪，吉凶纷错，人用朣朦。黄帝为斯深惨。有风后者，是焉亮之，察三辰于上，迹祸福乎下，经纬历数，然后天步有常，则风后之为也。当少昊清阳之末，实或乱德，人神杂扰，不可方物，重黎又相颛顼而申理之，日月即次，则重黎之为也。人各有能，因艺授任，鸟师别名，四叔三正，官无二业，事不并济。昼长则宵短，日南则景北。天且不堪兼，况以人该之。夫玄龙，迎夏则陵云而奋鳞，乐时也；涉冬则淈泥而潜蟠，避害也。公旦道行，故制典礼以尹天下，惧教诲之不从，有人〔之〕不理。仲尼不遇，故论《六经》以俟来辟，耻一物之不知，有事之无范。所考不齐，如何可一？

夫战国交争，戎车竞驱，君若缀旒，人无所丽。烛武县缒而秦伯退师，鲁连系箭而聊城弛柝。从往则合，横来则离，安危无常，要在说夫。咸以得人为枭，失士为尤。故樊哙披帷，入见高祖；高祖踞洗，以对郦生。当此之会，乃鼋鸣而鳖应也。故能同心戮力，勤恤人隐，奄受区夏，遂定帝位，皆谋臣之由也。故一介之策，各有攸建，子长谍之，烂然有第。夫女魃北而应龙翔，洪鼎声而军容息；溽暑至而鹑火栖，寒冰冱而鼋鼍蛰。今也，皇泽宣洽，海外混同，万方亿丑，并质共剂，若修成之不暇，尚何功之可立！立事有三，言为下列；下列且不可庶矣，奚冀其二哉！

于兹搢绅如云，儒士成林，及津者风摅，失涂者幽僻，遭遇难要，趋偶为幸。世易俗异，事势舛殊，不能通其变，而一度以揆之，斯契船而求剑，守株而伺兔也。冒愧逞愿，必无仁以继之，有道者所不履也。

越王句践事此，故厥绪不永。捷径邪至，我不忍以投步；干进苟容，我不忍以歙肩。虽有犀舟劲楫，犹人涉卬否，有须者也。姑亦奉顺敦笃，守以忠信，得之不休，不获不吝。不见是而不惛，居下位而不忧，允上德之常服焉。方将师天老而友地典，与之乎高睨而大谈，孔甲且不足慕，焉称殷彭及周聃！与世殊技，固孤是求。子忧朱泙曼之无所用，吾恨轮扁之无所教也。子睹木雕独飞，愍我垂翅故栖，吾感去蛙附鸱，悲尔先笑而后号也。

斐豹以毙督燔书，礼至以掖国作铭；弦高以牛饩退敌，墨翟以萦带全城；贯高以端辞显义，苏武以秃节效贞；蒲且以飞矰逞巧，詹何以沈钩致精；弈秋以棋局取誉，王豹以清讴流声。仆进不能参名于二立，退又不能群彼数子。愍《三坟》之既颓，惜《八索》之不理。庶前训之可钻，聊朝隐乎柱史。且韫椟以待价，踵颜氏以行止。曾不慊夫晋、楚，敢告诚于知己。

**【译文】**

张衡字平子，南阳郡西鄂县人。世代为名门望族。祖父张堪，官至蜀郡太守。张衡青少年时善于写文章，他曾游历三辅，因而来到京都，在太学游学，于是通晓《五经》，贯通六艺。虽然才能高于世人，却没有骄傲的情绪。总是从容恬静，不喜欢结交庸俗之人。和帝永元年间，被举荐为孝廉科入仕，他没有去，屡次被三公官府征召，都未就职。当时国家长期和平安定，自王侯以下，没有不奢侈越制的。张衡便模拟班固的《两都赋》，写作了《西京赋》、《东京赋》，以此来进行讽谏。经过精密构思，排比组合，历时十年才写成此赋。因字数太多，这里就不转载了。大将军邓骘认为他才能罕见，曾多次招聘，张衡都没有答应。

张衡擅长机械和工艺技巧，尤其精心钻研天文、阴阳、历算等学问。平素特别喜好《太玄经》，他曾对崔瑗说："我读《太玄经》，才知道扬雄极为通晓天道术数之妙，竟然能模拟《五经》，决非仅是传记之类，使人更难以探讨有关阴阳的问题了，这是汉朝取得天下两百年后才产生的著作。从《太玄》的写作至今又两百年了，这学问会过时吗？作者的命运所以必能显于一世，这是由于永恒规律的符验。汉朝天下四百年时，《太玄》之学定要兴起。”汉安帝素闻张衡擅长术数之学，派公车征召他，授予郎中官职，又升任太史令。于是他就研究阴阳，精移地掌握了天文历法的制订方法，制作了浑天仪，著有《灵宪》、《算罔论》二书，论述十分详细。

汉顺帝初年，两次转任之后，他再次出任太史令。张衡不羡慕出仕做官，所任职务往往多年不得升迁。从太史令任上调离五年后，他又重任该职，于是以答客问的形式，作了《应闲》一文，以表达自己的志向：

（下文为引张衡文章，在此不作翻译）

“有闲余者曰：盖闻前哲首务，务于下学上达，佐国理民，有云为也。朝有所闻，则夕行之。立功立事，式昭德音。是故伊尹思使君为尧舜，而民处唐虞，彼岂虚言而已哉，必旌厥素尔。咎单、巫咸，实守王家，申伯、樊仲，实干周邦，服衮而朝，介圭作瑞。厥迹不朽，垂烈后昆，不亦丕欤！且学非以要利，而富贵萃之。贵以行令，富以施惠，惠施令行，故《易》称以‘大业’。质以文美，实由华兴，器赖雕饰为好，人以舆服为荣。君子性德体道，笃信安仁，约己博艺，无坚不钻，以思世路，斯何远矣！曩滞日官，今又原之。虽老氏曲全，进道若退。然行亦以需。必也学非所用，术有所抑，故临川将济，而舟楫不存焉。徒经思天衢，内昭独智，固合理民之式也？故尝见谤于鄙儒。深厉浅揭，随时为义，曾何贪于支离，而习其孤技邪？叁轮可使自转，木雕犹能独飞，已垂翅而还故栖，盍亦调其机而铦诸？昔有文王，自求多福。人生在勤，不索何获。曷若卑体屈己，美言以相克？鸣于乔木，乃金声而玉振之。用后勋，雪前吝，婞很不柔，以意谁靳也。

“应之曰：是何观同而见异也？君子不患位之不尊，而患德之不崇；不耻禄之不夥，而耻智之不博。是故艺可学，而行可力也。天爵高悬，得之在命，或不速而自怀，或羡旃而不臻，求之无益，故智者面而不思。阽身以侥幸，固贪夫之所为，未得而豫丧也。枉尺直寻，议者讥之，盈欲亏志，孰云非羞？于心有猜，则簋飧馔餔犹不屑餐，旌瞀以之。意之无疑，则兼金盈百而不嫌辞，孟轲以之。士或解裋褐而袭黼黻，或委锸筑而据文轩者，度德拜爵，量绩授禄也。输力致庸，授必有阶。

“浑元初基，灵轨未纪，吉凶纷错，人用朣朦。黄帝为斯深惨。有风后者，是焉亮之，察三辰于上，迹祸福乎下，经纬历数，然后天步有常，则风后之为也。当少昊清阳之末，实或乱德，人神杂扰，不可方物，重黎又相颛顼而申理之，日月即次，则重黎之为也。人各有能，因艺授任，鸟师别名，四叔三正，官无二业，事不并济。昼长则宵短，日南则景北。天且不堪兼，况以人该之。夫玄龙，迎夏则陵云而奋鳞，乐时也；涉冬则淈泥而潜蟠，避害也。公旦道行，故制典礼以尹天下，惧教诲之不从，有人之不理。仲尼不遇，故论《六经》以俟来辟，耻一物之不知，有事之无范。所考不齐，如何可一？

“夫战国交争，戎车竞驱，君若缀旒，人无所丽。烛武悬缒而秦伯退师，鲁连系箭而聊城弛柝。纵往则合，横来则离，安危无常，要在说夫。咸以得人为枭，失士为尤。故樊哙披帷，入见高祖；高祖踞洗，以对郦生。当此之会，乃鼋鸣而鳖应也，故能同心戮力，勤恤人隐，奄受区夏，遂定帝位，皆谋臣之由也。故一介之策，各有攸建，子长谍之，烂然有第。夫女魃北而应龙翔，洪鼎声而军容息；溽暑至而鹑火栖，寒冰冱而鼋鼍蛰。今也，皇泽宣洽，海外混同，万方亿丑，并质共剂，若修成之不暇，尚何功之可立！立事有三，言为下列；下列且不可庶矣，奚冀其二哉！

“于兹搢绅如云，儒士成林，及津者风摅，失途者幽僻，遭遇难要，趋偶为幸。世易俗异，事势舛殊，不能通其变，而一度以揆之，斯契船而求剑，守株而伺兔也。冒愧逞愿，必无仁以继之，有道者所不履也。越王句践事此，故厥绪不永。捷径邪至，我不忍以投步；干进苟容，我不忍以歙肩。虽有犀舟劲楫，犹人涉卬否，有须者也。姑亦奉顺敦笃，守以忠信，得之不休，不获不吝。不见是而不惛，居下位而不忧，允上德之常服焉。方将师天老而友地典，与之乎高睨而大谈，孔甲且不足慕，焉称殷彭及周聃！与世殊技，固孤是求。子忧朱泙曼之无所用，吾恨轮扁之无所教也。子睹木雕独飞，愍我垂翅故栖，吾感去蛙附鸱，悲尔先笑而后号也。

“斐豹以虓督燔书，礼至以掖国作铭；弦高以牛饩退敌，墨翟以萦带全城；贯高以端辞显义，苏武以秃节效贞；蒱且以飞矰逞巧，詹何以沉钩致精；奕秋以棋局取誉，王豹以清讴流声。仆进不能参名于二立，退又不能群彼数子。愍《三坟》之既颓，惜《八索》之不理。庶前训之可钻，聊朝隐乎柱史。且韫椟以待价，踵颜氏以行止。曾不慊夫晋、楚，敢告诚于知己。”

阳嘉元年，复造候风地动仪。以精铜铸成，员径八尺，合盖隆起，形似酒尊，饰以篆文山龟鸟兽之形。中有都柱，傍行八道，施关发机。外有八龙，首衔铜丸，下有蟾蜍，张口承之。其牙机巧制，皆隐在尊中，覆盖周密无际。如有地动，尊则振龙机发吐丸，而蟾蜍衔之。振声激扬，伺者因此觉知。虽一龙发机，而七首不动，寻其方面，乃知震之所在。验之以事，合契若神。自书典所记，未之有也。尝一龙机发而地不觉动，京师学者咸怪其无征，后数日驿至，果地震陇西，于是皆服其妙。自此以后，乃令史官记地动所从方起。

时，政事渐损，权移于下，衡因上疏陈事曰：

伏惟陛下宣哲克明，继体承天，中遭倾覆，龙德泥蟠。今乘云高跻，磐桓天位，诚所谓将隆大位，必先倥偬之也。亲履艰难者知下情，备经险易者达物伪。故能一贯万机，靡所疑惑，百揆允当，庶绩咸熙。宜获福祉神祇，受誉黎庶。而阴阳未和，灾眚屡见，神明幽远，冥鉴在兹。福仁祸淫，景响而应，因德降休，乘失致咎，天道虽远，吉凶可见，近世郑、蔡、江、樊、周广、王圣，皆为效矣。故恭俭畏忌，必蒙祉祚，奢淫谄慢，鲜不夷戮，前事不忘，后事之师也。夫情胜其性，流遁忘反，岂唯不肖，中才皆然。苟非大贤，不能见得思义，故积恶成衅，罪不可解也。向使能瞻前顾后，援镜自戒，则何陷于凶患乎！贵宠之臣，众所属仰，其有愆尤，上下知之。褒美讥恶，有心皆同，故怨讟溢乎四海，神明降其祸辟也。顷年雨常不足，思求所失，则《洪范》所谓“僭恒阳若”者也。惧群臣奢侈，昏逾典式，自下逼上，用速咎征。又前年京师地震土裂，裂者威分，震者人扰也。君以静唱，臣以动和，威自上出，不趣于下，礼之政也。窃惧圣思厌倦，制不专己，恩不忍割，与众共威。威不可分，德不可共。《洪范》曰：“臣有作威作福玉食，害于而家，凶于而国。”天鉴孔明，虽疏不失。灾异示人，前后数矣，而未见所革，以复往悔。自非圣人，不能无过。愿陛下思惟所以稽古率旧，勿令刑德八柄，不由天子。若恩从上下，事依礼制，礼制修则奢僭息，事合宜则无凶咎。然后神望允塞，灾消不至矣。

**【译文】**

汉顺帝阳嘉元年，张衡又创造了候风地动仪。它以精铜铸成，直径八尺，顶盖隆起，形状像酒樽，用篆文以及山龟鸟兽的图形作为装饰。中间有根中心柱，旁边伸出八条横杆，设置枢纽发动机件。仪器外部有八条龙，龙嘴里各衔一颗铜丸，下面与龙头相对的地方各有一只蛤蟆，张着嘴巴仰承龙首。那些枢纽件制作巧妙，都隐藏在樽腹中，顶盖周密无一丝缝隙。如果发生地震，铜樽中机件振动龙首，机关发动，龙嘴吐出铜丸，由蛤蟆嘴接住。振荡声音响亮，守候的人凭着响声察觉地震的发生。只有一条龙发动了机关，而其他七个龙首不动，寻觅下落铜丸的方位，就知道地震发生在何方。用事实一一检验，十分准确，灵验如神。自从有文献典籍记载以来，从没有过这种发明。曾有一次，一条龙的机关发动了，而人们没有感觉到地动，京城中的学者都怪地动仪不灵验。过了几天，驿使来报，果然在陇西发生了地震，于是大家都叹服这仪器的妙处。从此以后，朝廷就命令史官用它来记录地震发生的方向。

当时政治逐渐损坏，朝权旁落，张衡因此上疏皇帝，陈述政事说：

“伏念陛下通达明智，继承皇位，承受天命，中途遭到倾覆，如龙陷泥潭。如今凌云登高，徘徊天位，真是所谓将升大位，必先遭受困顿啊！亲自经历过艰难的人了解下情，备受危难的人明白事情的真伪。所以能用一种道理贯穿于纷繁的政务，没有什么疑惑的事，各种处置平允得当，各项业绩都很完美。本该获得天地的赐福，受到黎民百姓的赞誉。可如今阴阳不和，灾祸屡现，神明显然幽远，但是暗示的鉴戒就在这里。福与仁，祸与淫，就像影与形，回响与声音一样相随相应。因有德而降美善，借失误而致灾祸，天道虽然遥远，吉凶却可显现。近世郑众、蔡伦、江京、樊丰、周广和王圣的事情，都是证明。所以，为人恭谨节俭、敬畏戒忌，必将蒙受福瑞；为人奢侈淫逸，谄谀傲慢，很少有不遭杀身之祸的。前事不忘，后事之师。大凡情欲胜过人性，就会迷失自己而不知回头，岂只是不肖之人如此，中等才能的人也都是这样。如果不是杰出的贤人，就不能见到所得的利而考虑到义，所以积恶成怨，罪责不可解脱。假使能瞻前顾后，以前事为镜而自戒，那怎么能陷于祸患呢！贵宠的大臣，大家都瞻目仰望，如有过失，上下知晓。褒扬美好，讥讽丑恶，人同此心，所以怨言一起将四海流传，神明就会降下灾祸与惩罚。近年雨水经常不足，寻思所犯的过失，即《洪范》所谓‘君王逾越本分，就会久旱不雨’的情况。最怕的是群臣奢侈，昏乱地超越法度，由下逼上，从而招致祸患的征兆。又如前年京都发生地震，土地崩裂，崩裂象征权威的分散，震动象征人心的扰乱。君主以静来号令，臣下以动来应和，权威出自上，不能移至下，这才是按礼法准则建立的政权。我怕圣上心绪厌倦，制度政令不肯自己专擅，恩惠不忍割舍，而与众臣共享权威。威势不可分占，恩德不能共享。《洪范》说：‘臣下占有权威、福禄和美食，则会祸害你的家和国。’上天的鉴察非常分明，虽然宽疏却无遗漏。灾异在人间的显示，前后已有多次了，但是未见皇上有所改变，以表示对以往过失的追悔。本不是圣人，不可能没有过错。愿陛下稽考古事、遵循旧例，不要让赏罚的八种权柄脱离天子的把握。如果施恩惠做到上下有序，处事依照礼法制度，礼制修备了，奢侈僭越之事就会停止，处事得当则不会发生凶祸。然后神明的愿望确实满足，灾祸就消失不再降临了。”

初，光武善谶，及显宗、肃宗因祖述焉。自中兴之后，儒者争学图纬，兼复附以訞言。衡以图纬虚妄，非圣人之法，乃上疏曰：

臣闻圣人明审律历以定吉凶，重之以卜筮，杂之以九宫，经天验道，本尽于此。或观星辰逆顺，寒燠所由，或察龟策之占，巫觋之言，其所因者，非一术也。立言于前，有征于后，故智者贵焉，谓之谶书。谶书始出，盖知之者寡。自汉取秦，用兵力战，功成业遂，可谓大事，当此之时，莫或称谶。若夏侯胜、眭孟之徒，以道术立名，其所述著，无谶一言。刘向父子领校秘书，阅定九流，亦无谶录。成、哀之后，乃始闻之。《尚书》尧使鲧理洪水，九载绩用不成，鲧则殛死，禹乃嗣兴。而《春秋谶》云“共工理水”。凡谶皆云黄帝伐蚩尤，而《诗谶》独以为‘蚩尤败，然后尧受命’。《春秋元命包》中有公输班与墨翟，事见战国，非春秋时也。又言“别有益州”。益州之置，在于汉世。其名三辅诸陵，世数可知。至于图中讫于成帝。一卷之书，互异数事，圣人之言，势无若是，殆必虚伪之徒，以要世取资。往者侍中贾逵摘谶互异三十余事，诸言谶者皆不能说。至于王莽篡位，汉世大祸，八十篇何为不戒？则知图谶成于哀、平之际也。且《河洛》、《六艺》，篇录已定，后人皮傅，无所容篡。永元中，清河宋景遂以历纪推言水灾，而伪称洞视玉版。或者至于弃家业，入山林。后皆无效，而复采前世成事，以为证验。至于永建复统，则不能知。此皆欺世罔俗，以昧势位，情伪较然，莫之纠禁。且律历、卦候、九宫、风角，数有征效，世莫肯学，而竞称不占之书。譬犹画工。恶图犬马而好作鬼魅，诚以实事难形，而虚伪不穷也。宜收藏图谶，一禁绝之，则朱紫无所眩，典籍无瑕玷矣。

后迁侍中，帝引在帷幄，讽议左右。尝问衡天下所疾恶者。宦官惧其毁己，皆共目之，衡乃诡对而出。阉竖恐终为其患，遂共谗之。

**【译文】**

当初，汉光武帝喜好谶纬，到了明帝、章帝相继效法。自东汉建立之后，儒者争相学习图纬，又以惑众妖言相附宣。张衡认为图谶纬书虚假荒谬，并非圣人的准则，于是上疏皇帝说：

“我听说圣人明察律历来论定吉凶，再加之以卜筮占验，混杂以九宫推算，推测天命，检验事理，所依据的都在这里。有人观察星辰运行的逆顺轨迹，寒冷湿暖的变化原由；有人察验龟策占卜，男觋女巫的预言，所依据的不是一种方法。他们预言在先，征验于后，所以聪明人珍重这些推测，称之为谶书。谶书刚出现时，大概知道的人很少。自从汉朝取代秦朝，是靠军事战争，功成业就，可说是大事情，可那个时候，并没有人用谶纬来预言。像夏侯胜、眭孟之类，以道术建立名望，在他们的著述中，却无一句谶语。刘向父子领衔校勘中秘藏书，汇集校定诸子著作，也没有谶讳载录。成帝、哀帝之后，才开始听说谶纬之学。《尚书》说尧派鲧治理洪水，历经九年，事业不成，鲧被处死，大禹继业而兴。可是《春秋谶》说‘共工治理洪水’。凡是谶纬都说黄帝攻伐蚩尤，可《诗谶》认为‘蚩尤失败，然后是尧受命即位’。《春秋元命包》中有公输班和墨翟，他们的事迹记载在战国，不在春秋时代。同书又说：‘别有益州。’可是益州的设置是在汉代。书中记载了三辅的各个陵墓，世系清楚，而在图中仅至汉成帝为止。只有一卷的书，互相歧异的有好几件事情，圣人的言论，势必无此疏漏，定是虚伪之徒，以此骗取世人信任以谋求钱财。以前侍中贾逵曾摘出谶纬书中互相歧异之事三十余件，那些讲谶纬的人对此都无法解释。至于像王莽篡位之事，这等汉朝大的祸患，在《河洛》、《六艺》八十篇中为什么不提出警诫呢？由此可知图谶形成于哀帝、平帝之际。况且《河洛》、《六艺》篇目已经确定，后人以肤浅的见解来附会，也无法篡改。永元年间，清河人宋景就用历纪来预言水灾，而诡称祠察了玉版。有些人竟轻信谎言，抛弃家产。逃入山林。那些图谶都没有效验。于是仍采录前代所发生的事情，来作为图谶的证验。至于顺帝废而复立之事，则不能预知。这都是欺世盗名，罔害民俗，用来蒙骗有权势在官位之人的，真伪很显明，却无人检举禁止它。至于律历、卦候、九宫、风角，屡屡有征验，世人却没有肯学习的，而去竞相称赞那些不可信的纬书。这就像画工不喜欢画犬马，而喜欢画鬼魅一样，确实是因为实在的事物难以描绘，而虚幻假造的东西不易被穷究啊。现在应该收缴封藏图谶，把它们一律禁绝，那么正邪就无所混淆，典籍图书也就不会再有污点了。”

后来张衡升迁为侍中，顺帝将他召在宫中，留于自己身边劝谏、议事。一次，顺帝问张衡天下人所痛恨的是什么人。宦官唯恐张衡讲他们的坏话，都瞪眼注视着他，张衡便敷衍作答退了出来。宦官害怕他终将成为自己的祸患，就一同进谗言诽谤他。

衡常思图身之事，以为吉凶倚伏，幽微难明，乃作《思玄赋》，以宣寄情志。其辞曰：

仰先哲之玄训兮，虽弥高其弗违。匪仁里其焉宅兮，匪义迹其焉追？潜服膺以永靓兮，绵日月而不衰。伊中情之信修兮，慕古人之贞节。竦余身而顺止兮，遵绳墨而不跌。志团团以应悬兮，诚心固其如结。旌性行以制佩兮，佩夜光与琼枝。纗幽兰之秋华兮，又缀之以江蓠。美襞积以酷裂兮，允尘邈而难亏。既姱丽而鲜双兮，非是时之攸珍。奋余荣而莫见兮，播余香而莫闻。幽独守此仄陋兮，敢怠皇而舍勤。幸二八之遻虞兮，喜傅说之生殷；尚前良之遗风兮，恫后辰而无及。何孤行之茕茕兮，孑不群而介立？感鸾鹥之特栖兮，悲淑人之稀合。

彼无合其何伤兮，患众伪之冒真。旦获讟于群弟兮，启《金縢》而乃信。览蒸民之多僻兮，畏立辟以危身。曾烦毒以迷或兮，羌孰可与言已？私湛忧而深怀兮，思缤纷而不理。愿竭力以守义兮，虽贫穷而不改。执雕虎而试象兮，阽焦原而跟止。庶斯奉以周旋兮，要既死而后已。俗迁渝而事化兮，泯规矩之圜方。珍萧艾于重笥兮，谓蕙芷之不香。斥西施而弗御兮，羁要袅以服箱。行陂僻而获志兮，循法度而离殃。惟天地之无穷兮，何遭遇之无常！不抑操而苟容兮，譬临河而无航。欲巧笑以干媚兮，非余心之所尝。袭温恭之黻衣兮，披礼义之绣裳。辫贞亮以为鞶兮，杂技艺以为珩。昭彩藻与雕琢兮，璜声远而弥长。淹栖迟以恣欲兮，耀灵忽其西藏。恃己知而华予兮，罣悞鸣而不芳。冀一年之三秀兮，遒白露之为霜。时亹亹而代序兮，畴可与乎比伉？咨妒嫮之难并兮，想依韩以流亡，恐渐冉而无成兮，留则敝而不章。

【译文】

张衡常考虑自己的未来，认为吉凶互为依存，幽深微妙，难以明了，于是写了《思玄赋》来宣泄寄托自己的情思志趣。其辞曰：

“仰先哲之玄训兮，虽弥高其弗违。匪仁里其焉宅兮，匪义迹其焉追？潜服膺以永靓兮，绵日月而不衰。伊中情之信修兮，慕古人之贞节。竦余身而顺止兮，遵绳墨而不跌。志团团以应悬兮，诚心固其如结。旌性行以制佩兮，佩夜光与琼枝。纗幽兰之秋华兮，又缀之以江蓠。美襞积以酷裂兮，允尘邈而难亏。既姱丽而鲜双兮，非是时之攸珍。奋余荣而莫见兮，播余香而莫闻。幽独守此仄陋兮，敢怠皇而舍勤。幸二八之逻虞兮，喜傅说之生殷；尚前良之遗风兮，恫后辰而无及。何孤行之茕茕兮，孑不群而介立？感鸾鹥之特栖兮，悲淑人之稀合。

“彼无合其何伤兮，患众伪之冒真。旦获讟于群弟兮，启《金縢》而乃信。览蒸民之多僻兮，畏立辟以危身。曾烦毒以迷或兮，羌孰可与言已？私湛忧而深怀兮，思缤纷而不理。愿竭力以守义兮，虽贫穷而不改。执雕虎而试象兮，阽焦原而跟止。庶斯奉以周旋兮，要既死而后已。俗迁渝而事化兮，泯规矩之圜方。珍萧艾于重笥兮，谓蕙芷之不香。斥西施而弗御兮，羁要袅以服箱。行陂僻而获志兮，循法度而离殃。惟天地之无穷兮，何遭遇之无常！不抑操而苟容兮，譬临河而无航。欲巧笑以干媚兮，非余心之所尝。袭温恭之黻衣兮，披礼义之绣裳。辫贞亮以为鞶兮，杂技艺以为珩。昭彩藻与雕琢兮，璜声远而弥长。淹栖迟以恣欲兮，耀灵忽其西藏。恃己知而华予兮，罼偠鸣而不芳。冀一年之三秀兮，遒白露之为霜。时亹亹而代序兮，畴可与乎比伉？咨妒嫮之难并兮，想依韩以流亡，恐渐冉而无成兮，留则蔽而不章。

心犹与而狐疑兮，即岐址而摅情。文君为我端蓍兮，利飞遁以保名。历众山以周流兮，翼迅风以扬声。二女感于崇岳兮，或冰折而不营。天盖高而为泽兮，谁云路之不平！勔自强而不息兮，蹈玉阶之峣峥。惧筮氏之长短兮，钻东龟以观祯。遇九皋之介鸟兮，怨素意之不逞。游尘外而瞥天兮，据冥翳而哀鸣。雕鹗竞于贪婪兮，我修絜以益荣。子有故于玄鸟兮，归母氏而后宁。

占既吉而无悔兮，简元辰而俶装。旦余沐于清原兮，晞余发于朝阳。漱飞泉之沥液兮，咀石菌之流英。翾鸟举而鱼跃兮，将往走乎八荒。过少皞之穷野兮，问三丘乎句芒。何道真之淳粹兮，去秽累而票轻。登蓬莱而容与兮，鳌虽抃而不倾。留瀛洲而采芝兮，聊且以乎长生。凭归云而遐逝兮，夕余宿乎扶桑。噏青岑之玉醴兮，餐沆瀣以为粮。发昔梦于木禾兮，谷昆仑之高冈。朝吾行于汤谷兮，从伯禹于稽山。集群神之执玉兮，疾防风之食言。

指长沙以邪径兮，存重华乎南邻。哀二妃之未从兮，翩傧处彼湘濒。流目觌夫衡阿兮，睹有黎之圮坟；痛火正之无怀兮，托山陂以孤魂。愁蔚蔚以慕远兮，越印州而愉敖。跻日中于昆吾兮，憩炎天之所陶。扬芒熛而绛天兮，水泫沄而涌涛。温风翕其增热兮，惄郁邑其难聊。颛羁旅而无友兮，余安能乎留兹？

顾金天而叹息兮，吾欲往乎西嬉。前祝融使举麾兮，纚朱鸟以承旗。躔建木于广都兮，拓若华而踌躇。超轩辕于西海兮，跨汪氏之龙鱼。闻此国之千岁兮，曾焉足以娱余？

【译文】

“心犹与而狐疑兮，即岐址而摅情。文君为我端蓍兮，利飞遁以保名。历众山以周流兮，翼迅风以扬声。二女感于崇岳兮，或冰折而不营。天盖高而为泽兮，谁云路之不平！勔自强而不息兮，蹈玉阶之峣峥。惧筮氏之长短兮，钻东龟以观祯。遇九皋之介鸟兮，怨素意之不逞。游尘外而瞥天兮，据冥翳而哀鸣。雕鹗竞于贪婪兮，我修洁以益荣。子有故于玄鸟兮，归母氏而后宁。

“占既吉而无悔兮，简元辰而俶装。旦余沐于清原兮，晞余发于朝阳。漱飞泉之沥液兮，咀石菌之流英。翾鸟举而鱼跃兮，将往走乎八荒。过少皞之穷野兮，问三丘乎句芒。何道真之淳粹兮，去秽累而票轻。登蓬莱而容与兮，鳌虽抃而不倾。留瀛洲而采芝兮，聊且以乎长生。凭归云而遐逝兮，夕余宿乎扶桑。噏青岑之玉醴兮，餐沆瀣以为粮。发昔梦于木禾兮，谷昆仑之高冈。朝吾行于汤谷兮，从伯禹于稽山。集群神之执玉兮，疾防风之食言。

“指长沙以邪径兮，存重华乎南邻。哀二妃之未从兮，翩傧处彼湘濒。流目觌夫衡阿兮，睹有黎之圮坟；痛火正之无怀兮，托山陂以孤魂。愁蔚蔚以慕远兮，越卬州而愉敖。跻日中于昆吾兮，憩炎天之所陶。扬芒熛而绛天兮，水泫沄而涌涛。温风翕其增热兮，惄郁邑其难聊。颙羁旅而无友兮，余安能乎留兹？

“顾金天而叹息兮，吾欲往乎西嬉。前祝融使举麾兮，缅朱鸟以承旗。躔建木于广都兮，拓若华而踌躇。超轩辕于西海兮，跨汪氏之龙鱼。闻此国之千岁兮，曾焉足以娱余？

思九土之殊风兮，从蓐收而遂徂。欻神化而蝉蜕兮，朋精粹而为徒。蹶白门而东驰兮，云台行乎中野。乱弱水之潺湲兮，逗华阴之湍渚。号冯夷俾清津兮，棹龙舟以济予。会帝轩之未归兮，怅相佯而延伫。咽河林之蓁蓁兮，伟《关雎》之戒女。黄灵詹而访命兮，摎天道其焉如。日近信而远疑兮，六籍阙而不书。神逵昧其难覆兮，畴克谟而从诸？牛哀病而成虎兮，虽逢昆其必噬。鳖令殪而尸亡兮，取蜀禅而引世。死生错而不齐兮，虽司命其不晰。窦号行于代路兮，后膺祚无繁庑。王肆侈于汉庭兮，卒衔恤而绝绪。尉龙眉而郎潜兮，逮三叶而遘武。董弱冠而司衮兮，设王隧而弗处。夫吉凶之相仍兮，恒反侧而靡所。穆负天以悦牛兮，竖乱叔而幽主。文断祛而忌伯兮，阉谒贼而宁后。通人暗于好恶兮，岂爱惑之能剖？嬴擿谶而戒胡兮，备诸外而发内。或辇贿而违车兮，孕行产而为对。慎、灶显于言天兮，占水火而妄谇。梁叟患夫黎丘兮，丁厥子而事刃，亲所睇而弗识兮，矧幽冥之可信。毋绵挛以涬己兮，思百忧以自疢。彼天监之孔明兮，用棐忱而佑仁。汤蠲体以祷祈兮，蒙厖褫以拯人。景三虑以营国兮，荧惑次于它辰。魏颗亮以从理兮，鬼亢回以敝秦。咎繇迈而种德兮，德树茂乎英、六。桑末寄夫根生兮，卉既雕而已毓。有无言而不仇兮，又何往而不复？盍远迹以飞声兮，孰谓时之可蓄？

仰矫首以遥望兮，魂懺惘而无畴。逼区中之隘陋兮，将北度而宣游。行积冰之硙硙兮，清泉冱而不流。寒风凄而永至兮，拂穹岫之骚骚。玄武缩于壳中兮，螣蛇蜿而自纠。鱼矜鳞而并凌兮，鸟登木而失条。坐太阴之屏室兮，慨含欷而增愁。怨高阳之相寓兮，伷颛顼之宅幽。庸织络于四裔兮，斯与彼其何瘳？望寒门之绝垠兮，纵余绁乎不周。迅飙潚其媵我兮，鹜翩飘而不禁。趋谽呀之洞穴兮，摽通渊之硃硃。经重阴乎寂寞兮，愍坟羊之潜深。

**【译文】**

“思九土之殊风兮，从蓐收而遂徂。欻神化而蝉蜕兮，朋精粹而为徒。蹶白门而东驰兮，云台行乎中野。乱弱水之潺湲兮，逗华阴之湍渚。号冯夷俾清津兮，棹龙舟以济予。会帝轩之未归兮，怅相佯而延伫。呬河林之蓁蓁兮，伟《关雎》之戒女。黄灵詹而访命兮，摎天道其焉如。日近信而远疑兮，六籍阙而不书。神逵昧其难覆兮，畴克谟而从诸？牛哀病而成虎兮，虽逢昆其必噬。鳖令殪而尸亡兮，取蜀禅而引世。死生错而不齐兮，虽司命其不晰。窦号行于代路兮，后膺祚而繁庑。王肆侈于汉庭兮，卒衔恤而绝绪。尉龙眉而郎潜兮，逮三叶而遘武。董弱冠而司衮兮，设王隧而弗处。夫吉凶之相仍兮，恒反侧而靡所。穆负天以悦牛兮，竖乱叔而幽主。文断祛而忌伯兮，阉谒贼而宁后。通人暗于好恶兮，岂爱惑之能剖？嬴擿谶而戒胡兮，备诸外而发内。或輂賄而违车兮，孕行产而为对。慎、灶显于言天兮，占水火而妄谇。梁叟患夫黎丘兮，丁厥子而事刃，亲所睇而弗识兮，矧幽冥之可信。毋绵挛以涬己兮，思百忧以自疢。彼天监之孔明兮，用棐忱而佑仁。汤蠲体以祷祈兮，蒙厖褫以拯人。景三虑以营国兮，荧惑次于它辰。魏颗亮以从理兮，鬼亢回以敝秦。咎繇迈而种德兮，德树茂乎英、六。桑末寄夫根生兮，卉既雕而已毓。有无言而不仇兮，又何往而不复？盍远迹以飞声兮，孰谓时之可蓄？

“仰矫首以遥望兮，魂懒惘而无畴。逼区中之隘陋兮，将北度而宣游。行积冰之硙硙兮，清泉冱而不流。寒风凄而永至兮，拂穹岫之骚骚。玄武缩于壳中兮，螣蛇蜿而自纠。鱼矜鳞而并凌兮，鸟登木而失条。坐太阴之屏室兮，慨含欷而增愁。怨高阳之相寓兮，伷颛顼之宅幽。庸织络于四裔兮，斯与彼其何瘳？望寒门之绝垠兮，纵余绁乎不周。迅飙潚其媵我兮，鹜翩飘而不禁。趋谽呀之洞穴兮，摽通渊之硳硳。经重阴乎寂寞兮，愍坟羊之潜深。

追慌忽于地底兮，轶无形而上浮。出右密之暗野兮，不识蹊之所由。速烛龙令执炬兮，过钟山而中休。瞰瑶谿之赤岸兮，吊祖江之见刘。聘王母于银台兮，羞玉芝以疗饥；戴胜慭其既欢兮，又诮余之行迟。载太华之玉女兮，召洛浦之宓妃。咸姣丽以蛊媚兮，增嫮眼而蛾眉。舒妙婧之纤腰兮，扬杂错之袿徽。离朱唇而微笑兮，颜的砺以遗光。献环琨与玙缡兮，申厥好以玄黄。虽色艳而赂美兮。志浩荡而不嘉。双材悲于不纳兮，并咏诗而清歌。歌曰：天地烟煴，百卉含蘤。鸣鹤交颈，雎鸠相和。处子怀春，精魂回移。如何淑明，忘我实多。

将答赋而不暇兮，爰整驾而亟行。瞻昆仑之巍巍兮，临萦河之洋洋。伏灵龟以负坻兮，亘螭龙之飞梁。登阆风之曾城兮，构不死而为床。屑瑶蕊以为糇兮，斟白水以为浆。抨巫咸以占梦兮，迺贞吉之元符。滋令德于正中兮，（合）〔含〕嘉（秀）〔禾〕以为敷。既垂颖而顾本兮，尔要思乎故居。安和静而随时兮，姑纯懿之所庐。

戒庶寮以夙会兮，佥恭职而并迓。丰隆轩其震霆兮，列缺晔其照夜。云师䨴以交集兮，涷雨沛其洒涂。轙琱舆而树葩兮，扰应龙以服辂。百神森其备从兮，屯骑罗而星布。振余袂而就车兮，修剑揭以低昂。冠咢咢其映盖兮，佩綝缅以辉煌。仆夫俨其正策兮，八乘摅而超骧。氛旄溶以天旋兮，蜺旌飘而飞扬。抚轸轵而还睨兮，心灼药其如汤。羡上都之赫戏兮，何迷故而不忘？左青琱以捷芝兮，右素威以司钲。前长离使拂羽兮，委水衡乎玄冥。属箕伯以函风兮，澄溃湿而为清。曳云旗之离离兮，鸣玉鸾之譻譻。涉清霄而升遐兮，浮蔑蒙而上征。纷翼翼以徐戾兮，焱回回其扬灵。叫帝阍使辟扉兮，觌天皇于琼宫。聆广乐之九奏兮，展泄泄以彤彤。考理乱于律钧兮，意建始而思终。惟盘逸之无斁兮，惧乐往而哀来。素抚弦而余音兮，大容吟曰念哉。既防溢而静志兮，迨我暇以翱翔。出紫宫之肃肃兮，集大微之阆阆。命王良掌策驷兮，逾高阁之锵锵。建罔车之幕幕兮，猎青林之芒芒。弯威弧之拨刺兮，射嶓冢之封狼。观壁垒于北落兮，伐河鼓之磅硠。乘天潢之泛泛兮，浮云汉之汤汤。倚招摇、摄提以低回剹流兮，察二纪、五纬之绸缪遹皇。偃蹇夭矫娩以连卷兮，杂沓丛颡飒以方骧。戫汨飂戾沛以罔象兮，烂漫丽靡藐以迭逿。凌惊雷之砊磕兮，弄狂电之淫裔。逾庬澒于宕冥兮，贯倒景而高厉。廓荡荡其无涯兮，乃今穷乎天外。

【译文】

“追慌忽于地底兮，轶无形而上浮。出右密之暗野兮，不识蹊之所由。速烛龙令执炬兮，过钟山而中休。瞰瑶谿之赤岸兮，吊祖江之见刘。聘王母于银台兮，羞玉芝以疗饥；戴胜慭其既欢兮，又诮余之行迟。载太华之玉女兮，召洛浦之宓妃。咸姣丽以蛊媚兮，增嫮眼而蛾眉。舒妙婧之纤腰兮，扬杂错之袿徽。离朱唇而微笑兮，颜的砺以遗光。献环琨与玙缡兮，申厥好以玄黄。虽色艳而赂美兮，志浩荡而不嘉。双材悲于不纳兮，并咏诗而清歌。歌曰：天地烟煴，百卉含蘤。鸣鹤交颈，雎鸠相和。处子怀春，精魂回移。如何淑明，忘我实多。

“将答赋而不暇兮，爰整驾而亟行。瞻昆仑之巍巍兮，临萦河之洋洋。伏灵龟以负坻兮，亘螭龙之飞梁。登阆风之曾城兮，构不死而为床。屑瑶蕊以为粻兮，斟白水以为浆。抨巫咸以占梦兮，迺贞吉之元符。滋令德于正中兮，（合）〔含〕嘉（秀）〔禾〕以为敷。既垂颖而顾本兮，尔要思乎故居。安和静而随时兮，姑纯懿之所庐。

“戒庶寮以夙会兮，佥恭职而并迓。丰隆軯其震霆兮，列缺晔其照夜。云师䨏以交集兮，涷雨沛其洒涂。轙琱舆而树葩兮，扰应龙以服辂。百神森其备从兮，屯骑罗而星布。振余袂而就车兮，修剑揭以低昂。冠咢咢其映盖兮，佩綝纚以辉煌。仆夫俨其正策兮，八乘摅而超骧。氛旄溶以天旋兮，蜺旌飘而飞扬。抚軨轵而还睨兮，心灼药其如汤。羡上都之赫戏兮，何迷故而不忘？左青琱以揵芝兮，右素威以司钲。前长离使拂羽兮，委水衡乎玄冥。属箕伯以函风兮，澄淟涊而为清。曳云旗之离离兮，鸣玉鸾之譻譻。涉清霄而升遐兮，浮蔑蒙而上征。纷翼翼以徐戾兮，焱回回其扬灵。叫帝阍使辟扉兮。觌天皇于琼宫。聆广乐之九奏兮，展泄泄以肜肜。考理乱于律钧兮，意建始而思终。惟盘逸之无斁兮，惧乐往而哀来。素抚弦而余音兮，大容吟曰念哉。既防溢而静志兮，迨我暇以翱翔。出紫宫之肃肃兮，集大微之阆阆。命王良掌策驷兮，逾高阁之锵锵。建罔车之幕幕兮，猎青林之芒芒。弯威弧之拨刺兮，射嶓冢之封狼。观壁垒于北落兮，伐河鼓之磅硠。乘天潢之泛泛兮，浮云汉之汤汤。倚招摇、摄提以低回剹流兮，察二纪、五纬之绸缪遹皇。偃蹇夭矫婉以连卷兮，杂沓丛颡飒以方骧。鹹汩飂戾沛以罔象兮，烂漫丽靡藐以迭逿。凌惊雷之砊磕兮，弄狂电之淫裔。逾庞澒于宕冥兮，贯倒景而高厉。廓荡荡其无涯兮，乃今穷乎天外。

据开阳而頫盼兮，临旧乡之暗蔼。悲离居之劳心兮，情悁悁而思归。魂眷眷而屡顾兮，马倚辀而俳回。虽遨游以媮乐兮，岂愁慕之可怀。出阊阖兮降天涂，乘飙忽兮驰虚无。云霏霏兮绕余轮，风眇眇兮震余旟。缤联翩兮纷暗暖，倏眩眃兮反常闾。

收畴昔之逸豫兮，卷淫放之遐心。修初服之娑娑兮，长余珮之参参。文章焕以粲烂兮，美纷纭以从风。御六艺之珍驾兮，游道德之平林。结典籍而为罟兮，欧儒、墨而为禽。玩阴阳之变化兮，咏《雅》、《颂》之徽音。嘉曾氏之《归耕》兮，慕历陵之钦崟。共夙昔而不贰兮，固终始之所服也；夕惕若厉以省諐兮，惧余身之未敕也。苟中情之端直兮，莫吾知而不恧。墨无为以凝志兮，与仁义乎消摇。不出户而知天下兮。何必历远以劬劳？

系曰：天长地久岁不留，俟河之清祇怀忧。愿得远度以自娱，上下无常穷六区。超逾腾跃绝世俗。飘飖神举逞所欲。天不可阶仙夫希，柏舟悄悄吝不飞。松、乔高跱孰能离？结精远游使心攜。回志朅来从玄谋，获我所求夫何思！

永和初，出为河间相。时国王骄奢，不遵典宪；又多豪右，共为不轨。衡下车，治威严，整法度，阴知奸党名姓，一时收禽，上下肃然，称为政理。视事三年，上书乞骸骨，征拜尚书。年六十二，永和四年卒。

**【译文】**

"据开阳而頫盼兮，临旧乡之暗蔼。悲离居之劳心兮，情悁悁而思归。魂眷眷而屡顾兮，马倚辀徘回。虽遨游以媮乐兮，岂愁慕之可怀。出阊阖兮降天涂，乘飙忽兮驰虚无。云霏霏兮绕余轮，风眇眇兮震余旍。缤联翩兮纷暗暧，倏眩眃兮反常闾。

"收畴者之逸豫兮，卷淫放之遐心。修初服之娑娑兮，长余佩之参参。文章焕以粲烂兮，美纷纭以从风。御六艺之珍驾兮，游道德之平林。结典籍而为罟兮，欧儒、墨而为禽。玩阴阳之变化兮，咏《雅》、《颂》之徽音。嘉曾氏之《归耕》兮，慕历陵之钦崟。共夙昔而不贰兮，固终始之所服也；夕惕若厉以省諐兮，惧余身之未敕也。苟中情之端直兮，莫吾知而不恧。墨无为以凝志兮，与仁义乎消摇。不出户而知天下兮，何必历远以劬劳？

"系曰：天长地久岁不留，俟河之清祇怀忧。愿得远度以自娱，上下无常穷六区。超逾腾跃绝世俗，飘飖神举逞所欲。天不可阶仙夫希，柏舟悄悄吝不飞。松、乔高跱孰能离？结精远游使心攜。回志朅来从玄谋，获我所求夫何思！"

汉顺帝永和初年，张衡离京出任河间王的相。当时河间王骄奢，不遵守典制宪章，又加之王国中多有豪门大族，一同违法犯禁。张衡一就任，就树立严肃的权威，整顿法律制度，暗中调查出奸恶集团成员名单，一举收捕，王国上下肃然起敬，交口称赞他为政有方。在任三年后，他上书皇帝请求退休，又征拜为尚书令。永和四年，张衡六十二岁时去世。

著《周官训诂》，崔瑗以为不能有异于诸儒也。又欲继孔子《易》说

《彖》、《象》残缺者，竟不能就。所著诗、赋、铭、七言、《灵宪》、《应间》、《七辩》、《巡诰》、《悬图》凡三十二篇。

永初中，谒者仆射刘珍、校书郎刘騊駼等著作东观，撰集《汉记》，因定汉家礼仪，上言请衡参论其事，会并卒，而衡常叹息，欲终成之。及为侍中，上疏请得专事东观，收捡遗文，毕力补缀。又条上司马迁、班固所叙与典籍不合者十余事。又以为王莽本传但应载篡事而已，至于编年月，纪灾祥，宜为元后本纪。又更始居位，人无异望。光武初为其将，然后即真，宜以更始之号建于光武之初。书数上，竟不听。及后之著述，多不详典，时人追恨之。

论曰：崔瑗之称平子曰“数术穷天地，制作侔造化”。斯致可得而言欤！推其围范两仪，天地无所蕴其灵；运情机物，有生不能参其智。故（智）〔知〕思引渊微，人之上术。记曰：“德成而上，艺成而下。”量斯思也，岂夫艺而已哉？何德之损乎！

赞曰：三才理通，人灵多蔽。近推形算，远抽深滞。不有玄虑，孰能昭晰？

**【译文】**

张衡所著《周官训诂》一书，崔瑗认为与其他儒生的训解没有区别。张衡还曾打算补充孔子解说《周易》所作《彖》、《象》的残缺部分，但终未能完成。他写作的诗、赋、铭、七言诗、《灵宪》、《应间》、《七辩》、《巡诰》、《悬图》等共计三十二篇。

安帝永初（107—113）年间，谒者仆射刘珍、校书郎刘騊駼等人在东观著述，撰集《汉记》，并趁此确定汉朝礼仪，就上疏皇帝请求让张衡参予论定此事，恰巧此二人一同去世，所以张衡常常叹息，打算最终完成此事。到做了侍中时，他上疏请求专门在东观任职，收捡遗文残简，尽力补缀。又条奏司马迁、班固记述中与典籍不相符合的十多件史事。并认为王莽本传只应载他篡位之事，至于编年载事，记录灾异祥瑞，则应另写元后本纪。又因为更始帝刘玄即位时，人们并未期望他人，光武最初是更始的部将，后来才即位称帝，应该将更始的年号置于光武之前。他屡次上书，终未被采纳。等到后来的著述，大多不详备规范，时人都为当初张衡的建议未被采纳而追悔。

史家论曰：崔瑗称赞张衡说："数术之学可穷天地奥妙，制作之巧可同自然造化。"这话是评价张衡最恰当的语言了！推究他拟照天地而制作浑天仪，使得天地无法隐藏自身的奥秘；他运用精思研制的地动仪，任何人也无法再加入自己的智慧。所以他的智慧已进入事理深邃微妙之处，是人类的上乘学术。《礼记》说："以德行成就的居上位，以技艺成就的居下位。"以此估量张衡的才思，难道只是技艺而已吗？这样的技艺对德行有什么减损呢！

史家赞曰：天、地、人三才，其本质相通，而人却性灵多蔽，罕能知晓天道。近物可依形推算，远物则抽象难通。没有深远的考虑，谁能清晰明白？

# 孔融荀或列传

孔融列传

孔融字文举，鲁国人，孔子二十世孙也。七世祖霸，为元帝师，位至侍中。父宙，太山都尉。

融幼有异才。年十岁，随父诣京师。时，河南尹李膺以简重自居，不妄接士宾客，敕外自非当世名人及与通家，皆不得白。融欲观其人，故造膺门。语门者曰："我是李君通家子弟。"门者言之。膺请融，问曰："高明祖父尝与仆有恩旧乎？"融曰："然。先君孔子与君先人李老君同德比义，而相师友，则融与君累世通家。"众坐莫不叹息。太中大夫陈炜后至，坐中以告炜。炜曰："夫人小而聪了，大未必奇。"融应声曰："观君所言，将不早惠乎？"膺大笑曰："高明必为伟器。"

年十三，丧父，哀悴过毁，扶而后起，州里归其孝。性好学，博涉多该览。

**【译文】**

孔融，字文举。鲁国人。是孔子的二十世孙。他的七世祖名霸，曾是汉元帝的老师，官位达到侍中。父亲宙，曾为太山郡的都尉。

孔融幼年时就有特殊的才能。十岁时，他跟随父亲到达京城。当时，河南尹李膺以倨傲端重自居。不随便接待士人宾客，并命令守门人非当今世上名人及自己的世交，一律不得禀告。孔融很想见一见李膺这个人，便前往李府，对守门人说："我是李君世交的子弟。"守门的人照此通报后，李膺便邀请孔融相见。问道："您的祖先父辈曾和我有什么情谊呢？"孔融回答说："是啊，我的祖先孔子和您的祖先李老君因道德、仁义相同，成为师生朋友。那么，我与您自然应该是已延续多少代的世交了。"一席话，使在座的宾客无不赞叹。随后，太中大夫陈炜前来，在座的人把这件事告诉他。陈炜却说："一个人小时候聪慧懂事，长大不一定有惊人的才能。"孔融立即应声答道："听您的话，想必是您幼时不够聪明吧！”李膺哈哈大笑，夸奖说：“您将来一定能干一番大事。”

孔融十三岁时，父亲过世。他因过度悲哀而损害了健康，被人扶着才能勉强起身。为此州郡乡里无不钦佩他的笃孝。孔融禀性好学，既能博览群书，又能掌握其中的精意。

山阳张俭为中常侍侯览所怨，览为刊章下州郡，以名捕俭。俭与融兄褒有旧，亡抵于褒，不遇。时融年十六，俭少之而不告。融见其有窘色，谓曰："兄虽在外，吾独不能为君主邪？"因留舍之。后事泄，国相以下，密就掩捕，俭得脱走，遂并收褒、融送狱。二人未知所坐。融曰："保纳舍藏者，融也，当坐之。"褒曰："彼来求我，非弟之过，请甘其罪。"吏问其母，母曰："家事任长，妾当其辜。"一门争死，郡县疑不能决，乃上谳之。诏书竟坐褒焉。融由是显名，与平原陶丘洪、陈留边让齐声称。州郡礼命，皆不就。

辟司徒杨赐府。时，隐核官僚之贪浊者，将加贬黜，融多举中官亲族。尚书畏迫内宠，召掾属诘责之。融陈对罪恶，言无阿挠。河南尹何进当迁为大将军，杨赐遣融奉谒贺进，不时通，融即夺谒还府，投劾而去。河南官属耻之，私遣剑客欲追杀融。客有言于进曰："孔文举有重名，将军若造怨此人，则四方之士引领而去矣。不如因而礼之，可以示广于天下。"进然之，既拜而辟融，举高第，为侍御史。与中丞赵舍不同，托病归家。

**【译文】**

山阳人张俭得罪了中常侍侯览。侯览便造匿名控告书发至各州郡，并以此借口逮捕张俭。张俭因同孔融的哥哥孔褒有交情，便逃往孔褒处避难，不巧未曾相遇。这时，孔隔年仅十六岁，张俭见他年龄太小不便将实情相告。孔融见张俭面带着急的神色，便对他说："哥哥虽然不在家，难道我就不能做您的东道主吗？"张俭因此暂时住在了孔府。后来此事泄露，国相以下，都遭到严密的突袭搜捕。因张俭已经逃脱，便把孔褒、孔融逮入监狱。但郡县官吏不知两人谁犯了罪。孔融就说："是我留他藏在家中的，应当判我的罪。"孔褒说："人来求助的是我，不该是弟弟的过失，请处罚我。”官吏见此无法判断，就又去问他们的母亲。其母却道：“家里的事是长辈做主，所以应当由我担当这个罪责。”就这样，一家人争着承担死罪。郡县官吏疑惑不能断案，便将此案呈送朝廷定夺。最后，皇帝下诏仅判孔褒一人有罪。事后，孔融美名传扬，与平原人陶丘洪、陈留人边让享有同样的声誉。这时，州里郡里都送来任命的文书，而孔融却均未接受。

后来，司徒杨赐征召孔融在司徒府任职。按当时的规定，审核贪官罪证的官吏凡有隐瞒实情的，一律受降职处罚。孔融检举核查的大多是宦官的亲戚族人。尚书因畏惧宦官，便召办事官员诘问，孔融一一陈述贪官的罪恶，义正词严，一点也不阿谀曲附。河南尹何进刚晋升为大将军时，杨赐派孔融奉名帖前去祝贺。可是孔融进去后，却未待通报就夺回名贴，然后留下弹劾呈状返身回府了。河南尹官属人员，都认为这是耻辱，遂暗中派刺客想追杀孔融。这时，客中有人劝谏何进说：“孔文举的名气很大，您若与他结立怨仇，各地的豪杰志士都将要远离、背弃您。还不如就此以礼相待，来向天下广泛显示您宽广的胸怀。”何进接受了这一建议。不久后，他又恭恭敬敬地征召孔融任职，因孔融在政绩考核中成绩优异，被迁升为侍御史。后来，孔融因与中丞赵舍意见不合，便托病辞官回家了。

后辟司空掾，拜中军侯。在职三日，迁虎贲中郎将。会董卓废立，融每因对答，辄有匡正之言。以忤卓旨，转为议郎。时黄巾寇数州，而北海最为贼冲，卓乃讽三府同举融为北海相。

融到郡，收合士民，起兵讲武，驰檄飞翰，引谋州郡。贼张饶等群辈二十万众从冀州还，融逆击，为饶所败，乃收散兵保朱虚县。稍复鸠集吏民为黄巾所误者男女四万余人，更置城邑，立学校，表显儒术，荐举贤良郑玄、彭璆、邴原等。郡人甄子然、临孝存知名早卒，融恨不及之，乃命配食县社。其余虽一介之善，莫不加礼焉。郡人无后及四方游士有死亡者，皆为棺具而敛葬之。时，黄巾复来侵暴，融乃出屯都昌，为贼管亥所围。融逼急，乃遣东莱太史慈求救于平原相刘备。备惊曰：“孔北海乃复知天下有刘备邪？”即遣兵三千救之，贼乃散走。

时，袁、曹方盛，而融无所协附。左丞祖者，称有意谋，劝融有所结纳。融知绍、操终图汉室，不欲与同，故怒而杀之。

【译文】

此后，孔融再次被征召任司空署的部门负责人，官拜北军中侯。任职仅三日，又被改任为虎贲中郎将。这时期，恰逢董卓专权，废少帝立献帝。为此，孔融每有对策的机会，便阐发匡正国政的议论。因此他触犯了董卓的旨意，被转任为议郎。当时黄巾军已侵犯了几个州，其中北海郡正是黄巾军侵寇的要地。董卓正想报复孔融，便暗示太尉、司徒、司空三府共同荐举孔融，担任北海郡太守。

孔融到北海郡上任后，一面组织士人百姓练兵习武，一面迅速发布命令传递书信，征引有关州郡防务的计谋。当贼将张饶等率领二十万大军从冀州返回时，孔融出兵迎击，却被张饶的军队打败，于是只好收集散兵退保朱虚县。很快，孔融就又召集曾受黄巾蒙蔽的男女吏民四万余人，重新修建城邑，设立学校，表彰儒学，荐举贤良郑玄、彭璆、邴原等人。郡人甄子然、临孝存二人，都是德高望重却很早就故去了，孔融恨自己没能和他们相识，便命令地方在县社祠庙中祭祀他们。至于其他有点滴善行的人，孔融也都加以礼待。那些在郡中没有子女的百姓和暂住在此地的四方游士，凡有死亡的人，均给棺具予以安葬。就在此时，黄巾军又来侵扰劫掠，孔融遂出兵屯驻都昌，但又被贼军管辖部队围困住。孔融被逼迫急了，只好派东莱人太史慈向平原相刘备求救。刘备得知后，大为惊奇地说："孔北海竟然还知道天下有我刘备？"刘备随即遣兵三千前往营救。贼寇这才溃散而去。

此时，袁绍、曹操的势力正盛，而孔融却没有协附于任何一方。有个叫左丞祖的人，自称具有远见谋略，他劝说孔融对于袁、曹二人的势力应该有所结交。孔融深知袁绍、曹操这样的人，最终是要图谋汉朝政权，不愿意与他们同流合污，所以他便一怒之下将左丞祖杀了。

融负其高气，志在靖难，而才疏意广，迄无成功。在郡六年，刘备表领青州刺史。建安元年，为袁谭所攻，自春至夏，战士所余裁数百人，流矢雨集，戈矛内接。融隐几读书，谈笑自若。城夜陷，乃奔东山，妻、子为谭所虏。

及献帝都许，征融为将作大匠，迁少府。每朝会访对，融辄引正定议，公卿大夫皆隶名而已。

初，太傅马日磾奉使山东，及至淮南，数有意于袁术。术轻侮之。遂夺取其节，求去又不听，因欲逼为军帅。日磾深自恨，遂呕血而毙。及丧还，朝廷议欲加礼。融乃独议曰："日磾以上公之尊，秉髦节之使，衔命直指，宁辑东夏，而曲媚奸臣，为所牵率，章表署用，辄使首名，附下罔上，奸以事君。昔国佐当晋军而不挠，宜僚临白刃而正色。王室大臣，岂得以见胁为辞！又袁术僭逆，非一朝一夕，日磾随从，周旋历岁。《汉律》与罪人交关三日已上，皆应知情。《春秋》鲁叔孙得臣卒，以不发扬襄仲之罪，贬不书日。郑人讨幽公之乱，斫子家之棺。圣上哀矜旧臣，未忍追案，不宜加礼。"朝廷从之。

**【译文】**

孔融自恃气节清高，一心立志要平定国难，但是他志虽大才却疏，所以最终也没能成功。在担任北海郡守的第六年，刘备推荐他任青州刺史。建安元年（196），青州受到袁谭的围攻，激战从春到夏，战士仅剩下几百人了，当时，攻守双方的飞箭往来，就像急雨般簇集，戈矛相接就如同密针在缝纫。但是孔融却凭几读书，谈笑自若。到了夜里，城池终于陷落了，孔融遂奔逃向东山，而他的妻室儿女则被袁谭所俘获。

及至献帝迁都许昌，朝廷征召孔融担任将作大匠，复又迁任少府。每当朝见商议国政时，孔融便引证经典来论决议题，使得其余的公卿大夫只不过列名罢了。

起初，太傅马日磾奉命出使山东，但是待他到了淮南，却屡屡对袁术表示他的投靠之意。袁术轻视侮辱他，就夺去他的符节。马日磾请求离去，袁术又不允许，因为袁术想逼迫马日磾做自己的将帅。马日磾深感悔恨，终至吐血而死。等到马日磾的丧柩还朝，朝廷商议，想为他举行隆重的丧仪。对于这事，只有孔融独自上议说："日磾以上公的尊贵身份，担当使臣的使命，如此身负重任，本应不屈不挠，平和袁术的僭逆野心，然而他却曲意阿媚奸臣，受奸臣的摆布利用，让奸臣在所上的章表和签署的任命书中，把他的名字列在首位，而这也正是他迎附奸臣，欺罔皇上，以奸邪之心对待君主的表现。当初齐国的国佐面对强盛的晋军毫不屈服，宜僚不屈从白公胜反叛作乱的要求，面对威胁的刀尖也不改色。身为王室大臣，怎么能以受到威助作为失节的借口！再说袁术的僭越逆行，也不是只有一朝一夕，日磾与他交往，先后周旋已达一年了，按照《汉律》规定，与罪人往来三日以上者，均属于知情。所以《春秋》在记载鲁国"叔孙得臣卒"事件时，因为叔孙得臣没有揭发襄仲想谋杀君主的罪行，便没有写明日期，以表示对他贬损的评价。而为了惩罚郑子家弑杀郑幽公的罪行，郑人则将他的棺木砍薄，不再让他享有卿的丧葬礼仪。如今圣上若因怜悯马日磾是侍从您多年的老臣，不忍心追究此事可以，但是绝对不应该再对他加以礼葬了。"朝廷同意了他的意见。

时论者多欲复肉刑。融乃建议曰：

古者敦庞，善否不别，吏端刑清，政无过失。百姓有罪，皆自取之。末世陵迟，风化坏乱，政挠其俗，法害其人。故曰上失其道，民散久矣。而欲绳之以古刑，投之以残弃，非所谓与时消息者也。纣斮朝涉之胫，天下谓为无道。夫九牧之地，千八百君，若各刖一人，是下常有千八百纣也。求俗休和，弗可得已。且被刑之人，虑不念生，志在思死，类多趋恶，莫复归正。夙沙乱齐，伊戾祸宋，赵高、英布，为世大患。不能止人遂为非也，适足绝人还为善耳。虽忠如鬻拳，信如卞和，智如孙膑，冤如巷伯，才如史迁，达如子政，一离刀锯，没世不齿。是太甲之思庸，穆公之霸秦，南睢之骨立，卫武之《初筵》，陈汤之都赖，魏尚之守边，无所复施也。汉开改恶之路，凡为此也。故明德之君，远度深惟，弃短就长，不苟革其政者也。

朝廷善之，卒不改焉。

【译文】

此时，很多人想要恢复残害肢体的酷刑。孔融便建议说：

"古人生性敦厚，好与不好之间没有多大差别，加上那时吏治端正，刑狱清明，政治上没有什么过失，所以老百姓有了罪，都怨他们自己自找。然而到了衰颓的末世，风俗教化变得败坏混乱，不仅政治扰乱了以往的习俗，而且法令也残害了敦厚的百姓。可以说现在是朝廷既已失去了以往的统治原则方式，百姓们也涣散不受约束很久了。这种情况下，如果对他们绳之以古代的酷刑，使他们的肢体遭到残废，我想这绝对不是什么依时变通的事情。当初殷纣王砍断清晨涉水人的脚，被天下人称为无道。中国九州之地，有千八百个国君，假若这些国君各残伤一个人，那么天下就该存在着千八百个纣王一样的暴君了。而那样再要求民间习俗平静和睦，也就绝不可能了。况且受到刑残的人，所考虑的已不再是如何生存，而是如何去死。这类人大多是走向罪恶，不再归复正路。如夙沙反叛齐君，伊戾祸害宋国，赵高、英布成为世上的大害等。这都说明肉刑并不能阻止人们去为非作歹，只能断绝刑人返恶归善的路罢了。而且尽管有如鬻拳那样忠诚的人，有如卞和那样守信的人，有如孙膑那样机智的人，有如巷伯那样冤屈的人，有如司马迁那样聪睿的人，有如子政那样通达的人，一旦因受刑而残废，则至死都会被人看不起。相反，之所以太甲能思念改过自新，秦穆公之所以能称霸西戎，南睢之所以骨瘦如柴，卫武公之所以能赋《宾之初筵》诗表示悔过，陈汤之所以能在都赖水上斩敌立功，魏尚之所以能在云中固守边塞，无不是对罪人不施肉刑，用其所长的缘故。汉代之所以要废除肉刑开创改恶向善的方式，也都是因为这个缘故。因此，理解德政意义的君主，都能远谋深虑，任人会弃其短而就其长，并不轻易改革他所施行的政策。”

朝廷认为孔融言之有理，终是没有改变恢复肉刑的政策。

是时，荆州牧刘表不供职贡，多行僭伪，遂乃郊祀天地，拟斥乘舆。诏书班下其事。融上疏曰：

窃闻领荆州牧刘表桀逆放恣，所为不轨，至乃郊祭天地，拟仪社稷。虽昏僭恶极，罪不容诛，至于国体，宜且讳之。何者？万乘至重，天王至尊，身为圣躬，国为神器，陛级县远，禄位限绝，犹天之不可阶，日月之不可逾也。每有一竖臣，辄云图之，若形之四方，非所以杜塞邪萌。愚谓虽有重戾，必宜隐忍。贾谊所谓“掷鼠忌器”，盖谓此也。是以齐兵次楚，唯责包茅；王师败绩，不书晋人。前以露袁术之罪，今复下刘表之事，是使跛牂欲窥高岸，天险可得而登也。案表跋扈，擅诛列侯，遏绝诏命，断盗贡篚，招呼元恶，以自营卫，专为群逆，主萃渊薮。郜鼎在庙，章孰甚焉！桑落瓦解，其势可见。臣愚以为宜隐郊祀之事，以崇国防。

【译文】

这时，荆州牧刘表不仅不向朝廷供奉应纳的地方赋税，还做出有很多僭越非法的举动，到后来竟然祭祀天地，摹行起帝王的礼仪来。皇帝下诏书颁布这事后，孔融上疏说：

"我听说荆州牧刘表凶暴行逆不服管束，行为越出常轨，以至于祭祀天地，效仿国祭社稷的礼仪。但是臣认为，尽管刘表利令智昏，僭越恶极，然因涉及国家的大体，最好暂且避讳不去宣扬。这是为什么呢？因为帝王最重要，也最尊贵，陛下的身躯就是圣躯，陛下的国家就是神明的器物，而皇位高高在上，其禄位已经是达到极限，这就犹如天的高度不可攀登，日月的亮度不能逾越一样。每出现一逆臣，便说想谋篡皇位，对于这些假若都四处张扬披露，我想决不是杜塞邪念萌生的办法。我认为尽管这些竖逆之臣有大罪，也应该隐忍不发。贾谊所说的'掷鼠忌器'，正是这个道理。所以齐国的军队屯驻在楚国，并不揭露楚国的篡逆之罪，只是仅仅谴责其不向朝廷进贡包茅；周王朝的军队打了败仗，《春秋》并不写明是被晋人打败，以维护王者无敌的名誉。在此之前，朝廷已经揭露了袁术称帝的罪行，现在又下诏论列刘表的僭逆之事，这正是要让跛母羊存窥视陡峭直立高岸的妄想，以为天险也能攀登了。考察刘表的行为，他专横跋扈，擅自诛杀列侯，隔绝朝廷的诏令，劫掠地方向朝廷交纳的贡赋，招揽匪首，经营自己的势力，专门招降纳叛，萃集他们于草泽之涧，其一系列的罪恶逆行，早已像鲁桓公将宋国贿赂他的郜鼎放在太庙里一样罪证昭然，而又有什么能比这些事实更能揭示他的野心呢！如同桑叶枯黄败落，屋瓦分崩解体一样，逆贼的败势早已明显可见。所以臣下认为朝廷应该隐讳刘袁在郊祀中僭越的事，而以加强国家的防务为重。"

五年，南阳王冯、东海王祗薨，帝伤其早殁，欲为修四时之祭，以访于融。融对曰：

圣恩敦睦，盛时增思，悼二王之灵，发哀愍之诏，稽度前典，以正礼制。窃观故事，前梁怀王、临江愍王、齐哀王、临淮怀王并薨无后，同产昆弟，即景、武、昭、明四帝是也，未闻前朝修立祭祀。若临时所施，则不列传纪。臣愚以为诸在冲龀，圣慈哀悼，礼同成人，加以号谥者，宜称上恩，祭祀礼毕，而后绝之。至于一岁之限，不合礼意，又违先帝已然之法，所未敢处。

初，曹操攻屠邺城，袁氏妇子多见侵略，而操子丕私纳袁熙妻甄氏。融乃与操书，称"武王伐纣，以妲己赐周公"。操不悟，后问出何经典。对曰："以今度之，想当然耳。"后操讨乌桓，又嘲之曰："大将军远征，萧条海外。昔肃慎不贡楛矢，丁零盗苏武牛羊，可并案也。"

**【译文】**

建安五年（200），献帝的儿子南阳王刘冯、东海王刘祗相继死去，献帝悲哀他们过早地殁没，要为他们举行四季祭祀，并为此事向孔融咨问商议。对此孔融回答说：

"皇上恩情亲厚和睦，而感伤现实发生的事情就更加重了思念的亲情，为了哀悼二王的亡灵，您发布了哀愍的诏书，并且还稽察核对了以往的典章制度，以此来修定现行的礼仪制度。对此我自己考察了历史，过去梁怀王、临江愍王、齐哀王、临淮怀王，去世时都是没有后代，他们的同母兄弟，就是景帝、武帝、昭帝和明帝，可是我并没有听说过前朝为他们设立祭祀的事。如果是临时措施，就不列入史籍。臣认为诸王均年龄幼小，圣上因慈爱而哀悼他们，对待他们采用同成年人一样的礼仪规格，还又加封了谥号，这样所表示的圣上恩爱之情应该说已经足够了，我想此时祭祀的礼仪完毕后，以后就不要这样了。至于对他们一年一祭的规定，既不合乎礼制，也有违先帝已定的法规，这点我是不敢贸然决断的。"

初时，曹操攻屠邺城，袁绍家的妇孺很多遭到侵凌。而曹操的儿子则私下迎娶了袁熙的妻子甄氏。于是孔融写信给曹操，说："武王伐纣，把殷纣王的爱妃妲己赐给他的弟弟周公旦。"曹操看不明白什么意思，事后曹操问孔融这句话是出自什么经典。孔融回答说："用现今发生的事推测，想当然罢了。"后来，曹操讨伐乌桓，孔融又嘲讽说："大将军远征，使得海外萧条，这和以往肃慎氏不进贡楛矢，丁零人窃夺苏武牧放的牛羊使他陷入穷厄两件事，是可以相提并论的。”

时，年饥兵兴，操表制酒禁，融频书争之，多侮慢之辞。既见操雄诈渐著，数不能堪，故发辞偏宕，多致乖忤。又尝奏宜准古王畿之制，千里寰内，不以封建诸侯。操疑其所论建渐广，益惮之。然以融名重天下，外相容忍，而潜忌正议，虑鲠大业。山阳郗虑承望风旨，以微法奏免融官。因显明仇怨，操故书激厉融曰：

盖闻唐、虞之朝，有克让之臣，故麟凤来而颂声作也。后世德薄，犹有杀身为君，破家为国。及至其敝，睚眦之怨必仇，一餐之惠必报。故晁错念国，遘祸于袁盎；屈平悼楚，受谮于椒、兰；彭宠倾乱，起自朱浮；邓禹威损，失于宗、冯。由此言之，喜怒怨爱，祸福所因，可不慎与！昔廉、蔺小国之臣，犹能相下；寇、贾仓卒武夫，屈节崇好；光武不问伯升之怨；齐侯不疑射钩之虏。夫立大操者，岂累细故哉！往闻二君有执法之平，以为小介，当收旧好；而怨毒渐积，志相危害，闻之怃然，中夜而起。昔国家东迁，文举盛叹鸿豫名实相副，综达经学，出于郑玄，又明《司马法》，鸿豫亦称文举奇逸博闻，诚怪今者与始相违。孤与文举既非旧好，又于鸿豫亦无恩纪，然愿人之相美，不乐人之相伤，是以区区思协欢好。又知二君群小所构，孤为人臣，进不能风化海内，退不能建德和人，然抚养战士，杀身为国，破浮华交会之徒，计有余矣。

**【译文】**

当时，庄稼颗粒无收而且战事不断，曹操上表要求制定禁酒令，为此，孔融不断写信与曹操争辩，信中孔融对曹操常常带有侮辱的言辞。等见到曹操的奸雄诡诈日益显著，使人往往不能容忍时，孔融就更有意说一些偏激诡怪的言论，去冒犯曹操。孔融还曾经上奏文说，朝廷应该按照古代王畿制度，在方圆千里以内，不分封建置诸侯。曹操很担心孔融的这些言论会逐渐扩散出去对自己不利，便更加害怕。但是因为孔融的名声太大了，表面上只得容忍他。然而私下里却是非常忌讳孔融的这些正义言辞，忧虑这会对自己的一统大业造成阻碍、不利。有个山阳人郗虑，为了迎合曹操的心意，便伺机以一些细小的过失为理由，上奏罢免孔融的官职。由于这是明显的寻报私怨，所以曹操又写信激发孔融说：

“人们都听说在唐虞时代，因为有能够谦让的臣子，所以能有麒麟凤凰前来致意，并且产生出许多颂扬的诗歌。后世虽然道德浅薄了，但仍然有杀身为君，破家为国的忠臣。等到了敝败的衰世，睚眦类的小怨怼也都一定要报复，一餐饭类的小恩惠也一定要答谢。所以晁错虽为国家着想，却得罪了袁盎，最终导致自己遭到杀身的灾祸；屈平虽哀悼楚怀王，却受到子椒、子兰的诬陷；彭宠的叛乱，也是缘起于朱浮的陷害；而邓禹之所以战败，更是由于宗钦、冯愔的争斗。由此言之，喜怒怨爱等情绪，往往是引来福祸的起因，因此，对于这些又怎能不慎重呢！以前，廉颇、蔺相如虽然身为一个小国的臣子，犹能相互礼让；寇恂、贾复仅一介鲁莽的武夫，亦能委屈求和；光武帝没有深究朱鲔曾经劝说更始帝刘玄杀了自己哥哥刘伯升的罪过，齐桓公也不怀疑射中过自己带钩的管仲。因此，作为立有大志向的人，怎能计较些细小的事端呵！过去我听说你和郗虑二人都有执法公正的好名声，怎能为一些芥蒂般的小怨伤了和气，我想你们还是应该捐弃前嫌，恢复旧时的友谊；可是你们却怨怒不断积深，而且还决心相互侵害，知道这些，我深深地感到不安，睡卧也不能安宁，往往半夜而起。过去国都从洛阳东迁到许昌时，文举你还曾经盛赞过鸿豫名声与实际行为相符合，通达儒学，说他既师出于大学者郑玄，又了解古《司马法》；鸿豫也经常称叹文举你是奇才飘逸，博闻强识，我实在奇怪你们今天为什么会与开始时不一样了呢。其实我既与文举你不是旧时的好朋友，也与鸿豫间毫无恩情可言，但是我总希望人们相互赞美，不愿人们相互伤害。所以我诚心地希望帮助你们二人和好如初。我还知道你们二君的怨怼是因受到小人的离间造成的，对此，身为臣子的我虽说进不能教育感化海内的民风，退也不能建树美德使百姓和睦相处，但是抚养征战的士兵，杀身为国，戳穿浮华高谈的党徒的谋略还是绰绰有余的。”

融报曰：

猥惠书教，告所不逮。融与鸿豫州里比郡，知之最早。虽尝陈其功美，欲以厚于见私，信于为国，不求其覆过掩恶，有罪望不坐也。前者黜退，欢欣受之。昔赵宣子朝登韩厥，夕被其戮，喜而求贺。况无彼人之功，而敢枉当官之平哉！忠非三闾，智非晁错，窃位为过，免罪为幸。乃使余论远闻，所以惭惧也。朱、彭、寇、贾，为世壮士，爱恶相攻，能为国忧。至于轻弱薄劣，犹昆虫之相啮，适足还害其身，诚无所至也。晋侯嘉其臣所争者大，而师旷以为不如心竞。性既迟缓，与人无伤，虽出胯下之负，榆次之辱，不如贬毁之于己，犹蚊虻之一过也。子产谓人心不相似，或矜势者，欲以取胜为荣，不念宋人待四海之客，大炉不欲令酒酸也。至于屈谷巨瓠，坚而无窍，当以无用罪之耳。它者奉遵严教，不敢失坠。郗为故吏，融所推进。赵衰之拔郤谷，不轻公叔之升臣也。知同其爱，训诲发中。虽懿伯之忌，犹不得念，况恃旧交，而欲自外于贤吏哉！辄布腹心，修好如初。苦言至意，终身诵之。

岁余，复拜太中大夫。性宽容少忌，好士，喜诱益后进。及退闲职，宾客日盈其门。常叹曰："坐上客恒满，尊中酒不空，吾无忧矣。"与蔡邕素善，邕卒后，有虎贲士貌类于邕，融每酒酣，引与同坐，曰："虽无老成人，且有典刑。"融闻人之善，若出诸己，言有可采，必演而成之，面告其短，而退称所长，荐达贤士，多所奖进，知而未言，以为己过，故海内英俊皆信服之。

【译文】

孔融回信说：

"委曲您惠赐书信教诲我，指出我的不足。我与鸿豫的家是同州邻郡，很早就相互了解了。我虽然曾经讲过他的能力和美德，但那是希望我们之间的私人友谊更加深厚，对国家更为忠诚，而不是希望他掩覆我的过错，有罪不判。前不久他上书黜退我，我欣然接受。古时候，赵宣子早晨刚推举韩厥担任司马的职务，傍晚就被他诛杀了自己手下使役的人。但是赵宣子却欣喜地要求别人祝贺他推举得人。何况我又没有赵宣子的功劳，怎敢平白担当官吏好坏的评定人呢！本人的忠诚赶不上屈原，才智也不如晁错，占据的官位却有过之，能免除罪恶就已值得庆幸了。现在让我把话对您讲，这使我深深感到惭愧和惧怕。朱浮、彭宠、寇恂、贾复等人都是世上的壮士，他们虽然因为爱憎的不同而相互攻击，但是他们却能为国家考虑。至于那些轻浮薄劣之辈的争斗，就好比是昆虫的相互咬杀，只能使他们自己受害，实在达不到什么效果。晋侯嘉许赞扬他的臣子中能以力相争的人，可是师旷却认为力争不如心竞。性情迟缓的人，是不会伤害别人的，虽然他们会受到韩信那种从人胯下爬过的欺负，及荆轲在榆次遭人怒目的那种污辱，但那些却不会令人感到是对自己的贬毁，而仅仅是好像蚊虻从身边擦过一样。然而正如子产所说的那样，人心是不相似的，有的人骄矜自负，总是以取胜为荣，而不考虑宋人本想接待四海宾客，造了大炉酿出很醇美的酒，却因为自己的凶犬吓走许多顾客，空让美酒变坏的事。至于屈谷的巨瓠，尽管既坚硬又无空穴，也只能担当无用的罪名罢了。其他的问题，我没有不尊奉您严厉的教诲，实不敢有所失误。郗虑作为我以前的属吏，是我一手推举提拔的。过去赵衰选拔郤谷的举动，与公叔提升家臣的意义同样重要。您与我是同样地爱护郗虑，可以对他提出发自内心的训诫教诲。敬叔虽然对懿伯存有怨忌，但还是没有以私仇影响到公务的办理，更何况我和郗虑本来就是旧交，我又凭什么要在自己和郗虑这么好的官吏之间造矛盾呢！从心里说，我是希望能与郗虑修好如初的。对于这事，您的苦心至意，我会终身不忘。”

一年以后，孔融又被升迁为太中大夫。孔融的性情很宽容因此很少有忌恨他人的，他喜好与士人交朋友，也乐于帮助和诱导那些晚生后进的人。等他退居闲散的职位后，便每天宾客盈门。对此他常常感叹地说：“座上的宾客常常盈满着，樽中的酒也总不空着，这样我就可以无忧无虑了。”孔融与蔡邕一向很友好，蔡邕去世后，有位虎贲军的兵士相貌酷似蔡邕，每当孔融酒喝得很痛快时，便把这位军士叫来同坐共饮，并且引用《诗经·大雅·荡》篇的意思说：“现在虽然没有旧臣老朋友了，但还是有惯例故法可以照着做的。”每当孔融听到他人的优点，都是把它看作像是自己的一样，别人的言论中若是有有价值的意见，他也必定要帮助敷陈引申，使这些意见更加完善。他还往往当面指出他人的缺点，但是在背后称赞那人的长处。在他所荐举的达观贤能的人士中，有很多后来都受到奖励和晋升。孔融认为知道有才能的人而不举荐，则是自己的过失。因此，国内的英雄俊才都很信服他。

曹操既积嫌忌，而郗虑复构成其罪，遂令丞相军谋祭酒路粹枉状奏融曰：

少府孔融，昔在北海，见王室不静，而招合徒众，欲规不轨，云“我大圣之后，而见灭于宋，有天下者，何必卯金刀”。及与孙权使语，谤讪朝廷。又融为九列，不遵朝仪，秃巾微行，唐突宫掖。又前与白衣祢衡跌荡放言，云“父之于子，当有何亲？论其本意，实为情欲发耳。子之于母，亦复奚为？譬如寄物缻中，出则离矣”。既而与衡更相赞扬。衡谓融曰：“仲尼不死。”融答曰：“颜回复生。”大逆不道，宜极重诛。

书奏，下狱弃市。时年五十六。妻、子皆被诛。

初，女年七岁，男年九岁，以其幼弱得全，寄它舍。二子方弈棋，融被收而不动。左右曰：“父执而不起，何也？”答曰：“安有巢毁而卵不破乎！”主人有遗肉汁，男渴而饮之。女曰：“今日之祸，岂得久活，何赖知肉味乎？”兄号泣而止。或言于曹操，遂尽杀之。及收至，谓兄曰：“若死者有知，得见父母，岂非至愿！”乃延颈就刑，颜色不变，莫不伤之。

**【译文】**

由于曹操本来已经对孔融存有很多积怨猜忌，再加上郗虑又给孔融捏造了罪名，于是曹操便令丞相军谋祭酒路粹，上奏文诬告孔融。奏文说：

“少府孔融，以往在北海郡时，见王室动荡多事，便招集徒众，妄想图谋非法的行为，声称：‘我是大圣人商汤的后代，祖先是被宋国的华督所杀害，天下的人，为什么非要是姓刘的。’而等他与孙权的使者谈论时，他仍然妄意大肆谤毁讥讽朝廷。还有，孔融虽身列九卿之位，却不遵守朝廷的仪规，不戴巾帻，隐藏自己身份改装出行，冲犯后宫。再有，孔融以前与贱民祢衡放纵无礼，狂言‘父亲对于子女，会有什么亲情，论其本意，不过是情欲发作罢了。子女对于母亲，又算得了什么，就好比在缸里寄存的物品，拿出来也就分离了’。而在此不久，他还与祢衡相互吹捧。祢衡称他是‘仲尼不死’，他则答称祢衡为‘颜回复生’。孔融的这些言行都是大逆不道的言行，应当对他严惩重诛。”

此状被朝廷准奏后，孔融便被逮入狱，不久就被处死街头。孔融当时的年龄是五十六岁。与此同时孔融的妻室儿女也都被诛杀。

当初，孔融的女儿七岁，儿子九岁，因为年幼的缘故，得以保全，寄养在其他人家里。那天，两个孩子正在弈棋，当孔融被抓走时，他们都没有动身。左右的邻人问："父亲被抓时，你们为什么不起身站起来呀？"他们回答说："哪里有鸟巢被毁掉，鸟卵不破的道理呢！"主人给他们喝肉汤，男孩子因为口渴，就接过来喝了。女孩却说："今天有这样的灾祸，又能活多久，还有什么心思去尝肉汤呢？"于是他的哥哥大哭起来，也不再喝汤了。有人把这些事告诉给曹操，便把兄妹二人也诛杀了。就在前来抓他们的时候，小妹妹对她的哥哥说："要是死了的人还能知晓此事，这样就能够见到父母了，这不正是我们最大的愿望吗！"于是伸着脖子接受刑戮，面色一点也没有变，在场的人没有不悲怜他们的。

初，京兆人脂习元升，与融相善，每戒融刚直。及被害，许下莫敢收者，习往抚尸曰："文举舍我死，吾何用生为？"操闻大怒，将收习杀之，后得赦出。

魏文帝深好融文辞，每叹曰："杨、班俦也。"募天下有上融文章者，辄赏以金、帛。所著诗、颂、碑文、论议、六言、策文、表、檄、教令、书记凡二十五篇。文帝以习有栾布之节，加中散大夫。

论曰：昔谏大夫郑昌有言："山有猛兽者，藜藿为之不采。"是以孔父正色，不容弑虐之谋；平仲立朝，有纾盗齐之望。若夫文举之高志直情，其足以动义概而忤雄心。故使移鼎之迹，事隔于人存；代终之规，启机于身后也。夫严气正性，覆折而已。岂有员园委屈，可以每其生哉！懔懔焉，皓皓焉，其与琨玉秋霜比质可也。

**【译文】**

孔融生前，有个名叫脂习字元升的京兆人，与他很要好，常常提醒他不要过分刚直。等到孔融被害后，许都内没有人敢去收尸，而脂习却前去抚着孔融的尸体说："文举抛下我先死了，我还活着干什么呢？"曹操听说了这件事勃然大怒，便下令将脂习逮捕监禁准备杀死，直到后来才被赦免放了出来。

魏文帝非常喜欢孔融的文辞，常常感叹说："孔融的文名足以与杨雄、班固齐名并列。"而且招募天下，凡有献上孔融文章的人，就赏赐给金钱绸帛。孔融一生所著有诗、颂、碑文、论议、六言、策文、表、檄、教令、书记共二十五篇。同时，魏文帝也因脂习有栾布一样的节义，特给他加官担任中散大夫。

史家评论道：过去谏大夫郑昌曾经说过："有猛兽出没的山中，野菜就没有人去采。"所以当孔父正直地主持朝政时，没人敢有弑君虐主的阴谋；而只要平仲还在朝廷执掌政事，陈氏便不敢有窃取齐国政权的狂想。像孔文举这种具有高洁的志向和直率真情的人，是足以感动正义抑制野心的。也正是因为这些缘故，才使曹操在生前不能实现他篡取汉家政权的企图，而由他的后代来完成。对于威严正义的人来说，只不过会遭受倾覆摧折罢了。但是，又怎会有委曲求全，贪恋生命的道理呢！颈烈呵，坚贞呵，孔融的品格是可以与白玉和积霜比美的。



荀彧列传

荀彧字文若，颍川颍阴人，朗陵令淑之孙也。父绲，为济南相。绲畏惮宦官，乃为彧娶中常侍唐衡女。彧以少有才名，故得免于讥议。南阳何颙名知人，见彧而异之，曰："王佐才也。"

中平六年，举孝廉，再迁亢父令。董卓之乱，弃官归乡里。同郡韩融时将宗亲千余家，避乱密西山中。彧谓父老曰："颍川，四战之地也。天下有变，常为兵冲。密虽小固，不足以扞大难，宜亟避之。"乡人多怀土不能去。会冀州牧同郡韩馥遣骑迎之，彧乃独将宗族从馥，留者后多为董卓将李傕所杀略焉。

彧比至冀州，而袁绍已夺馥位，绍待彧以上宾之礼。彧明有意数，见汉室崩乱，每怀匡佐之义。时，曹操在东郡，彧闻操有雄略，而度绍终不能定大业。初平二年，乃去绍从操。操与语大悦，曰："吾子房也。"以为奋武司马，时年二十九。明年，又为操镇东司马。

**【译文】**

荀彧字文若，颍川郡颍阴县人，郎陵县令荀淑的孙子。荀彧的父亲叫荀绲，是济南王国的相。荀绲害怕宦官，于是替荀彧娶了中常侍唐衡的女儿为妻。荀彧因为年少有才，闻名天下，才得以免遭时人讥笑。南阳郡的何颙以知人闻名，见到荀彧，认为荀彧不是普通人，说："荀彧是帝王的辅佐。"

汉灵帝中平六年，荀彧被郡中推举为孝廉，经过两次升迁，成为亢父县县令。董卓反叛的事情发生后，荀彧抛弃官职，回归故里。当时颍川郡的韩融正带着同宗族的人一千多家，在密县西山避乱。荀彧跟家乡的父老乡亲说："颍川是四百平坦，无险可守，容易受攻击的地方。天下发生战乱时，常常成为军队的交通要道。密县虽然有小的险固形势，但不足以抵抗大的战乱，应当赶快离开这里。"乡人大多怀恋故土不能够离开。恰逢冀州刺史韩馥派遣骑兵来迎接荀彧，荀彧于是只率领他同宗同族的人跟从韩馥，那些留在颍川的人中大多数都被董卓的将领李傕杀死劫掠。

荀彧刚到冀州，而袁绍已经夺取了韩馥的位置。袁绍用上宾的礼仪对待荀彧。荀彧心中颇有打算，看见汉王朝崩溃瓦解，经常怀着匡正现实，辅佐王者的志向。当时曹操在东都，荀彧听说曹操有大略，而认为袁绍终究不能完成恢复汉室的大业。在汉献帝初平二年，荀彧就离开袁绍追随曹操去了。曹操与荀彧谈话，听了荀彧的议论，很是高兴，说："荀彧是我的张良啊！"于是曹操任用荀彧为奋武司马，当时荀彧刚刚二十九岁。第二年，又成为曹操的镇东司马。

兴平元年，操东击陶谦，使彧守甄城，任以留事。会张邈、陈宫以兖州反操，而潜迎吕布。布即至，诸城悉应之。邈乃使人谲彧曰："吕将军来助曹使君击陶谦，宜亟供军实。"彧知邈有变，即勒兵设备，故邈计不行。豫州刺史郭贡率兵数万来到城下，求见彧。彧将往，东郡太守夏侯淳等止之。曰："何知贡不与吕布同谋，而轻欲见之。今君为一州之镇，往必危也。"彧曰："贡与邈等分非素结，今来速者，计必未定，及其犹豫，宜时说之，纵不为用，可使中立。若先怀疑嫌，彼将怒而成谋，不如往也。"贡既见彧无惧意，知城不可攻，遂引而去。彧乃使程昱说范、东阿，使固其守，卒全三城以待操焉。

二年，陶谦死，操欲遂取徐州，还定吕布。彧谏曰：

昔高祖保关中，光武据河内，皆深根固本，以制天下。进可以胜敌，退足以坚守，故虽有困败，而终济大业。将军本以兖州首事，故能平定山东，此实天下之要地，而将军之关河也。若不先定之，根本将何寄乎？宜急分讨陈宫，使虏不得西顾，乘其间而收熟麦，约食蓄谷，以资一举，则吕布不足破也。今舍之而东，未见其便。多留兵则力不胜敌，少留兵则后不足因。布乘虚寇暴，震动人心，纵数城或全，其余非复己有，则将军尚安归乎？且前讨徐州，威罚实行，其子弟念父兄之耻，必人自为守。就能破之，尚不可保。彼若惧而相结，共为表里，坚壁清野，以待将军，将军攻之不拔，掠之无获，不出一旬，则十万之众未战而自困矣。夫事固有弃彼取此，以权一时之势，愿将军虑焉。操于是大收熟麦，复与布战。布败走，因分定诸县，兖州遂平。

**【译文】**

汉献帝兴平元年，曹操向东进攻陶谦，派荀彧驻守济阳郡的甄城，任用荀彧做留守。恰逢张邈、陈宫在兖州反对曹操，并且暗中迎接吕布。吕布一到兖州，各县全都响应他。张邈于是派人欺骗荀彧说：“吕将军帮助曹操进攻陶谦，您现在应该赶快供给吕布将军军粮马草。”荀彧知道张邈心生叛意，就整备兵马，设置防备，所以张邈的计划没有得以实现。豫州刺史郭贡率兵几万来到甄城城下，求见荀彧。荀彧将去见郭贡，东郡太守夏侯淳等人制止荀彧，说：“我们怎么能知道郭贡不是和吕布阴谋计划好了，你却轻易地去见他。现在您是一州的镇守，您一去就很危险。”荀彧说：“郭贡和张邈并不是老朋友，现在他来得这么快，一定是他还没有决定下来到底是跟吕布还是跟曹操，现在他正在犹豫，我应该及时劝说他，即使将来郭贡不为我们所用，也可以使他保持中立。如果我们先有疑心，郭贡就会生气，转而和吕布等合谋，对我们不利。不如我现在就去见他。”郭贡见到荀彧没有害怕的意思，知道甄城不可以进攻，于是就带领他的部队离开了。荀彧于是派程昱游说范县、东阿县的长官，让他们坚守城池，终于保全了甄城、范县、东阿县三座县城，而等待曹操的到来。

兴平二年，陶谦死了，曹操想直取徐州，返回平定吕布。荀彧劝谏说：

“过去汉高祖刘邦常留萧何保守关中，汉光武帝刘秀据守河内，都是极力地巩固自己的根本，来制衡天下。向前进，可以战胜敌人，向后退，可以坚城自守，所以他们虽然有困难失败的时候，但最终成就了伟大的事业。曹将军您本来是在兖州做兖州牧，进兵打败黄巾军，所以能够平定山东。兖州确实是天下的险要地方，也是将军您的关中、河内。如果不先安定兖州，您想把根本放在哪里呢？将军现在应该赶快分兵讨伐陈宫，使敌人不能够照顾到西边，我们乘机收熟麦，节约粮食，积累粮谷，来资助大事，那么吕布不值一击。今天舍弃这种打算而向东，我没有看见这其中的好处。您如果去攻取徐州，那么多留一些兵力，您前线的力量就不够；少留一些兵，后方就不稳固。吕布乘机侵略我们，震动人心，即使有几座城得以保全，其余的已不是我们所有，那么将军您能平安归来吗？况且前次征讨徐州，您在那里实行了威猛政治，徐州人的子弟考虑到父亲兄弟的耻辱，一定会团结坚守。就算您能攻下徐州，尚且不可以保住它。他们如果因为害怕您的进攻而互相联合，互为内外，坚壁清野，来等待将军您的到来，将军进攻徐州城，不能攻克；掠夺财物，也得不到什么，不出十天，十万大军就会不战自困。事情总有个弃短取长，权衡一时的形势和利害，希望将军您再考虑考虑这件事。”曹操于是大力收割已成熟的小麦，又与吕布打仗。吕布失败逃走。曹操于是分别平定了各县，兖州境内就安定了。

建安元年，献帝自河东还洛阳，操议欲奉迎车驾，徙都于许。众多以山东未定，韩暹、杨奉负功恣睢，未可卒制。彧乃劝操曰：“昔晋文公纳周襄王，而诸侯景从；汉高祖为义帝缟素，而天下归心。自天子蒙尘，将军首唱义兵，徒以山东扰乱，未遑远赴，虽御难于外，乃心无不在王室。今銮驾旋轸，东京榛芜，义士有存本之思，兆人怀感旧之哀。诚因此时奉主上以从人望，大顺也；秉至公以服天下，大略也；扶弘义以致英俊，大德也。四方虽有逆节，其何能为？韩暹、杨奉，安足恤哉！若不时定，使豪桀生心，后虽为虑，亦无及矣。”操纵之。

及帝都许，以彧为侍中，守尚书令。操每征伐在外，其军国之事，皆与彧筹焉，彧又进操计谋之士从子攸，及钟繇、郭嘉、陈群、杜袭、司马懿、戏志才等，皆称其举。唯严象为扬州，韦康为凉州，后并负败焉。

袁绍既兼河朔之地，有骄气。而操败于张绣，绍与操书甚倨。操大怒，欲先攻之，而患力不敌，以谋于彧。彧量绍虽强，终为操所制，乃说先取吕布，然后图绍，操从之。三年，遂擒吕布，定徐州。

**【译文】**

汉献帝建安元年，汉献帝从河东回到洛阳。曹操计划想派车马去迎接汉献帝，把首都迁移到许地。大多数人都认为山东没有安定，韩暹、杨奉仰仗有功而大肆张牙舞爪，最终不可以制服他们。荀彧于是规劝曹操说："过去晋文公迎进周襄王，天下诸侯都像影子跟随物体一样追随着晋文公；汉高祖为义帝发丧，士兵都穿白色的衣服，天下人心都归向汉高祖。自从汉献帝蒙难，将军您最早倡导正义之师，只是因为山东扰乱，没有来得及奔赴汉献帝，将军虽然身在外抗敌御难，但您的心无时不在王室。现在汉献帝的车驾回到洛阳，洛阳荒芜，忠臣义士都有保存国家根本的心思，众多的人民都有感念往事的哀思。如果确实能在这个时候尊敬汉献帝而顺从天下人心，这是大的顺处；心存至公来服天下人心，这是大的战略；主持大义招致天下英俊豪杰，这是大的德惠。四方即使有人违背臣节，他们还能做什么？韩暹、杨奉，怎么值得忧虑！如果不在此时定下大局，就会让天下豪杰产生别的想法，以后您再来考虑这些事，也来不及啦！"曹操接受了荀彧的建议。

等到汉献帝把许作为首都，就任用荀彧当侍中，署理尚书令。曹操每次在外征伐作战，军事、政治方面的大事，都跟荀彧商量。荀彧又向曹操推荐富有权谋的人士、自己的侄子荀攸，以及钟繇、郭嘉、陈群、杜袭、司马懿、戏志才等人，这些人都名副其实，符合荀彧的推举。只有严象为扬州刺史、韦康为凉州刺史，后来他们二人都失败了。

袁绍兼并河朔广大地区后，很骄傲。而曹操在和张绣的战斗中失败了，袁绍给曹操的书信很不礼貌。曹操特别恼怒，想先下手进攻袁绍，但担心自己军队的力量比不上袁绍的兵力，就把这件事跟荀彧商量。荀彧估量袁绍虽然很强，最终还是得被曹操制服，于是就陈述要先攻下吕布，然后再来图谋袁绍，曹操接受了他的意见。建安三年，于是擒获吕布，平定了徐州。

五年，袁绍率大众以攻许，操与相距。绍甲兵甚盛，议者咸怀惶惧。少府孔融谓彧曰："袁绍地广兵强，田丰、许攸智计之士为其谋，审配、逢纪尽忠之臣任其事，颜良、文丑勇冠三军，统其兵，殆难克乎？"彧曰："绍兵虽多而法不整，田丰刚而犯上，许攸贪而不正，审配专而无谋，逢纪果而自用，颜良、文丑匹夫之勇，可一战而擒也。"后皆如彧之筹，事在《袁绍传》。

操保官度，与绍连战，虽胜而军粮方尽，〔书〕与彧议，欲还许以致绍师。彧报曰："今谷食虽少，未若楚汉在荥阳、成皋间也。是时刘、项莫肯先退者，以为先退则势屈也。公以十分居一之众，画地而守之，扼其喉而不得进，已半年矣。情见势竭，必将有变，此用奇之时，不可失也。"操从之，乃坚壁持之。遂以奇兵破绍，绍退走。封彧万岁亭侯，邑一千户。

六年，操以绍新破，未能为患，但欲留兵卫之，但欲南征刘表，以计问彧。彧对曰："绍既新败，众惧人扰，今不因而定之，而欲远兵江汉，若绍收离纠散，乘虚以出，则公之事去矣。"操乃止。

**【译文】**

建安五年，袁绍率领大军来进攻许都，曹操率兵和袁绍对峙。袁绍的军队阵容强大，议论的人都心怀惶恐。少府孔融对荀彧说："袁绍地大兵强，智谋之士田丰、许攸替他出谋划策，尽忠之臣审配、逢纪为他做事，颜良、文丑勇冠三军，统率部队，大概很难攻破他们吧？"荀彧说："袁绍兵力虽强大但军法不严，田丰刚强但冒犯皇帝，许攸贪财并且行为不端，审配专横但没有计谋，逢纪果敢但刚愎自用，颜良、文丑只有普通人的勇气，这些人都可以在战斗中擒获。"后来战事的发展果然都像荀彧预料的那样，这些事记载在《袁绍传》中。

曹操镇守官度，与袁绍多次作战，虽然略有胜利但军粮快用完了，写信跟荀彧商量，想回到许都并招致袁绍的军队。荀彧回信说："现在大军虽然粮食很少，但是这不像楚霸王项羽、汉王刘邦在荥阳、成皋之间时粮食那么少。那时，刘邦和项羽没有谁肯先向后退却的，认为先退就失败了。现在您用仅仅是袁绍部队十分之一的军力，画地作界隔并且保守我方，扼住咽喉使袁绍不能前进已经半年了。现在战争胜负已略见分晓，一定会有一个大的转折。现在是用奇兵奇计的时候，千万不可失去时机。”曹操接受了荀彧的意见，这才坚固壁垒控制官度。于是用奇兵攻破袁绍，袁绍先从官度退走。荀彧受封为万岁亭侯，享受一千户人家的租粮。

建安六年，曹操认为袁绍刚被打败，不能再为患，只想留下部分兵力守卫许，自己想向南进军征讨刘表，就向荀彧询问计谋。荀彧回答说：“袁绍刚刚失败，人人忧虑担心，现在不乘机平定袁绍，却想向远方的江淮进军，如果袁绍纠集离散的兵力，乘着您去南方攻打刘表而许都人员少的机会再来进犯，那么您要成就大事的机会就没有了。”曹操才停止向南征战刘表。



九年，操拔邺，自领冀州牧。有说操宜复置九州者，以为冀部所统既广，则天下易服。操将从之。彧言曰：“今若依古制，是为冀州所统，悉有河东、冯翊、扶风、西河、幽、并之地也。公前屠邺城，海内震骇，各惧不得保其土宇，守其兵众。今若一处被侵，必谓以次见夺，人心易动，若一旦生变，天下未可图也。愿公先定河北，然后修复旧京，南临楚郢，责王贡之不入。天下咸知公意，则人人自安。须海内大定，乃议古制，此社稷长久之利也。”操报曰：“微足下之相难，所失多矣！”遂寝九州议。

十二年，操上书表彧曰：

昔袁绍作逆，连兵官度，时众寡粮单，图欲还许。尚书令荀彧深建宜住之便，远恢进讨之略，起发臣心，革易愚虑，坚营固守，徼其军实，遂摧扑大寇，济危以安。绍既破败，臣粮亦尽，将舍河北之规，改就荆南之策。彧复备陈得失，用移臣议，故得反旆冀土，克平四州。向使臣退军官度，绍必鼓行而前，敌人怀利以自百，臣众怯沮以丧气，有必败之形，无一捷之势。复若南征刘表，委弃兖、豫，饥军深入，逾越江、沔，利既难要，将失本据。而彧建二策，以亡为存，以祸为福，谋殊功异，臣所不及。是故先帝贵指纵之功，薄搏获之赏；古人尚帷幄之规，下攻拔之力。原其绩效，足享高爵。而海内未喻其状所受不侔其功，臣诚惜之，乞重平议，增畴户邑。

【译文】

建安九年，曹操攻取邺城，自己兼任冀州州牧。有人劝说曹操应该再设置九州，认为冀州统辖的地区广大，那么天下各州郡容易服从。曹操就要接受这个建议了，荀彧说："现在如果依照古代的制度，那么冀州统辖的地区，全部占有河东郡、冯翊郡、扶风郡、西河郡、幽州、并州等广大地区。您前次屠杀邺城，天下都很震惊，人们都担心今后将不能保全自己的区域和人员了。现在如果冀州一个地方被敌人侵略，那么其他各地也会依次被敌人夺过去，老百姓的心是很容易变的，如果一旦发生事变，那么不可以再图谋天下了。我希望您先平定河北，然后再收复洛阳，南面靠近楚地郢城，责问那些不对王室尽忠的人。天下人都知道您的意图，那么人民自己就安定了。等到天下安定，再讨论恢复旧制度，这才有利于国家长久。"曹操回答荀彧说："没有您的责备，我的计划将会造成很大损失啊！"于是就打消了恢复九州的想法。

建安十二年，曹操向汉献帝推荐荀彧说：

"过去袁绍做不忠于汉室的事，反叛汉军，在官度集结兵力，当时我方兵力少粮食也不够，我计划回首都许都。尚书令荀彧极力建议应该住守官度的便力之处，大力恢复进攻讨伐敌人的战略，他的建议启发了我的心思，去掉了我愚蠢的思虑，于是我坚固营垒保守官度，半路截取袁绍的军资，于是摧毁敌人，转危为安。袁绍已经失败，我方的粮食也吃完了，我打算舍弃保守河北的计策，改向荆南的策略。荀彧又详细陈述得失利害，因此改变了我的意图，所以我方才返回冀州，克服平定冀、青、幽、并四州。假使我当时在官度退兵，袁绍军队一定会鸣鼓向前无所畏惧；敌人就会谋求利益一人能当百人用，我方的兵士就会怯懦而丧气，就会有必败的形势，没有一次胜利的道理。再假若向南征讨刘表，放弃兖州、豫州，饥饿的军队深入南方，跨越长江、沔水，既难以取得胜利，还将失去我们本来所占有的地区。而荀彧提出两项计策，转危亡为生存，转灾祸为幸福，谋略卓越，功劳奇异，这是我比不上他的。因此汉高祖尊重能发出指令的功劳，而不重视听从指令去捕获野兽的功劳；所以古人崇尚运筹帷幄之中，轻视攻城略地的力量。计算荀彧的功绩，他足可以享受很高的爵赏。但天下没有人能明白荀彧的情况，他现在所接受的爵禄和他的功劳相比，实在太不相称了。我确实爱惜荀彧。我请求重新评议，增加他享受的食邑。”

彧深辞让。操譬之曰：“昔介子推有言：‘窃人之财，犹谓之盗。’况君奇谟拔出，兴亡所系，可专有之邪？虽慕鲁连冲高之迹，将为圣人达节之义乎！”于是增封千户，并前二千户。又欲授以正司，彧使荀攸深自陈让，至于十数，乃止。操将伐刘表，问彧所策。彧曰：“今华夏以平，荆、汉知亡矣，可声出宛、叶而间行轻进，以掩其不意。”操从之。会表病死。

十七年，董昭等欲共进操爵国公，九锡备物，密以访彧。彧曰：“曹公本兴义兵，以匡振汉朝，虽勋庸崇著，犹秉忠贞之节。君子爱人以德，不宜如此。”事遂寝。操心不能平。会南征孙权，表请彧劳军于谯，因表留彧曰：“臣闻古之遣将，上设监督之重，下建副二之任，所以尊严国命，谋而鲜过者也。臣今当济江，奉辞伐罪，宜有大使肃将王命。文武并用，自古有之。使持节侍中守尚书令万岁亭侯彧，国之（望）〔重〕臣，德洽华夏，既停军所次，便宜与臣俱进，宣示国命，威怀丑虏。军礼尚速，不及先请，臣辄留彧，依以为重。”书奏，帝从之，遂以彧为侍中、光禄大夫，持节，参丞相军事。至濡须，彧病留寿春，操馈之食，发视，乃空器也，于是饮药而卒。时年五十。帝哀惜之，祖日为之废宴乐。谥曰敬侯。明年，操遂称魏公云。

**【译文】**

荀彧极力推辞。曹操用例证比喻说：“过去介子推有话说：‘偷别人的财物，还说他是盗。’况且您多次提出不同寻常的计谋，这些都关系到国家的兴亡，我怎么可以专有这大功呢？您即使羡慕鲁仲连谦虚高尚的节操，难道这是圣人所说的达节的意思吗？”于是再增加荀彧享受的租粮人家一千户，加上以前的共两千户。又打算授给荀彧尚书令的职务，荀彧派荀攸去极力陈述辞让，达到十多次，曹操才放下授给荀彧尚书令职务的念头。曹操将攻讨刘表，向荀彧询问计谋。荀彧说："现在中原地区已经平定，刘表、刘备被灭的日子不远了，将军可以大造声势从宛、叶出发，但实际上抄小路轻装前进，以出其不意，攻其不备。"曹操接受了荀彧的计谋。恰遇上刘袁病死。

建安十七年，董昭等想共同劝汉献帝授国公的爵号给曹操，并且准备了车马、衣服、乐器、朱户、纳陛、百人虎贲、斧钺、弓矢、柜鬯等九种王室赐与的物品以及人员，秘密地向荀彧询访这件事。荀彧说："曹操本来是兴举正义之师，来匡复振兴汉朝，虽然功勋显著，他还是对汉室尽忠贞的节操。君子应该用德去爱惜他人，不应该这样。"封曹操为国公这件事于是就停止了。曹操内心颇感不平。恰逢曹操向南征讨孙权，曹操就上表汉献帝奏请派荀彧到谯慰劳军队。荀彧到了谯县，曹操于是又上表留住荀彧，说："我听说过去派遣将帅，既设监督的重任，又有副佐的职任，目的是使国家的命令得到尊严，谋划事情少出错误。现在我正当渡江，接受您的命令讨伐有罪的人，应该有大使严肃地主持国家的命令。文才武将一起使用，这是自古以来就有的。派持符节、侍中、署理尚书令万岁亭侯荀彧，国家的重要臣僚，德行滋润华夏，现在他已经停止在大军驻扎地，不需请示、根据需要和我一起向前进发，宣布朝廷的命令，用威德去安抚敌人。军礼崇尚快速，我来不及先向皇帝陛下请示，就留下荀彧，作为重要依靠。"曹操的书疏被送交汉献帝，汉献帝听从了曹操的意见，于是任用荀彧担任侍中、光禄大夫、持符节，参与总领丞相的军事。到了濡须，荀彧病了，留在寿春，曹操赠送食物给荀彧，荀彧打开盒子一看，不过是一个空的盒子，于是荀彧就喝了毒药，死了。当时年仅五十岁。汉献帝哀怜荀彧，在祭祀祖神的日子里，为荀彧停了宴乐。荀彧死后，朝廷赠送给荀彧的称号是敬侯。第二年，曹操于是称自己为魏公。

论曰：自迁帝西京，山东腾沸，天下之命倒悬矣。荀君乃越河、冀，间关以从曹氏。察其定举措，立言策，崇明王略，以急国艰，岂云因乱假义，以就违正之谋乎？诚仁为己任，期纾民于仓卒也。及阻董昭之议，以致非命，岂数也夫！世言荀君者，通塞或过矣。常以为中贤以下，道无求备，智算有所研疏，原始未必要末，斯理之不可全诘者也。夫以卫赐之贤，一说而毙两国。彼非薄于仁而欲之，盖有全必有丧也，斯又功之不兼者也。方时运之屯邅，非雄才无以济其溺，功高势强，则皇器自移矣。此又时之不可并也。盖取其归正而已，亦杀身以成仁之义也。

赞曰：公业称豪，骏声升腾。权诡时逼，挥金僚朋。北海天逸，音情顿挫。越俗易惊，孤音少和。直辔安归，高谋谁佐？彧之有弼，诚感国疾。功申运改，迹疑心一。

【译文】

史家论曰：自从董卓把汉献帝迁到长安，山东州郡沸腾，天下人民困苦不堪，就像被倒挂着一样。荀彧就越过河南、冀州，经过辗转跋涉而追随曹操。考察荀彧决定自己的行动，为曹操建言立策，尊崇光大汉室的谋略，来挽救国家的危难，怎么能说荀彧是趁天下大乱的时机，假借仁义的名义，来趋向违背正道的阴谋呢？荀彧确实是以仁为己任，期望从困难中解救老百姓。等到荀彧阻挠董昭进爵曹操国公的建议，他因此就招致了使自己死于非命的灾难，这难道是命运吗？世人说到荀彧，所说荀彧的通达与不通达，有时超过了实际情况。我常常认为中等贤人以下的人，对他的道不能求全责备，智谋计略有精细有疏略；推究事物的本源未必能看到事物的将来，这是常理，不可以求全责备。就凭端木赐的贤能，一次游说就使齐、吴两国或乱或败。他不是缺少仁义而想这么做，大概事物的规律是有成全的事必有失败的事，这又是成就事功和自己的仁义之心不可两全啊！当社会遭遇困境时，不是雄才不足以解救其困难，曹操功高势强，那么国家的大权自然归向他。这又是时势不可并有。我大概推崇荀彧能归向正义的一方，也是符合杀身成仁的道义！

史家赞说：郑泰称豪，美名直上云天。诡辞以回答董卓，散金钱财产给自己的朋友、同僚。孔融有天纵之才，言辞抑扬顿挫。违背世俗就容易让人吃惊，曲高音孤就少有附和。孔融的直道无所归向，他的高谋深算将用来辅佐谁呢？荀彧有辅弼的才能和功业，确实是为救国难。他的功业完成，但时运已经改变了；他的行事值得怀疑，但他忠于汉室的心却始终如一。

# 列女传

诗书之言女德尚矣。若夫贤妃助国君之政，哲妇隆家人之道，高士弘清淳之风，贞女亮明白之节，则其徽关未殊也，而世典成漏焉，故自中兴以后，综其成事，述为《列女篇》。如马、邓、梁后别见前纪，梁冀、李姬各附家传，若斯之类，并不兼书。余但搜次才行尤高秀者，不必专在一操而已。

勃海鲍宣妻者，桓氏之女也，字少君。宣尝就少君父学，父奇其清苦，故以女妻之，装送资贿甚盛。宣不悦，谓妻曰："少君生富骄，习关饰，而吾实贫贱，不敢当礼。"妻曰："大人以先生修德守约，故使贱妾侍执巾栉。既奉承君子，唯命是从。"宣笑曰："能如是，是吾志也。"妻乃悉归侍御服饰，更著短布裳，与宣共挽鹿车归乡里。拜姑礼毕，提瓮出汲。修行妇道，乡邦称之。

宣，哀帝时官至司隶校尉，子永，中兴初为鲁郡太守。永子昱从容问少君曰："太夫人宁复识挽鹿车时不？"对曰："先姑有言：'存不忘亡，安不忘危。'吾焉敢忘乎！"永、昱已见前传。

**【译文】**

《诗经》、《尚书》里所说的女性美德距今已经很远了。至于说贤惠的妃子有功于国君的施行美政，明白事理的妇人使家中的人和睦相处，品行卓绝的人弘扬清雅淳朴的风尚，坚贞的女子使鲜明纯洁的节操更加昭彰，那她们的美好之处并没有什么不同，但是世上的书籍都没有把她们的事迹记载下来。因此，自从中兴以后，把她们的事迹收集起来，写成《列女篇》。像马、邓、梁后已经在前面的"纪"中记载了，梁冀、李姬各自附在家传中，这一类，这里不再叙述。其余的只要才学、品行都特别突出优秀，不一定只具备一种操守，都在搜罗编述的范围之内。

勃海鲍宣的妻子，是桓氏的女儿，字少君。鲍宣曾经跟随少君的父亲读书。她父亲对他的清苦生活称奇，因此把女儿嫁给了他，并准备了丰厚的财物作为嫁妆。鲍宣不乐意，对他妻子说："少君你娇生惯养，习惯了漂亮的服饰，而我的确贫穷微贱，不敢接受这些礼物。"他妻子说："父亲大人因为先生你学行美德遵守简约，所以使贱妾我侍候您。既已经奉命服侍君子，我便只听您的吩咐。"鲍宣笑着说："能做到这样，正合了我的心愿。"他妻子于是把所有的仆人服饰全部还给她父亲，改穿短的粗布衣裳，跟鲍宣一道拉着鹿车来到鲍家。拜见婆婆的礼仪一结束，她就提着罐子出去打水。她品行美好并谨守妇女规范，乡里邦人都称赞她。

鲍宣在哀帝时官做到了司隶校尉。儿子鲍永，中兴初年曾做鲁郡太守。鲍永的儿子鲍昱开玩笑地问少君说："祖奶奶难道还记得拉鹿车时的情景吗？"回答说："我死去的婆婆说过：'活着不能忘记死亡，安全时不能忘记有危险存在。'我怎么会忘掉了呢！"永、昱已经见于前边的传记。

太原王霸妻者，不知何氏之女也。霸少立高节，光武时，连征不仕。霸已见《逸人传》。妻亦美志行。初，霸与同郡令孤子伯为友，后子伯为楚相，而其子为郡功曹。子伯乃令子奉书于霸，车马服从，雍容如也。霸子时方耕于野，闻宾至，投耒而归，见令孤子，沮怍不能仰视。霸目之，有愧容，客去而久卧不起。妻怪问其故，始不肯告，妻请罪，而后言曰："吾与子伯素不相若，向见其子容服甚光，举措有适，而我儿曹蓬发历齿，未知礼则，见客而有惭色。父子恩深，不觉自失耳。"妻曰："君少修清节，不顾荣禄，今子伯之贵孰与君之高？奈何忘宿志而惭儿女子乎！"霸屈起而笑曰："有是哉！"遂共终身隐遁。

广汉姜诗妻者，同庞盛之女也。诗事母至孝，妻奉顺尤笃，母好饮江水，水去舍六七里，妻常溯流而汲。后值风，不时得还，母渴，诗责而遣之。妻乃寄止邻舍，昼夜纺绩，市珍羞，使邻母以意自遗其姑。如是者久之，姑怪问邻母，邻母具对。姑感惭呼还，恩养愈谨。其子后因远汲溺死。妻恐姑哀伤，不敢言，而托以行学不在。姑嗜鱼鲙，又不能独食，夫妇常力作供鲙，呼邻母共之。舍侧辄有涌泉，味如江水，每旦忽出双鲤鱼，常以供二母之膳。赤眉散贼经诗里，弛兵而过，曰："惊大孝必触鬼神。"时岁荒，贼乃遗诗米肉，受而埋之，比落蒙其安全。

【译文】

太原王霸的妻子，不知道是姓什么的人的女儿。王霸从小树立了高尚的品德，光武帝时连续多次征召都没有出去做官。王霸已经见于《逸人传》。他妻子的志向行为也很美好。当初，王霸跟同郡人令孤子伯做朋友，后来子伯做了楚国的宰相，而他的儿子做了郡功曹（地方长官）。子伯于是命令他儿子拿着他的书信去见王霸，车马服饰随从，一派豪华景象。王霸的儿子当时正在田野耕种，听说有宾客来了，放下农具就回了家，见到令孤的儿子，沮丧惭愧不敢仰脸看他。王霸看到他这副模样，流露出惭愧的样子，客人离开后，很长时间都躺着不起来。他妻子感到奇怪，问他什么原因，开始时不肯告诉她，她妻子向他请罪，他才说："我跟子伯向来就不一样，刚才看见他的儿子容貌服饰都有光彩，言谈举止都很恰当，而我的儿子们却蓬乱着头发裂着嘴巴，不懂得礼仪规矩，见到客人而有羞愧的脸色。只是因为父子恩情深厚，才不知不觉地就失态了。"他妻子说："您从小培养清高的品德，不考虑荣禄。现在子伯的富贵怎么比得上您的高尚呢？怎么反倒忘了素来的志向而替儿女感到羞愧呢！"王霸听后坐起来笑着说："讲得有道理。"就一起终身过着隐居遁世的生活。

广汉人姜诗的妻子，是同郡人庞盛的女儿。姜诗侍奉母亲十分孝顺，他妻子侍奉孝顺更加诚恳。母亲喜欢喝江水，而江水离住处六七里路，他妻子便常常去江边挑水。后来有一次遇上大风，没能及时回家。母亲口渴，姜诗责怪她并且休了她。他妻子于是寄住在邻居家里，日夜纺织，买了好吃的东西，让邻居家母亲用自己名义送给她的婆婆。这样过了很久，婆婆感到奇怪，问邻居的母亲，邻居的母亲讲了实情。婆婆感慨惭愧把她叫回家里，亲爱赡养更加恭谨。她儿子后来因为到远处打水溺死了，他妻子怕婆婆哀伤，不敢告诉她，而假说其出去游学了不能待在家里。婆婆喜欢吃鲙鱼，但又不喜欢一个人吃，夫妇二人便常常努力劳动以供给鲙鱼，招呼邻家母一起分享。房屋旁边忽然出现了涌泉，味道跟江水一样，每天早晨涌出两条鲙鱼，常常可以供给两位妇人的饭食。赤眉军的散兵经过姜诗的家乡，没有停留就远去了，并说："惊动大孝的人家一定会冒犯了鬼神。”当时正是荒年，贼人于是赠送姜诗米和肉，他接受后把它们埋在地下，邻近村落都托他的福而安然无损。

永平三年，察孝廉，显宗诏曰：“大孝入朝，凡诸举者一听平之。”由是皆拜郎中。诗寻除江阳令，卒于官。所居治，乡人为立祀。

沛郡周郁妻者，同郡赵孝之女也，字阿，少习仪训，闲于妇道，而郁骄淫轻躁，多行无礼。郁父伟谓阿曰：“新妇贤者女，当以道匡夫。郁之不改，新妇过也。”阿拜而受命，退谓左右曰：“我无樊卫二姬之行，故君以责我。我言而不用，君必谓我不奉教令，则罪在我矣。若言而见用，是为子违父而从妇，则罪在彼矣。生如此，亦何聊哉！”乃自杀，莫不伤之。

扶风曹世叔妻者，同郡班彪之女也，名昭，字惠班，一名姬。博学高才。世叔早卒，有节行法度。兄固著《汉书》，其八表及《天文志》未及竟而卒，和帝诏昭就东观臧书阁踵而成之。帝数召入宫，令皇后诸贵人师事焉，号曰大家。每有贡献异物，辄诏大家作赋颂。及邓太后临朝，与闻政事。以出入之勤，特封子成关内侯，官至齐相。时《汉书》始出，多未能通者，同郡马融伏于阁下，从昭受读，后又诏融兄续继昭成之。

**【译文】**

永平三年，考察孝廉，显宗下诏令说：“大孝的人提拔到朝廷做官，所以发现并推荐的人也都得到同样的待遇。”因此，都被任命为郎中的官。姜诗被封为江阳县令，死在任上。他所居住治理的地方，老百姓为他立了祀堂。

沛郡人周郁的妻子，是同郡人赵孝的女儿，字阿。从小学习礼仪训诫，对做女人的道理很娴熟，而周郁却骄傲淫荡轻薄浮躁，做了很多不合礼仪的事情。周郁的父亲周伟对赵阿说：“你是贤人的女儿，应当用道理来扶助丈夫。周郁不能改过，是你的过错。”阿行着礼接受了命令，去后对身边的人说：“我没有樊姬、卫姬的德行，因此他老人家来要求我。我说了话而没有效果，他老人家一定会说我没有奉行他的教导命令，那么罪责也我身上。如果我的话有了效果，那是让儿子违背他父亲却顺从了妻子，那么，罪过就在他身上了。这样活着，又有什么意思呢！”于是自杀了，没有人不为她感到悲哀。

扶风人曹世叔的妻子，是同郡人班彪的女儿，名昭，字惠班，一名姬。学问广博，天赋也高。曹世叔死得早，为人有气节德行，做事也合乎法度。她哥哥班固著《汉书》，其中八个表及《天文志》没来得及写完就死了。和帝便下令让班昭到东观藏书阁继续完成这部书。和帝多次征召她入宫，命令皇后以及各位贵人跟她学习，号称大家。每当遇到有人向皇帝进贡奇异的东西，就命令大家写赞颂的文章。到邓太后临朝执政时，她参与商量政治大事。因为她进出勤勉，特别加封她的儿子成为关内侯，官做到齐地的宰相。当时《汉书》刚刚传出，人们都不能通读，同郡人马融伏身在楼阁下面，跟班昭学习句读，后来又命令马融的哥哥马续接替班昭完成这件事。

永初中，太后兄大将军邓骘以母忧，上书乞身，太后不欲许，以问昭。昭因上疏曰："伏惟皇太后陛下，躬盛德之美，隆唐虞之政，辟四门而开四聪，采狂夫之瞽言，纳刍荛之谋虑。妾昭得以愚朽，身当盛明，敢不披露肝胆，以效万一？妾闻谦让之风，德莫大焉，故典坟述美，神祇降福。昔夷齐去国，天下服其廉高；太伯违□，孔子称为三让。所以光昭令德，扬名于后者也。《论语》曰：'能以礼让为国，于从政乎何有。'由是言之，推让之诚，其致远矣。今四舅深执忠孝，引身自退，而以方垂未静，拒而不许；后有毫毛加于今日，诚恐推让之名不可再得，缘见逮及，故敢昧死竭其愚情。自知言不足采，以示虫蛇之赤心。"太后从而许之，于是骘等各还里第焉。

**【译文】**

永初中年，太后的哥哥大将邓骘因为母亲去世，上书请求回家尽孝，太后不想同意，把这事问班昭。班昭于是上了一道奏章，说："在下私心里想，皇太后陛下亲身倡导了盛大的美德，使唐、虞时的政治更加兴隆，打开四门和耳朵，采用狂傲的人的不明智的话，接纳微贱的人的谋略。贱女昭因为愚钝老朽，身处隆盛清明的时候，胆敢不披露肝胆，以效万分之一的劳？我听说谦让是最高尚的品德，因此，文献都记述它的美好，神祇为它降福。从前伯夷、叔齐离开国家，天下的人都叹服他们清廉高尚；吴太伯离开□地，孔子称赞他三次禅让。因此使美好的品德更加光亮明白，扬名后世。《论语》说：‘能凭礼让替国家利益考虑，从事政治活动就更不在话下了。’由此看来，推广谦让的诚意，就能达到远大的目标了。现在四个舅舅都深沉地坚持忠孝之道，自己引退，但您因为边境没有宁静，拒绝不答应；假如今后有丝毫的过错，我的确担心推让的名声不能再得到了。借着我能见到您，所以冒死竭尽我的愚钝心意。自己知道我的话不值得采纳，只是为了说出虫蚁一样的赤心。”太后听从了她的建议，并答应了自己的哥哥。于是邓骘等人各自回到了家乡定居。

作《女诫》七篇，有助内训。其辞曰：

鄙人愚暗，受性不敏，蒙先君之余宠，赖母师之典训。年十有四，执箕帚于曹氏，于今四十余载矣。战战兢兢，常惧黜辱，以增父母之羞，以益中外之累。夙夜劬心，勤不告劳，而今而后，乃知免耳。吾性疏顽，教道无素，恒恐子谷负辱清朝。圣恩横加，猥赐金紫，实非鄙人庶几所望也。男能自谋矣，吾不复以为忧也。但伤诸女方当适人，而不渐训诲，不闻妇礼，惧失容它门，取耻宗族。吾今疾在沈滞，性命无常，念汝曹如此，每用惆怅。间作《女诫》七章，愿诸女各写一通，庶有补益，裨助汝身。去矣，其勖勉之！

《卑弱第一》：古者生女三日，卧之床下，弄之瓦砖，而斋告焉。卧之床下，明其卑弱，主下人也。弄之瓦砖，明其习劳，主执勤也。斋告先君，明当主继祭祀也。三者盖女人之常道，礼法之典教矣。谦让恭敬，先人后己，有善莫名，有恶莫辞，忍辱含垢，常若畏惧，是谓卑弱下人也。晚寝早作，勿惮夙夜，执务私事，不辞剧易，所作必成，手迹整理，是谓执勤也。正色端操，以事夫主，清静自守，无好戏笑，洁齐酒食，以供祖宗，是谓继祭祀也。三者苟备，而患名称之不闻，黜辱之在身，未之见也。三者苟失之，何名称之可闻，黜辱之可远哉！

**【译文】**

班昭写了《女诫》七篇，有助内训。文章说：

鄙人愚昧不明事理，接受能力迟钝，承蒙先父的余宠，依赖着母亲老师的教导。十四岁时，嫁给了曹氏，到今天已经四十多年了。战战兢兢，常常害怕被斥逐，因此增加父母的耻辱和内外的累赘。日夜操劳心思，勤勉不敢说劳苦，而从今往后，才知道免去了担忧操劳。我本性粗疏冥顽，教育子女没有经验，常怕子谷对不起政治清明的朝廷。皇家的恩惠出乎意料地加给我，过于隆重地赏赐给我金印紫绶，实在不是鄙人所期望的啊。儿子已经能为自己考虑了，用不着我再担心。只是担忧女儿们正该嫁人的时候，却没有逐步训导教诲，没让她们了解做女人的礼数，害怕她们在别人家不被容纳，让宗族蒙受耻辱。我今天病得沉重，性命没有保障，想想你们这样，每每因此感到惆怅。空闲的时候写了《女诫》七章，希望各位女儿各写一遍，大概会有好处，使之能帮助你们自己。过去的已经过去了，希望相互学习，相互勉励！

《卑弱第一》：古时候生女儿后三日，睡在床下，手里把弄砖瓦，吃斋祷告。睡在床下，表明她卑下软弱，充当低一等的人，把弄砖瓦，表明她需要学习的劳动，负责执行勤杂事务。吃斋向先人祷告，表明能够主持继承祖先的祭祀仪式。这三方面，就是做女人不变的道，就是礼制法度典礼教导了。谦让恭敬，先人后己，做了好事不自我吹嘘，做了坏事不推卸过错，忍受屈辱包容委屈，常常像是很害怕，这就叫卑贱软弱的下等人啊。晚睡早起，不怕夙兴夜寐，执行私家事务时，不推辞难做的事情，要做一定做成功，亲手整治处理，这就叫执行勤杂事务。脸色纯洁操守端庄，去侍奉丈夫，清静自处，不喜欢嬉戏玩笑，准备清洁齐备的酒食，用来供奉祖宗，这就叫继承祖先负责祭祀。如果具备了这三个方面，却担心名字不传扬四方，斥逐耻辱降在身上，这样的事情还没有见过。如果这三方面没有做到，有什么名声可以传扬，斥逐耻辱又怎么能够不降临呢！

《夫妇第二》：夫妇之道，参配阴阳，通达神明，信天地之弘义，人伦之大节也。是以《礼》贵男女之际，《诗》著《关雎》之义。由斯言之，不可不重也。夫不贤，则无以御妇；妇不贤，则无以事夫。夫不御妇，则威仪废缺；妇不事夫，则义理堕阙。方斯二事，其用一也。察今之君子，徒知妻妇之不可不御，威仪之不可不整，故训其男，检以书传，殊不知夫主之不可不事，礼义之不可不存也。但教男而不教女，不亦蔽于彼此之数乎！《礼》，八岁始教之书，十五而至于学矣。独不可依此以为则哉！

《敬慎第三》，阴阳殊性，男女异行。阳以刚为德，阴以柔为用，男以强为贵，女以弱为美。故鄙谚有云："生男如狼，犹恐其□；生女如鼠，犹恐其虎。"然则修身莫若敬，避强莫若顺。故曰敬顺之道，妇人之大礼也。夫敬非它，持久之谓也。夫顺非它，宽裕之谓也。持久者，知止足也。宽裕者，尚恭下也。夫妇之好，终身不离。房室周旋，遂生媟黩。媟黩既生，语言过矣。语言既过，纵恣必作。纵恣既作，则侮夫之心生矣。此由于不知止足者也。夫事有曲直，言有是非。直者不能不争，曲者不能不讼。讼争既施，则有忿怒之事矣。此由于不尚恭下者也。侮夫不节，谴呵从之；忿怒不止，楚挞从之。夫为夫妇者，义以和亲，恩以好合，楚挞既行，何义之存？谴呵既宣，何恩之有？恩义俱废，夫妇离矣。

**【译文】**

《夫妇第二》：夫妻的道，配合阴阳，跟神明沟通，的确是天地的大道理，人伦关系的重要节操。因此，《礼》看重男女之间的关系，《诗经》宣扬《关雎》的道理。从这里说，不能不看重它。丈夫不贤明，就无法指使妻子；妻子不贤惠，就无法侍候丈夫。丈夫不指使妻子，威仪就废弃残缺；妻子不侍候丈夫，道义真理就毁坏不齐。比较这两件事，它们的功能是一样的。看看当今的君子，只知道妻子妇女的不能不指使，威仪的不能不整顿，所以在教育他们儿子时，用古书传记来对照，但是不懂得丈夫必须侍候，礼义也必须保存。但只教育儿子，而不教育女儿，不是不明白彼此关系的规律吗！《礼》，八岁时开始教育他们的书，十五岁就可以开始正式的学习了。难道单单不能依据这个把它当作法则吗！

《敬慎第三》：阴阳性别不同，男女行为相异。阳性以刚强作为品德，阴性以柔韧作为用场，男性以强健为贵，女姓以柔弱为美。因此民间谚语说："生男如狼，犹恐他不威风；生女如鼠，仍担心他太凶猛。"但是，修正自身不如恭敬，躲避强敌不如顺从。因此说恭敬顺从的道，是妇女的大礼。那恭敬不是别的，是持久的意思。那顺从不是别的，宽裕的意思。持久，就是懂得止步知足。宽裕，就是对地位比自己低的人能尊重。

夫妻和好，一生都不分离。在房间室内周旋相处，就会产生矛盾。矛盾一产生，说话就会过了头。说话一过头，骄纵放肆一定出现。骄纵放肆一出现，欺侮丈夫的想法就会产生。这是因为不懂得止步知足的缘故。事情总有曲直的区别，言语总有个是非的分别。直的不能不坚持，曲的不能不辩解。有了辩解与坚持，就会有愤怒的事情了。这是因为不注意待下人恭敬有礼啊。欺负丈夫没有节制，于是就谴责呵斥他，怒气还消不掉，接着就动手打人。大凡做了夫妻，讲道理是为了和好亲爱，施恩情是为了相处美满，相打一开始，还有什么道理？谴责呵斥的话一说出口，又有什么恩情可说？恩情道理都没有了，夫妻也就分离了。

《妇行第四》：女有四行，一曰妇德，二曰妇言，三曰妇容，四曰妇功。夫云妇德，不必才明绝异也；妇言，不必辩口利辞也；妇容，不必颜色美丽也；妇功，不必工巧过人也。清闲贞静，守节整齐，行己有耻，动静有法，是谓妇德。择辞而说，不道恶语，时然后言，不厌于人，是谓妇言。盥浣尘秽，服饰鲜洁，沐浴以时，身不垢辱，是谓妇容。专心纺绩，不好戏笑，洁齐酒食，以奉宾客，是谓妇功。此四者，女人之大德，而不可乏之者也。然为之甚易，唯在存心耳。古人有言："仁远乎哉？我欲仁，而仁斯至矣。"此之谓也。

《专心第五》：《礼》，夫有再娶之义，妇无二适之文，故曰夫者天也。天固不可逃，夫固不可离也。行违神祇，天则罚之；礼义有愆，夫则薄之。故《女宪》曰："得意一人，是谓永毕；失意一人，是谓永讫。"由斯言之，夫不可不求其心。然后求者，亦非谓佞媚苟亲也，固莫若专心正色。礼义居洁，耳无途听，目无邪视，出无谄容，人无废饰，无聚会群辈，无看视门户，此则谓专心正色矣。若夫动静轻脱，视听陕输，入则乱发坏形，出则窈窕作态，说所不当道，观所不当视，此谓不能专心正色矣。

《曲从第六》：夫得意一人，是谓永毕，失意一人，是谓永讫。欲人定志专心之言也。舅姑之心，岂当可失哉？物有以恩自离者，亦有以义自破者也。夫虽云爱，舅姑云非，此所谓以义自破者也。然则舅姑之心奈何？固莫尚于曲从矣。姑云不尔而是，固宜从令；姑云尔而非，犹宜顺命。勿得违戾是非，争分曲直。此则所谓曲从矣。故《女宪》曰："妇如影响，焉不可赏。"

【译文】

《妇行第四》：女性有四种品行，一叫妇女的品德，二叫妇女的言语，三叫妇女的姿容，四叫妇女的功课。至于说妇女的品德，不一定非得才智聪明都卓绝奇特；妇女的言语，不一定非得能言善辩；妇女的姿容，不一定非得容貌美丽；妇女的功课，不一定非得精工巧妙超过别人。清静悠闲贞洁宁静，坚持操守坚定不移，一行一止避开耻辱，一动一静符合法度，这就叫妇女的品德。说话有所选择，不说人坏话，别人许可后再说出，不讨人嫌，这就叫妇女的言语。洗漱掉尘土污秽，服饰鲜明整洁，按时沐浴，身体保持清洁不受肮脏污辱，这就叫妇女的姿容。专心纺织，不喜欢随意说笑，用清洁干净的斋饭酒食来招待宾客，这就叫妇女的功课。这四项，是女人的重要品格，因此不能少了它们。但是做起来是很容易的，只要用心去做。古人说："仁爱很遥远吗？我想做到仁爱，仁爱就会有了。"说的就是这个道理。

《专心第五》：《仪礼》这书里，有丈夫第二次娶妻的道理，没有妻子第二回嫁人的文字，因此说丈夫就是天。天自然是逃避不了的，丈夫自然也是不能脱离的。行为违背了神祇，天就会惩罚她；礼仪道理有了过错，丈夫就会疏远她。因此《女宪》说："让一个人满意了，就会永远妥帖；让一个人不满意了，就会永远完结。"由此说来，对丈夫不能不求取他的心。但所要得到的，也不是指巧言谄媚的苟且亲近，那当然不如专心正色。讲究礼仪家居整洁，耳朵里没有路上听来的话，眼睛里没有淫邪的视线，出门没有妖艳的打扮，回到屋里没有弃置不用的首饰，不成群地聚集同辈人，不窥视门户以外，这就叫专心正色了。至于说举止轻率脱略，眼睛飘忽不定，到了屋里就头发蓬乱样子难看，出门就打扮妖艳举动轻佻，说些不该说的话，看些不该看的事物，这就叫不能专心正色了。

《曲从第六》：所谓让一个人满意了，就永远妥帖；让一个人不满意了，就永远完结。这是劝人坚定志向专一心思的话。公婆的心思，难道是可以失掉的吗？事物有时候会有虽恩爱而离异的，也有合乎道理却破坏了的。丈夫虽然说恩爱，公婆却不说好，这就是所谓的合乎道理却也会坏事的。但是，公婆的心思又怎么样呢？自然最好是委曲顺从。婆婆说不对的事是对的，当然应该听从；婆婆说对的事错了，还是应该听她的话。不去违背是非，也不争执辩解曲直，这就是所谓的曲从了。所以《女宪》说："妻子如同影子和回响，怎能不得到赞扬。"

《和叔妹第七》：妇人之得意于夫主，由舅姑之爱己也；舅姑之爱己，由叔妹之誉己也。由此言之，我臧否誉毁，一由叔妹，叔妹之心，复不可失也。皆莫知叔妹之不可失，而不能和之以求亲，其蔽也哉！自非圣人，鲜能无过，故颜子贵于能改，仲尼嘉其不贰，而况妇人者也。虽以贤女之行，聪哲之性，其能备乎！是故室人和则谤掩，外内离则恶扬。此必然之势也。《易》曰："二人同心，其利断金。同心之言，其臭如兰。"此之谓也。夫嫂妹者，体敌而尊，恩疏而义亲。若淑媛谦顺之人，则能依义以笃好，崇恩以结援，使徽美显章，而瑕过隐塞，舅姑矜善，而夫主嘉美，声誉曜于邑邻，休光延于父母。若夫愚之人，于嫂则托名以自高，于妹则因宠以骄盈。骄盈既施，何和之有！恩义既乖，何誉之臻！是以美隐而过宣，姑忿而夫愠，毁訾布于中外，耻辱集于厥身，进增父母之羞，退益君子之累。斯乃荣辱之本，而显否之基也。可不慎哉！然则求叔妹之心，固莫尚于谦顺矣。谦则德之柄，顺则妇之行，凡斯二者，足以和矣。《诗》云："在彼无恶，在此无射。"其斯之谓也。

马融善之，令妻女习焉。

**【译文】**

《和叔妹第七》：妻子让她丈夫感到满意，那是由于公婆喜欢自己；公婆喜欢自己，那是由于叔叔妹妹说自己的好话。由此说来，对我的说好说坏，都由叔叔妹妹来决定，叔叔妹妹的心也不能失去。人们都不懂得叔叔妹妹的心不能失掉，因而不能与他们和好来求得亲近，真是不明智啊！人当然不是圣人，很少有人能不犯错误。因此颜回的可贵之处便在于他能够改正，孔子夸奖他同样的错误不犯两次，更何况女人呢？即使有着贤女的品行，聪明智慧的禀赋，但是能万无一失吗！所以，同屋的人和好，诽谤就被掩盖住了，内外分离坏名声就会传扬出去了。这是必然会发生的。《易》说："二人同心，其利（锋利）断金。同心之言，其臭（香气）如兰。"说的就是这个道理。嫂子与妹妹，处境不同却能相互尊敬，恩情疏远在道义上却能亲近。如果是贤淑谦和的人，就能凭着道义使友好加强，加重恩情来结成援军，使美好的方面更加显著明白，而不好的方面则被掩盖起来，公婆同情亲善，而丈夫赞扬她的好处，声誉就会在乡邻之间传扬，父母也会感到光荣。至于那些愚蠢的人，做嫂子就借着身份自高自大，做妹妹就仗着得宠骄横。骄横一旦做出，还谈什么和好！恩情道义一旦不协调，还会有什么赞誉出现！因此美好的方面就会被掩盖起来，而过错则会被张扬开去，婆婆生气丈夫也跟着发怒，内外人都说坏话，耻辱都会集中到她身上，继续生活下去就会增加父母的羞耻，被遣回家就会更让丈夫受连累。这一条的确是荣耀和受辱的根本，美誉恶名的基础。能不慎重吗！而讨得叔叔妹妹的欢心，自然没有比谦虚和顺更好的办法了。谦虚是美德的把儿，和顺是妻子的品行。有了这两点，便足以和好了。《诗经》说："在那里不讨人嫌，在这里不遭人厌。"说的就是这个道理。

马融认为写得很好，命令妻子女儿们学习这文章。

昭女妹曹丰生，亦有才惠，为书以难之，辞有可观。

昭年七十余卒，皇太后素服举哀，使者监护丧事。所著赋、颂、铭、诔、问、注、哀辞、书、谕、上疏、遗令，凡十六篇。子妇丁氏为撰集之，又作《大家赞》焉。

河南乐羊子之妻者，不知何氏之女也。羊子尝行路，得遗金一饼，还以与妻。妻曰："妾闻志士不饮盗泉之水，廉者不受嗟来之食，况拾遗求利，以污其行乎！"羊子大惭，乃捐金于野，而远寻师学。一年来归，妻跪问其故。羊子曰："久行怀思，无它异也。"妻乃引刀趋机而言曰："此织生自蚕茧，成于机杼，一丝而累，以至于寸，累寸不已，遂成丈匹。今若断斯织也，则捐失成功，稽废时月。夫子积学，当日知其所亡，以就懿德。若中道而归，何异断斯织乎？"羊子感其言，复还终业，遂七年不反。妻常躬勤养姑，又远馈羊子。

【译文】

班昭女婿的妹妹曹丰生，也有才学而且贤惠，写了书信去跟班昭讨论，文笔也有可观之处。

班昭七十多岁时死去，皇太后穿着素服表示哀悼，派使者监督维护丧事。她所写的赋、颂、铭、诔、问、注、哀辞、书、谕、上疏、遗令，共十六篇。儿媳妇丁氏替她结成文集，并且作了一篇《大家赞》附在里边。

河南乐羊子的妻子，不知道是谁家的女儿。羊子有一次走路，捡到一块金子，回到家后就给了他妻子。他妻子说："我听说志士不喝名叫盗泉的泉水，廉洁的人不接受嗟来之食，更何况是捡别人丢掉的东西来得到好处，以致玷污其品行呢？"羊子非常惭愧，就把金子扔回野地，而出远门去寻师学习。一年后回到家里，他妻子跪下问他什么原因。羊子说："出门久了就想念家里，没有别的。"他妻子就拿起刀子跑到织布机旁说道："这布出自蚕茧，成于机杼，由一根丝开始往上加，就会织成一寸，由一寸不断往上加，就织成了一丈一匹。现在如果砍断这些，就会前功尽弃，拖延空耗时日。读书人积累学识，应当每天都清楚自己缺少什么，这样才能去接近更美好的品德。如果中途回家，跟砍断这些丝又有什么不同呢？"羊子被她的话打动了，回去完成学业，于是七年不回家。妻子一直亲自操劳奉养婆婆，并且老远地给羊子送吃食。

尝有它舍鸡谬入园中，姑盗杀而食之，妻对鸡不餐而泣。姑怪问其故。妻曰："自伤居贫，使食有它肉。"姑竟弃之。

后盗欲有犯妻者，乃先劫其姑。妻闻，操刀而出。盗人曰："释汝刀从我者可全，不从我者，则杀汝姑。"妻仰天而叹，举刀刎颈而死。盗亦不杀其姑。太守闻之，即捕杀贼盗，而赐妻缣帛，以礼葬之，号曰"贞义"。

汉中程文矩妻者，同郡李法之姊也，字穆姜。有二男，而前妻四子。文矩为安众令，丧于官。四子以母非所生，憎毁日积，而穆姜慈爱温仁，抚字益隆，衣食资供皆兼倍所生。或谓母曰："四子不孝甚矣，何不别居以远之？"对曰："吾方以义相导，使其自迁善也。"及前妻长子兴遇疾困笃，母恻隐自然，亲调药膳。恩情笃密。兴疾久乃瘳，于是呼三弟谓曰："继母慈仁，出自天受。吾兄弟不识恩养，禽兽其心。虽母道益隆，我曹过恶亦已深矣！"遂将三弟诣南郑狱，陈母之德，状己之过，乞就刑辟。县言之于郡，郡守表异其母，蠲除家徭，遣散四子，许以修革，自后训导愈明，并为良士。

【译文】

有一次别人家的鸡走错了路跑到园里，婆婆偷着把它杀掉吃了，妻子对着鸡不吃却反而哭了。婆婆感到奇怪，问她原故。妻子说："为自己家穷，却能吃别人家的肉而感到伤心。"婆婆听后竟把鸡肉倒了。

后来有强盗想侵犯她，就先劫持了她婆婆。他妻子听说后，握着刀子就冲了出去。强盗说："放下你的刀，顺从我就可以保全性命，如果不顺从我，就杀了你婆婆。"他妻子仰天叹息，举起刀子刎颈而死。强盗也没有杀掉她婆婆。太守听到这件事，就捕捉那强盗并杀了他，赏赐给羊子妻子细绢类丝织品，根据礼数埋葬了她，称之为"贞义"。

汉中人程文矩的妻子，是同郡人李法的姐姐，字穆姜。她有两个儿子，她丈夫的前妻有四个孩子。文矩做安众县令时，死于任上。四个孩子因为母亲不是自己的亲生母亲，憎恨诽谤一天比一天厉害，而穆姜却慈祥爱护温厚仁爱，抚养爱护也更加殷勤，衣食费用的供给都比她自己所生的儿子多出一倍。有人对她说："那四个孩子太不孝顺了，为什么不和他们分开住，来疏远他们呢？"她回答说："我正在用道理来诱导，让他们自己变好。"等到前妻长子兴生病非常困难时，母亲真诚地动了恻隐之心，亲自调作药物饭食，恩情实在细致。兴生了很长时间的病才痊愈，病好后便叫了三位弟弟对他们说："继母的慈祥仁爱，出于本性。我们兄弟却不理解她的养育之恩，心像禽兽一样狠。即使母亲的道义越来越隆重了，我们的过错罪恶也已经很深了！"于是带着三个弟弟去了南郑的监狱，陈述母亲的美德，交代自己的罪过，请求给他们以惩罚。县把这件事报告给郡，郡的长官表扬了他们的母亲的特异品格，免除了他们家的徭役，遣散了四个孩子，让他们修身改过，从此以后对他们的教育更加明确，都成为有品行的人。

穆姜年八十余卒。临终敕诸子曰："吾弟伯度，知达士也。所论薄葬，其义至矣。又临亡遗令，贤圣法也。令汝曹遵承，勿与俗同，增吾之累。"诸子奉行焉。

孝女曹娥者，会稽上虞人也。父盱，能弦歌，为巫祝。汉安二年五月五日，于县江溯涛婆娑迎神，溺死，不得尸骸。娥年十四，乃沿江号哭，昼夜不绝声，旬有七日，遂投江而死。至元嘉元年，县长度尚改葬娥于江南道傍，为立碑焉。

吴许升妻者，吕氏之女也，字荣。升少为博徒，不理操行，劳尝躬勤家业，以奉养其姑。数劝升修学，每有不善，辄流涕进规。荣父积忿疾升，乃呼荣欲改嫁之。荣叹曰："命之所遭，义无离贰！"终不肯归。升感激自厉，乃寻师远学，遂以成名。寻被本州辟命，行至寿春，道为盗所害。刺史尹耀捕盗得之。荣迎丧于路，闻而诣州，请甘心仇人。耀听之。荣乃手断其头，以祭升灵。后郡遭寇贼，贼欲犯之，荣逾垣走，贼拔刀追之。贼曰："从我则生，不从我则死。"荣曰："义不以身受辱寇虏也！"遂杀之。是日疾风暴雨，雷电晦冥，贼惶惧叩头谢罪，乃殡葬之。

**【译文】**

穆姜八十多岁时死去。临终时告诫孩子们说："我弟弟伯度，是聪明贤达的读书人。他论述薄葬，其道理非常正确。并且临死时留下命令，是贤明圣智的法度。我要你们遵从他的话，不要跟世俗一样，给我增添累赘。"她的孩子们都听从了她的话。

孝女曹娥，是会稽上虞人。父亲盱，会弹琴唱歌，做巫祝。汉安帝二年五月五日，在县城的江上迎着波浪歌舞着迎接江神，溺水而死，找不到尸体。曹娥当年十四岁，于是沿着江边呼喊哭泣，日夜不停，十七天后，就跳江死了。到元嘉元年，县长度尚把曹娥改葬在江南边的路旁，替她立了块碑。

吴地人许升的妻子，是吕氏的女儿，字荣。许升年轻时候是个赌徒，操守德行很不注意，荣曾经亲自为家业勤劳，用以赡养她婆婆。多次规劝许升修身学习，每次遇到不好的事情，往往哭着进言规劝。荣的父亲向来愤恨许升，于是叫过荣想将她改嫁。荣叹息说："这是命运所遭遇的，从道义上讲不能离弃，所以不能第二次嫁人！”最终也不肯回家。许升感激她并自己勉励，于是寻找老师远出求学，终于成名。不久被本州征召任命，走到寿春，在路上被强盗杀害。刺史尹耀捕捉到了强盗。荣在路上迎丧，听说后到了州上，请求惩罚仇人以偿心愿。尹耀答应了她。荣就亲手砍断了强盗的头，用来祭奠许升的灵魂。后来郡上被寇贼占领，贼人想侵犯她，荣越过围墙逃跑，贼人拔出刀子追赶她。贼人说：“顺从我就可以活，不顺从就得死。”荣说：“为了道义不能让身体受到寇虏的污辱！”于是被杀害了。这天疾风暴雨，雷电晦暝，贼人惶惑恐惧叩头谢罪，于是殡葬了她。

汝南袁隗妻者，扶风马融之女也。字伦。伦少有才辩。融家世丰豪，装遣甚盛。及初成礼，隗问之曰：“妇奉箕帚而已，何乃过珍丽乎？”对曰：“慈亲垂爱，不敢逆命。君若欲慕鲍宣、梁鸿之高者，妾亦请从少君、孟光之事矣。”隗又曰：“弟先兄举，世以为笑。今处姊未适，先行可乎？”对曰：“妾姊高行殊邈，未遭良匹，不似鄙薄，苟然而已。”又问曰：“南郡君学穷道奥，文为辞宗，而所在之职，辄以货财为损，何邪？”对曰：“孔子大圣，不免武叔之毁；子路至贤，犹有伯寮之诉。家君获此，固其宜耳。”隗默然不能屈，帐外听者为惭。隗既宠贵当时，伦亦有名于世。年六十余卒。

伦妹芝，亦有才义。少丧亲长而追感，乃作《申情赋》云。

酒泉庞淯母者，赵氏之女也，字娥。父为同县人所杀，而娥兄弟三人，时俱病物故，仇乃喜而自贺，以为莫己报也。娥阴怀感愤，乃潜备刀兵，常帷车以候仇家。十余年不能得。后遇于都亭，刺杀之。因诣县自首。曰：“父仇已报，请就刑戮。”禄福长尹嘉义之，解印绶欲与俱亡。娥不肯去。曰：“怨塞身死，妾之明分；结罪理狱，君之常理。何敢苟生，以枉公法！”后遇赦得免。州郡表其闾。太常张奂嘉叹，以束帛礼之。

【译文】

汝南人袁隗的妻子，是扶风人马融的女儿，字伦。伦从小有才能，口才也好。马融家历代都是富家，嫁妆很丰盛。到刚完成婚礼时，袁隗问她说："妇人不过侍弄簸箕条帚罢了，何必这样过分珍奇美丽呢？"回答说："仁慈的亲人体恤怜爱，我不敢违抗命令。你如果要羡慕鲍宣、梁鸿的清高，我也请求让我仿效少君、孟光的事迹。"袁隗又说："弟弟比哥哥先被提拔，世人以为可嘲笑。现在姐姐还没有嫁出去，妹妹先行嫁人可以吗？"回答说："我姐姐行为卓绝，没有遇到嫁的匹配，不像鄙陋浅薄的我，只是苟且罢了。"又问道："南郡君学业精通深奥的道义，文章成为宗师，但他担任的职务，却因为财货受到攻击，为什么？"她回答说："孔子是大圣人，也免不了叔孙武叔的诽谤；子路是最贤明的，还有公伯寮向季孙诉怨。我父亲有这样的遭遇，不是很正常吗？"袁隗因说不过她而默不作声，帐外听见的人都感到惭愧。袁隗在当时受宠而贵，马伦在世上也有名声。她六十多岁时死去。

马伦的妹妹马芝，也有才学道义。小时候死了，长辈亲人，因为怀念，就写了《申情赋》。

酒泉的庞淯的母亲，是赵某的女儿，字娥。她父亲被同县人杀害，而赵娥兄弟三人，当时都为父亲的死悲痛伤心，仇人高兴地庆贺自己，以为不向自己报仇了。娥暗暗怀着仇恨愤怒，于是暗地里准备了刀子兵器，经常藏在有帏布的车子里等候仇人的到来。十多年都没有等到机会。后来在都亭相遇，就刺杀了他。接着便到县里自首。说："父亲的大仇已经报了，请求惩罚我。"禄福县长尹嘉认为她的行为是合乎道德的，解下官印绶带准备跟她一同逃亡。娥不肯离开。说："怨恨消除了去死掉，是我的应得；根据罪状判刑，是您的正常时务。怎么敢苟且偷生，来歪曲国家的法律！"后来遇到大赦免于刑罚。州郡表扬她的里巷。太常博士官张奂嘉许赞叹，用成捆的布帛送给她。

沛刘长卿妻者，同郡桓鸾之女也。生一男五岁而长卿卒，妻防远嫌疑，不肯归宁。儿年十五，晚又夭殁。妻虑不免，乃豫刑其耳以自誓。宗妇相与愍之，共谓曰："若家殊无它意；假令有之，犹可因姑姊妹以表其诚，何贵义轻身之甚哉！"对曰："昔我先君五更，学为儒宗，尊为帝师。五更已来，历代不替，男以忠孝显，女以贞顺称。《诗》云：'无忝尔祖，聿修厥德。'是以豫自刑翦，以明我情。"沛相王吉上奏高行，显其门闾，号曰“行义桓厘”，县邑有祀必膰焉。

安定皇甫规妻者，不知何氏女也。规初丧室家，后更娶之。妻善属文，能草书，时为规答书记，众人怪其工。及规卒时，妻年犹盛，而容色美。后董卓为相国，承其名，聘以軿辎百乘，马二十匹，奴婢钱帛充路。妻乃轻服诣卓门，跪自陈情，辞甚酸怆。卓使傅奴侍者悉拔刀围之，而谓曰：“孤之威教，欲充四海风靡，何有不行于一妇人乎！”妻知不免，乃立骂卓曰：“君羌胡之种，毒害天下犹未足邪！妾之先人，清德奕世。皇甫氏文武上才，为汉忠臣。君亲非其趣使走吏乎？敢欲行非礼于尔君夫人邪！”卓乃引车庭中，以其头悬轭，鞭扑交下。妻谓持杖者曰：“何不重乎？速尽为惠。”遂死车下。后人图画，号曰“礼宗”云。

【译文】

沛县刘长卿的妻子，是同郡人桓鸾的女儿。生了一个儿子，孩子五岁时长卿便死了，他妻子为了防止外人起疑心，不肯回到娘家。儿子快十六岁时又死了。他妻子担心很难不被改嫁，就先割了自己的耳朵发誓。同宗的妇女们都同情她，对她说：“你家里实在没有别的用意；如果有，还可以借助于婆婆姐姐妹妹去表明你的忠诚，为什么要为了看重道义而如此轻慢身体呢！”回答说：“从前我的五代祖先，学业上是儒学的宗师，有着皇帝老师的尊贵。五代以来，历代不变，男子以忠孝著名，女子以贞顺为人称颂。《诗经》说：‘不要玷污你的祖宗，要学习他们的品德。’因此，事先自己刑罚自己，来表明我的心境。”沛地相王吉向朝廷报告了她高尚的行为，表扬她的里巷，号称“行义桓寡妇”，县邑每逢祭祀活动总要给她送去多余的祭肉。

安定人皇甫规的妻子，不知道是哪家的女子。皇甫规当初死了妻子，后来又另娶了她。他妻子善于写文章，会草书，常替皇甫规代写书信札记，人们都称赞她字迹工巧。到皇甫规死的时候，他妻子还是中年，而且容貌美好。后来董卓做了相国，爱慕她的名声，娉礼用了一百辆有帷幕和盖子的车子，二十匹马，奴婢钱帛塞满道路。皇甫规妻子于是穿着随便的衣服到了董卓的门前，跪着陈述情怀，言辞非常辛酸悲怆。董卓指使手下人都拔出刀子围住她，并对她说：“我的威力教化，要让全国风靡，怎么能在一个女人身上行不通呢！”皇甫规妻子明白摆脱不了，就站起来痛骂董卓：“你是羌胡少数民族的种，毒害天下还不满足吗！我的祖先，历代都有清高的品德。皇甫规文武都是上等人才，是汉朝廷的忠臣。你父亲难道不是他手下的官吏吗？竟胆敢对你太君夫人做非礼的事！”董卓于是把车子拉到庭院中，把她的头悬挂在车轭上，不断用鞭棍打她。皇甫规妻子对拿着棍子的人说：“为什么不用力点呢？快点打死我就算你的恩惠了。”于是死在棍下。后人给她画了像，号为“礼宗”。

南阳阴瑜妻者，颍川荀爽之女也，名采，字女荀。聪敏有才艺。年十七，适阴氏。十九产一女，而瑜卒。采时尚丰少，常虑为家所逼，自防御甚固。后同郡郭奕丧妻，爽以采许之，因诈称病笃，召采。既不得已而归，怀刃自誓。爽令傅婢执夺其刃，扶抱载之，犹忧致愤激，敕卫甚严。女既到郭氏，乃伪为欢悦之色，谓左右曰：“我本立志与阴氏同穴，而不免逼迫，遂至于此，素情不遂，奈何？”乃命使建四灯，盛装饰，请奕入相见，共谈，言辞不辍。奕敬惮之，遂不敢逼，至曙而出。采因敕令左右办浴。既入室而掩护，权令侍人避之，以粉书扉上曰：“尸还阴。”“阴”字未及成，惧有来者，遂以衣带自缢。左右玩之不为意，比视，已绝，时人伤焉。

犍为盛道妻者，同郡赵氏之女也，字媛姜。建安五年，益部乱，道聚众起兵，事败，夫妻执系，当死。媛姜夜中告道曰：“法有常刑，必无生望，君可速潜逃，建立门户，妾自留狱，代君塞咎。”道依违未从。媛姜便解道桎梏，为斋粮货。子翔时年五岁，使道携持而走。媛姜代道持夜，应对不失。度道已远，乃以实告吏，应时见杀。道父子会赦得归。道感其义，终身不娶焉。

孝女叔先雄者，犍为人也。父泥和，永建初为县功曹。县长遣泥和拜檄谒巴郡太守，乘船堕湍水物故，尸丧不归。雄感念怨痛，号泣昼夜，心不图存，常有自沈之计。所生男女二人，并数岁，雄乃各作囊，盛珠环以系儿，数为诀别之辞。家人每防闲之，经百许日后稍懈，雄因乘小船，于父堕处恸哭，遂自投水死。弟贤，其夕梦雄告之：“却后六日，当共父同出。”至期伺之，果与父相持，浮于江上。郡县表言，为雄立碑，图象其形焉。

## 【译文】

南阳人阴瑜的妻子，是颍川人荀爽的女儿，名采，字女荀。聪明灵敏又有才艺。十七岁时，嫁给阴瑜。十九岁时生了一个女儿，而阴瑜却死了。荀采当时还年轻，常担忧会被自己家里逼迫，自己防御很强。后来同郡人郭奕死了妻子，荀爽便把她许配给他，故意谎称自己病得很重，把荀采叫回家。既然不得已要回去，就在怀里藏着刀子暗中发誓。荀爽命令佣人抓住她并夺下她的刀子，扶抱着用车载她，还担心她一时愤激，守卫很严密。她到郭家后，装出高兴的样子，对身边的人说："我原来立下志向要跟阴氏死后葬在同一墓穴中，但摆脱不了被逼迫，到了这个地步，我的心愿实现不了，怎么办？"于是命人点起四盏灯，换上盛妆，请郭奕进来相见，一块说话，说个不停。郭奕对她又尊敬又害怕，于是不敢相逼，到天亮时才出去。荀采于是命令佣人们准备洗澡用具。进屋后把窗户也关上，暂时让仆人回避一下，用化妆粉在门扇上写"尸还阴"（尸体还给阴氏）三个字。"阴"字没有写好，害怕人进来，就用衣带上吊死了。佣人们都不当回事，等到看见时，已经断气了，当时人们都为她感到悲伤。

犍为人盛道的妻子，是同郡人赵某的女儿，字媛姜。建安五年，益部发生暴乱，盛道聚众起兵，事情失败，夫妻二人都被捉拿，将要处死。媛姜半夜告诉盛道说："法律有规定的刑罚，一定没有活下去的指望，你可以赶快逃跑，成家立业，我一人留在狱中，代替你抵罪。"盛道犹豫不决。媛姜就解开盛道身上的镣铐，替他准备了粮食财物。他们的儿子当时五岁，让盛道抱着他逃跑。媛姜代替盛道守夜，应对回答都没有露出破绽。估计盛道已经走远，就把实情告诉官吏，当时就被杀害了。盛道父子逢大赦回家。盛道被她的义气所感动，终身不再娶妻。

孝女叔先雄，是犍为人。父亲泥和，永建初年做过县功曹的官。县长派遣泥和拿着信件去见巴郡太守，乘船时落入急流中溺死，找不到尸首。叔先雄感念悲痛，日夜哭喊，心里也不想再活下去，一直有投水自杀的念头。她生了两个孩子，都只几岁，叔先雄于是为他们各自做了一个口袋，装上珠环系住孩子，几次说过诀别的话。家里人一直提防着她，经过一百多天以后才稍微松懈，叔先雄便乘着小船，在父亲落水的地方痛哭，后来投水自杀了。她弟弟叔贤，当夜梦见叔先雄跟他说："分别后六日，应当跟父亲一同出现。"到那个时候等着，果然与她父亲抱在一起，浮出江面。郡县都赞扬了她，为叔先雄立了碑，把她的像画在上面。

陈留董祀妻者，同郡蔡邕之女也，名琰，字文姬。博学有才辩，又妙于音律。适河东卫仲道。夫亡无子，归宁于家。兴平中，天下丧乱，文姬为胡骑所获，没于南匈奴左贤王，在胡中十二年，生二子。曹操素与邕善，痛其无嗣，乃遣使者以金璧赎之，而重嫁于祀。

祀为屯田都尉，犯法当死，文姬诣曹操请之。时公卿名士及远方使驿坐者满堂，操谓宾客曰："蔡伯喈女在外，今为诸君见之。"及文姬进，蓬首徒行，叩头请罪，音辞清辩，旨甚酸哀，众皆为改容。操曰："诚实相矜，然文状已去，奈何？"文姬曰："明公厩马万匹，虎士成林，何惜疾足一骑，而不济垂死之命乎！"操感其言，乃追原祀罪。时且寒，赐以头巾履袜。操因问曰："闻夫人家先多坟籍，犹能忆识之不？"文姬曰："昔亡父赐书四千许卷，流离涂炭，罔有存者，今所诵忆，裁四百余篇耳。"操曰："今当使十吏就夫人为之。"文姬曰："妾闻男女之别，礼不亲授。乞给纸笔，真草唯命。"于是缮书送之，文无遗误。后感伤乱离，追怀悲愤，作诗二章。

**【译文】**

陈留人董祀的妻子，是同郡人蔡邕的女儿，名琰，字文姬。博学多才，善于言辞，又精通音律，嫁给河东人卫仲道。丈夫死后没有孩子，回到家中。兴平年间，天下丧乱，文姬被胡人的骑兵俘虏，没收给了南匈奴左贤王，在胡地生活了十二年，生了两个孩子。曹操一向与蔡邕友善，为她没有后代感到伤心，就派遣使节用金银玉璧赎还她，而重新嫁给董祀。

董祀做屯田都尉时，犯了法应当处死，文姬去找曹操替他求情。当时公卿名士远方使节坐了满满一屋，曹操对客人们说："蔡伯喈的女儿在外边，现在让各位见见她。"等到文姬进来时，头发蓬乱地走着进来，叩头请罪，声音清脆，言辞动听，意思非常酸楚悲哀，众人都被她感动得变了脸色。曹操说："我的确很同情你，但是文书状子已经发下去了，怎么办？”文姬说：“您马厩里有上万匹马，如虎一般勇猛的兵士像树林一样多，为什么怜惜坏一匹马的腿，却不去救一条快要死掉的性命呢！”曹操被她的话打动了，于是派人追回董祀并原谅了他的罪。当时天快要冷起来了，便赐给她头巾鞋子袜子。曹操顺便问她说：“听说夫人家里从前有很多古书，还能记住认识它们吗？”文姬说：“从前我死去的父亲赐给我四千多卷书，流离涂炭，没有保存下来的了。现在能够背诵的，只有四百多篇了。”曹操说：“现在我让十名官吏跟夫人把它们记下来。”文姬说：“我听说男女的分别，按照礼制不应该当面传授。请求提供纸笔，用楷书还是用草书就听您的吩咐了。”于是缮写出来，文字没有遗漏错误的。后来感伤乱离，追怀悲愤，作了二首诗。

# 〔三国志〕

## 武帝纪

太祖武皇帝，沛国谯人也，姓曹，讳操，字孟德，汉相国参之后。桓帝世，曹腾为中常侍大长秋，封费亭侯。养子嵩嗣，官至太尉，莫能审其生出本末。嵩生太祖。

太祖少机警，有权数，而任侠放荡，不治行业，故世人未之奇也，惟梁国桥玄、南阳何颙异焉。玄谓太祖曰："天下将乱，非命世之才不能济也，能安之者，其在君乎！"年二十，举孝廉，为郎，除洛阳北部尉，迁顿丘令，征拜议郎。光和末，黄巾起。拜骑都尉，讨颍川贼。迁为济南相，国有十余县，长吏多阿附贵戚，赃污狼藉，于是奏免其八，禁断淫祀，奸宄逃窜，郡界肃然。久之，征还为东郡太守，不就，称疾归乡里。

顷之，冀州刺史王芬、南阳许攸、沛国周旌等连结豪杰，谋废灵帝，立合肥侯，以告太祖。太祖拒之，芬等遂败。

金城边章、韩遂杀刺史郡守以叛，众十余万，天下骚动。征太祖为典军校尉。会灵帝崩，太子即位，太后临朝。大将军何进与袁绍谋诛宦官，太后不听。进乃召董卓，欲以胁太后，卓未至而进见杀。卓到，废帝为弘农王而立献帝，京都大乱。卓表太祖为骁骑校尉，欲与计事。太祖乃变易姓名，间行东归。出关，过中牟，为亭长所疑，执诣县，邑中或窃识之，为请得解。卓遂杀太后及弘农王。太祖至陈留，散家财，合义兵，将以诛卓。冬十二月，始起兵于己吾，是岁中平六年也。

初平元年春正月，后将军袁术、冀州牧韩馥、豫州刺史孔伷、兖州刺史刘岱、河内太守王匡、渤海太守袁绍、陈留太守张邈、东郡太守桥瑁、山阳太守袁遗、济北相鲍信同时俱起兵，众各数万，推绍为盟主。太祖行奋武将军。

## 【译文】

太祖武皇帝，沛国谯县人，姓曹，名操，字孟德，是汉朝相国曹参的后代。桓帝时期，曹腾为中常侍大长秋，被封为费亭侯。曹腾养子曹嵩继承他的爵位，官做到太尉。谁也说不清曹嵩原来的家世渊源。曹嵩生了儿子这就是魏太祖武皇帝曹操。

太祖小时候机警，有应变的本领，但喜好打抱不平，行为不检点，不注重增进自己的操行、事业。所以当时人并没觉得他有什么奇特之处，只有梁国桥玄，南阳何颙认为他不是一般人。桥玄对太祖说："天下就要乱了，没有盖世才能是不能拯救国家的，能安定天下的，大概就是你了。"二十岁，被推荐为孝廉，任命为郎，转任洛阳北部尉，升为顿丘县令，又被征召入朝任议郎。光和末年，黄巾起事，太祖被任命为骑都尉，讨伐颍川盗贼。升任济南国相，济南国有十多个县，县的主官和属吏大多巴结讨好权贵外戚，贪赃受贿，胡作非为，声名狼藉。于是太祖奏请罢免了八个官吏。禁绝不合礼制的祭祀活动。坏人逃奔境外，郡内社会秩序清平安定。过了很长时间，又被调回京城，改任东郡太守；他不去上任，借口有病，返回家乡。

不久，冀州刺史王芬，南阳许攸，沛国周旌等联络地方豪强，策划废黜汉灵帝，立合肥侯为帝，把这个谋划通知了太祖，太祖拒绝参加，王芬等因而失败。

金城人边章、韩遂杀死刺史、郡守，发动叛乱，拥兵十几万，天下骚动。朝廷征召太祖为典军校尉。这时正碰上灵帝去世，太子即位，太后临朝听政。大将军何进和袁绍谋划屠杀宦官，太后不同意。何进就召董卓进京，想借董卓兵力胁迫太后。董卓还没抵达京城，何进就被杀了。董卓到京城，废黜皇帝为弘农王，另立献帝，京都大乱。董卓奏表请求任命太祖为骁骑校尉，想和太祖共商朝廷大事。太祖于是改名换姓，从小路东行回故乡。出了关，过中牟县，受到亭长怀疑，被逮捕押送到县城，中牟县有人偷偷认出了他，为他说好话，释放了他。这时董卓已经杀了太后和弘农王。太祖抵达陈留，拿出家产，募集义兵，准备讨伐董卓。冬天十二月，在已吾县开始成立部队，这一年是中平六年。

初平元年春天正月，后将军袁术、冀州牧韩馥、豫州刺史孔伷、兖州刺史刘岱、河内太守王匡、渤海太守袁绍、陈留太守张邈、东郡太守桥瑁、山阳太守袁遗、济北相鲍信同时起兵，各有几万人军队，推袁绍为盟主。太祖代理奋武将军。

二月，卓闻兵起，乃徙天子都长安。卓留屯洛阳，遂焚宫室。是时绍屯河内，邈、岱、瑁、遗屯酸枣，术屯南阳，伷屯颍川，馥在邺。卓兵强，绍等莫敢先进。太祖曰："举义兵以诛暴乱，大众已合，诸君何疑？向使董卓闻山东兵起，倚王室之重，据二周之险，东向以临天下；虽以无道行之，犹足为患。今焚烧宫室，劫迁天子，海内震动，不知所归，此天亡之时也。一战而天下定矣，不可失也。"遂引兵西，将据成皋。邈遣将卫兹分兵随太祖。到荥阳汴水，遇卓将徐荣，与战不利，士卒死伤甚多。太祖为流矢所中，所乘马被创，从弟洪以马与太祖，得夜遁去。荣见太祖所将兵少，力战尽日，谓酸枣未易攻也，亦引兵还。

**【译文】**

二月，董卓听说袁绍等人起兵，就把天子迁到长安去住，自己留驻洛阳，接着烧毁了宫殿。这时袁绍驻扎河内，张邈、刘岱、桥瑁、袁遗驻扎酸枣，袁术驻扎南阳，孔伷驻扎颍川，韩馥驻扎邺县。董卓兵力强大，袁绍等人谁也不敢率先进击。太祖说："发动义兵，讨伐暴乱，大军已经会合，诸位还迟疑什么呢？假使董卓听说山东发动义兵，他就凭借王室的威势，紧守二周的险要，东向控制天下，虽然他是倒行逆施，那也还值得忧虑。现在他烧毁宫室强制迁徙天子，天下震动，不知道该投向何人。这是老天要他灭亡的时刻。一仗下来天下就安定了，机会不可放过啊。"接着领兵西进，打算去占领成皋。张邈派将军卫兹分领一些军队跟随太祖到荥阳汴水，遇到董卓的将军徐荣，和徐荣交战失利了，士兵死伤很多。太祖被流矢射中，骑的马受了伤，堂弟曹洪把马给太祖，太祖才得以趁夜逃开。徐荣见太祖带兵虽然不多，却仍能拼命坚持一整天战斗，估计酸枣不易攻取，也就带兵回去了。

太祖到酸枣，诸军兵十余万，日置酒高会，不图进取。太祖责让之，因为谋曰："诸君听吾计，使渤海引河内之众临孟津，酸枣诸将守成皋，据敖仓，塞轘辕、太谷，全制其险；使袁将军率南阳之军军丹、析，入武关，以震三辅，皆高垒深壁勿与战，益为疑兵，示天下形势，以顺诛逆，可立定也。今兵以义动，持疑而不进，失天下之望，窃为诸君耻之！"邈等不能用。

太祖兵少，乃与夏侯惇等诣扬州募兵，刺史陈温、丹阳太守周昕与兵四千余人。还到龙亢，士卒多叛。至铚、建平，复收兵得千余人，进屯河内。

刘岱与桥瑁相恶，岱杀瑁，以王肱领东郡太守。

袁绍与韩馥谋立幽州牧刘虞为帝，太祖拒之。绍又尝得一玉印，于太祖坐中举向其肘，太祖由是笑而恶焉。

**【译文】**

太祖到酸枣，各路军马十多万人，天天酒席聚会，不考虑进取。太祖批评他们，并给他们出主意说："你们诸位接受我的建议，让渤海太守领河内兵据守孟津，酸枣的各位将军守住成皋，占有敖仓，堵住轘辕、太谷通道，全面控制住险要地势，让袁将军率领南阳军队驻扎丹、析，攻进武关，威胁三辅。然后各军都高筑壁垒，不出战，多设疑兵，向天下表明讨伐董卓的强大优势。以正义之师，讨伐叛逆。胜利立即可得。现在为伸张正义而发动了军队，却又迟疑不进，让天下失望，我暗暗为诸位感到羞耻。"张邈等不能采纳太祖建议。

太祖兵少，于是和夏侯惇等到扬州去募兵，刺史陈温、丹阳太守周昕拨给他四千多兵。返回的途中在龙亢停歇时，许多兵士叛逃了。到铚县，建平县，又招募一千多兵，进驻河内郡。

刘岱和桥瑁二人之间宿有仇怨，相互恨恶。刘岱竟杀了桥瑁，以王肱领东郡太守。

袁绍和韩馥二人密谋立幽州牧刘虞为帝，曹操拒绝参与。袁绍又曾得到一颗玉印，他以为这是一种佳兆。有一次在曹操座中，举起玉印比向臂肘，表示其得印的幸运。曹操见袁绍如此浅薄状，由此更笑其愚昧器小，而十分厌恶，内心不服袁绍。

二年春，绍、馥遂立虞为帝，虞终不敢当。

夏四月，卓还长安。

秋七月，袁绍胁韩馥取冀州。

黑山贼于毒、白绕、眭固等十余万众略魏郡，东郡王肱不能御。太祖引兵入东郡，击白绕于濮阳，破之。袁绍因表太祖为东郡太守，治东武阳。

三年春，太祖军顿丘，毒等攻东武阳。太祖乃引兵西入山，攻毒等本屯。毒闻之，弃武阳还。太祖要击眭固，又击匈奴於夫罗于内黄，皆大破之。

**【译文】**

献帝初平二年春，袁绍、韩馥二人立幽州牧刘虞为帝。但刘虞自以德能不足，始终不敢接受。

夏四月，董卓由洛阳回长安。

秋七月，袁绍胁迫韩馥，取得冀州之地。

黑山贼于毒、白绕、眭固等，率贼众十余万，攻侵魏郡、东郡。太守王肱不能抵御，曹操引兵入东郡，击白绕部贼兵于濮阳，破贼兵。袁绍因此上表于献帝，以曹操为东郡太守，郡治东武阳（今山东省朝城县东南）。

初平三年春，曹操军屯顿丘，黑山贼于毒等攻东武阳。曹操乃引兵西行入山，攻于毒等根据地。于毒得消息，放弃了东武阳的攻击，回山中本屯聚地。曹操又遮拦突击眭固贼部，又攻击匈奴“於夫罗”于内黄，都大破敌众。

夏四月，司徒王允与吕布共杀卓。卓将李傕、郭汜等杀允攻布，布败，东出武关。傕等擅朝政。

青州黄巾众百万入兖州，杀任城相郑遂，转入东平。刘岱欲击之，鲍信谏曰：“今贼众百万，百姓皆震恐，士卒无斗志，不可敌也。观贼众群辈相随，军无辎重，唯以钞略为资，今不若畜士众之力，先为固守。彼欲战不得，攻又不能，其势必离散，后选精锐，据其要害，击之可破也。”岱不从，遂与战，果为所杀。信乃与州吏万潜等至东郡迎太祖领兖州牧。遂进兵击黄巾于寿张东。信力战斗死，仅而破之。购求信丧不得，众乃刻木如信形状，祭而哭焉。追黄巾至济北。乞降。冬，受降卒三十余万，男女百余万口，收其精锐者，号为青州兵。

**【译文】**

夏季四月，司徒王允与吕布共同杀死董卓。董卓部将李傕、郭汜等，杀了王允，攻击吕布。吕布败走，向东退出武关。李傕等人乃专擅朝政。

青州的黄巾贼，有百万之众，攻入兖川，杀死任城相郑遂，转入东平。兖州刺史刘岱要用兵击黄巾贼。鲍信谏说：“目前贼兵有百万之众，声势浩大，老百姓都震怖恐惧，士卒都没有斗志，贼人的势强，不可敌挡。我观察贼兵的情况，群众乌合，前后相随，并无组织，军中也没有辎重粮草，唯以掠夺为军中所用，不是精强的部队。今日之计，不如畜养士众之力，先固守城池不出，贼众对我，要战不得战，要攻而攻不破，贼势必然有离散之心，然后我选拔精锐士卒，据其要害，加以攻击，必能破贼。”刘岱不听，竟引兵出战，果然被黄巾贼所杀。鲍信乃和州吏万潜等到东郡，迎曹操来领兖州牧。于是曹操领兵进击黄巾贼于寿张之东。鲍信力战而死。曹操用尽兵力奇计，才险胜而击破贼兵。于是悬赏购求鲍信遗体，不能得，乃刻一木人如鲍信形貌，大家祭而哭拜。曹操军追黄巾贼于济北。黄巾乞降。冬，曹操受黄巾降卒三十余万众，百姓男女百余万口，曹操收其中精锐，命名为青州兵。

袁术与绍有隙，术求援于公孙瓒，瓒使刘备屯高唐，单经屯平原，陶谦屯发干，以逼绍。太祖与绍会击，皆破之。

四年春，军鄄城。荆州牧刘表断术粮道，术引军入陈留，屯封丘，黑山余贼及於夫罗等佐之。术使将刘详屯匡亭。太祖击详，术救之，与战，大破之。术退保封丘，遂围之。未合，术走襄邑。追到太寿，决渠水灌城。走宁陵。又追之。走九江。夏，太祖还军定陶。

下邳阙宣聚众数千人，自称天子，徐州牧陶谦与共举兵，取泰山华、费，略任城。秋，太祖征陶谦，下十余城。谦守城不敢出。是岁，孙策受袁术使渡江，数年间遂有江东。

兴平元年春，太祖自徐州还。初，太祖父嵩，去官后还谯，董卓之乱，避难琅邪，为陶谦所害，故太祖志在复仇东伐。夏，使荀彧、程昱守鄄城，复征陶谦。拔五城，遂略地至东海。还过郯，谦将曹豹与刘备屯郯东，要太祖。太祖击破之。遂攻拔襄贲，所过多所残戮。

**【译文】**

袁术与袁绍素有嫌隙。袁术求援于公孙瓒，公孙瓒使刘备屯兵高唐，单经屯兵平原，陶谦屯兵发干，用以威逼袁绍。曹操与袁绍会兵攻击各据点，各地都被击破。

初平四年春，袁术进攻鄄城，荆州牧刘表，遮断袁术粮道。袁术引兵入陈留，屯兵封丘。黑山黄巾余贼和匈奴於夫罗等协助袁术。袁术使部将刘详屯兵匡亭。曹操引兵攻刘详，袁术引兵救刘详，与曹操兵战，曹大破袁术兵。袁术退保封丘，曹操引兵围袁术，在未能合围之际，袁术遁走，奔向襄邑。曹兵追到太寿，决开河渠堤，以泛滥之水灌城。袁术又逃，走宁陵，曹又引兵追，袁又走九江。夏，曹操引军还归定陶。

下邳人阙宣，聚众数千人，自称天子。徐州牧陶谦与阙宣共同举兵，取得泰山华、费各地，攻略任城。秋，曹操引兵攻陶谦，连下十余城。陶谦守城不敢出战。这一年，孙策受袁术使命，渡江而南。数年之间，孙策乃有江东之地。

汉献帝兴平元年（194），曹操从徐州征陶谦归来。在先，曹操的父亲曹嵩，去官以后，回到谯郡。董卓之乱，又走琅邪避难，被陶谦所害。所以曹操志在复仇，乃东伐陶谦。夏，曹操使荀彧、程昱二人守鄄城，又出兵征陶谦。攻下五城，得地很多，一直到东海郡（今山东郯城县西南）。回来时经过郯（今山东郯城县），陶谦部将曹豹和刘备屯兵在郯东，拦截曹操兵。曹操击破曹豹、刘备之兵，乃攻拔襄贲。曹兵所过之地，多所残杀。

会张邈与陈宫叛迎吕布，郡县皆应。荀彧、程昱保鄄城，范、东阿二县固守。太祖乃引军还。布到，攻鄄城不能下，西屯濮阳。太祖曰："布一旦得一州，不能据东平，断亢父、泰山之道乘险要我，而乃屯濮阳，吾知其无能为也。"遂进军攻之。布出兵战，先以骑犯青州兵。青州兵奔，太祖阵乱，驰突火出，坠马，烧左手掌。司马楼异扶太祖上马，遂引去。未至营止。诸将未与太祖相见，皆怖。太祖乃自力劳军，令军中促为攻具，进复攻之。与布相守百余日。蝗虫起，百姓大饿，布粮食亦尽。各引去。

秋九月，太祖还鄄城。布到乘氏，为其县人李进所破，东屯山阳。于是绍使人说太祖，欲连和。太祖新失兖州，军食尽，将许之。程昱止太祖，太祖从之。冬十月，太祖至东阿。

**【译文】**

这时张邈和陈宫二人反叛而迎吕布，许多郡县一时都响应。曹操部下荀彧、程昱保鄄城和范、东阿两县，固守阵地，曹操见情势危急，乃引兵回。吕布到，进攻鄄城，不能攻下。向西移兵屯濮阳。曹操见吕布用兵如此，他说："吕布一天之间得一州，但不能以东平为根据，不能断亢父和泰山之道，乘险要以截我军，而屯兵于濮阳。由此我可以看出吕布的无能了！"于是曹操进兵攻吕布。吕布出兵迎战，先用骑兵攻曹操的青州兵。青州兵奔逃，曹操兵阵溃乱，曹操见军中火起，骑马突火而出。曹操坠马，火烧到左手掌。司马楼异奔来扶曹操上马，乃得逃出。曹操并未回到营中，而止于中途。诸将未能见曹操归来，都担心恐惧。但不久曹操归来，且自己巡营劳军，并命令军中快快制造进攻工具，进兵再攻吕布。曹操与吕布相持不下一百多日，未分胜负。后有蝗虫起，吃尽田中粮食，百姓无米而大饥馑。吕布军粮食也用尽，双方才各自退去。

秋九月，曹操回到鄄城。吕布兵到乘氏，被乘氏县人李进所攻破。吕布移军向东屯于山阳。这时袁绍派遣使者，游说曹操，想和曹操联合。曹操刚刚失了兖州，又加军中粮食已尽，打算允许与袁绍联合。程昱劝止曹操，不要联袁绍，曹操从程昱之议，不与袁绍联合。冬十月，曹操到东阿。

是岁，谷一斛五十余万钱，人相食，乃罢吏兵新募者。陶谦死，刘备代之。

二年春，袭定陶。济阴太守吴资保南城，未拔。会吕布至，又击破之。夏，布将薛兰、李封屯钜野，太祖攻之，布救兰，兰败，布走，遂斩兰等。布复从东缗与陈宫将万余人来战，时太祖兵少，设伏，纵奇兵击，大破之。布夜走，太祖复攻，拔定陶，分兵平诸县。布东奔刘备，张邈从布，使其弟超将家属保雍丘。秋八月，围雍丘。冬十月，天子拜太祖兖州牧。十二月，雍丘溃，超自杀。夷邈三族。邈诣袁术请救，为其众所杀，兖州平。遂东略陈地。

**【译文】**

这一年，谷一斛价五十余万钱。大饥饿，人与人相食，于是停止吏兵新募。陶谦死，刘备代陶谦为徐州牧。

兴平二年春，曹操带兵袭击定陶。济阴太守吴资保南城，未能攻下。这时正当吕布兵到，曹操又击破吕布军。夏，吕布部将薛兰、李封屯兵钜野，曹操攻击薛兰兵，吕布驰往救薛兰。薛兰败，吕布退走，曹操乃杀薛兰等。吕布又从东缗与陈宫会合，率领万余众来战。当时曹操兵少，曹操乃设埋伏，突出奇兵击吕布，大破吕布兵。吕布乘夜遁走，曹操再攻，拔定陶，分兵攻下各县。吕布向东走，归于徐州刘备。张邈追随吕布，派弟弟张超带了家属，保守雍丘。秋，八月，曹操兵围雍丘。冬，十月，天子汉献帝拜曹操为兖州牧。十二月，雍丘兵崩溃，张超自杀。曹操杀尽张邈三族。张邈奔向袁术求救，中途被他自己的乱兵所杀，兖州完全平定，曹操便领兵向东攻略陈地。

是岁，长安乱，天子东迁，败于曹阳，渡河幸安邑。

建安元年春正月，太祖军临武平，袁术所置陈相袁嗣降。

太祖将迎天子，诸将或疑，荀彧、程昱劝之，乃遣曹洪将兵西迎，卫将军董承与袁术将苌（cháng）奴拒险，洪不得进。

汝南、颍川黄巾何仪、刘辟、黄邵、何曼等，众各数万，初应袁术，又附孙坚。二月，太祖进军讨破之，斩辟邵等，仪及其众皆降。天子拜太祖建德将军，夏六月，迁镇东将军，封费亭侯。秋七月，杨奉、韩暹以天子还洛阳，奉别屯梁。太祖遂至洛阳，卫京都，暹遁走。天子假太祖节钺，录尚书事。洛阳残破，董昭等劝太祖都许。九月，车驾出轘辕而东，以太祖为大将军，封武平侯。自天子西迁，朝廷日乱，至是，宗庙社稷制度始立。

**【译文】**

这一年，长安大乱，献帝东迁，中途遭李傕郭汜之乱，王师大败于曹阳，渡黄河，车驾至安邑。

献帝建安元年（196），春正月，曹操领兵到武平，袁术安置的陈地守将袁嗣，投降于曹操。

曹操将要迎接天子，诸将或有怀疑其有利或有害，而荀彧、程昱二人劝曹操迎天子。曹操便派遣曹洪领兵，向西行进，迎接献帝。卫将军董承和袁术的部将苌奴二人，领兵拦阻曹洪于险要之处。曹洪兵不能进。

汝南、颍川两地的黄巾贼何仪、刘辟、黄邵、何曼等人，各有贼众数万，先响应袁术，后又附从孙坚。二月，曹操进兵讨伐，大破黄巾贼，斩了刘辟、黄邵等，何仪和他的兵众都投降了。天子拜曹操为建德将军。夏季六月，迁镇东将军，封费亭侯。秋七月，杨奉、韩暹随天子回到洛阳。杨奉个别屯兵于梁。曹操乃到洛阳，拱卫京都，韩暹逃走。献帝假曹操节钺，录尚书事。洛阳经劫后，残破不堪，董昭等劝曹操迁都许昌。九月，曹操护天子车驾出轘辕向东行。天子以曹操为大将军，封武平侯。自从献帝西迁长安，朝廷一切日益纷乱，至此，宗庙社稷制度，才建立起来。

天子之东也，奉自梁欲要之，不及。冬十月，公征奉，奉南奔袁术，遂攻其梁屯，拔之。于是以袁绍为太尉，绍耻班在公下，不肯受。公乃固辞，以大将军让绍。天子拜公司空，行车骑将军。是岁用枣祗、韩浩等议，始兴屯田。

吕布袭刘备，取下邳。备来奔。程昱说公曰："观刘备有雄才而甚得众心，终不为人下，不如早图之。"公曰："方今收英雄时也，杀一人而失天下之心，不可。"

张济自关中走南阳。济死，从子绣领其众。二年春正月，公到宛。张绣降，既而悔之，复反。公与战，军败，为流矢所中，长子昂、弟子安民遇害。公乃引兵还舞阴，绣将骑来钞，公击破之。绣奔穰，与刘表合。公谓诸将曰："吾降张绣等，失不便取其质，以至于此。吾知所以败。诸卿观之，自今已后不复败矣。"遂还许。

【译文】

这次天子的东行，杨奉想从梁地拦截车驾，但没来得及。冬十月，曹操引兵征讨杨奉，杨奉不敌，南奔而投袁术。曹操乃攻梁屯，取得其地。于是以袁绍为太尉。袁绍耻于位在曹操之下，不肯接受。曹操仍然坚决辞让大将军职位，以大将军让袁绍。献帝拜曹操为司空，行车骑将军。这一年，用枣祗、韩浩等人的建议，开始实行屯田。

吕布袭击刘备，取得下邳。刘备来投曹操。程昱对曹操说："看起来，刘备有雄才，而又很得大众之心，终不会居于人下，不如早早把他除掉。"曹操说："目前正在收服英雄的时候，杀一个人而失掉天下的人心，不可以！"

张济从关中走至南阳。张济死，从子张绣率领其士众。建安二年，春正月，曹操领兵到宛城。张绣出降。过后张绣后悔，又反。曹操与张绣战，兵败。曹操被流矢所射中。曹操长子曹昂、侄曹安民，都在这一战中遇害。曹操乃引兵回舞阴。张绣率骑兵来攻，曹操击破张绣。张绣败走奔穰县，合于刘表。曹操对诸将说："我收降张绣等人，错失在于没有乘便取得质押，以至于如此。我知道了这一次失败的原因。各位看着，从今以后，我不会再失败了。"乃引兵回到许昌。

袁术欲称帝于淮南，使人告吕布。布收其使，上其书。术怒，攻布，为布所破。秋九月，术侵陈，公东征之。术闻公自来，弃军走，留其将桥蕤、李丰、梁纲、乐就。公到，击破蕤等，皆斩之。术走渡淮。公还许。

公之自舞阴还也，南阳、章陵诸县复叛为绣，公遣曹洪击之，不利，还屯叶，数为绣、表所侵。冬十一月，公自南征，至宛。表将邓济据湖阳。攻拔之，生禽济，湖阳降。攻舞阴，下之。

三年春正月，公还许，初置军师祭酒。三月，公围张绣于穰。夏五月，刘表遣兵救绣，以绝军后。公将引还，绣兵来，公军不得进，连营稍前。公与荀彧书曰："贼来追吾，虽日行数里，吾策之，到安众，破绣必矣。"到安众，绣与表兵合，守险，公军前后受敌。公乃夜凿险为地道，悉过辎重，设奇兵。会明，贼谓公为遁也，悉军来追。乃纵奇兵步骑夹攻，大破之。秋七月，公还许。荀彧问公："前以策贼必破，何也？"公曰："虏遏吾归师，而与吾死地战，吾是以知胜矣。"

【译文】

袁术要想在淮南称帝，派人告诉吕布。吕布收押袁术使者，并将袁术的书信和使者送至许昌。袁术大怒，进兵攻吕布，被吕布击破。秋九月，袁术侵陈州。曹操率兵东征袁术。袁术知道曹操亲自来到，弃军而逃，留部将桥蕤、李丰、梁纲、乐就等守阵地。曹操到，击破桥蕤等，杀桥、李、梁、乐等。袁术遁走，渡过淮水。曹操回师许昌。

自从曹操从舞阴回到许昌，南阳、章陵各县又叛而归张绣。曹操派遣曹洪进击，不能胜，还兵屯于叶，屡次遭张绣、刘表所侵扰。冬十一月，曹操亲自南征，到宛城。刘表部将邓济，据守湖阳。曹操进攻，拔湖阳，生擒邓济，湖阳投降。又攻舞阴，取得舞阴。

建安三年，春正月，曹操引兵回许昌，初置军师祭酒之职。三月，曹操领兵围张绣于穰（今河南邓县境）。夏五月，刘表派军救张绣。刘表军将要遮断曹军后退之路，曹操将要引兵退还。张绣领兵来追，曹操军因有刘表军拦截，不能前进，因连营而缓进，慢慢向前。曹操给荀彧书信，叙这时情况说："贼来追我，我虽每日只能行数里，但我计算，到了安众，一定可以击破张绣。"曹操行到安众，张绣和刘表两军相合，坚守险要，曹军前后受敌。曹操乃于夜间凿地道于险要之下，将辎重粮食全部运过，设置奇兵。天将明，张绣、刘表军以为曹操已经逃遁，全军来追。曹操于是突出奇兵，步骑两军，向敌夹攻。大破敌兵。秋七月，曹操回许昌。荀彧问："前次推算，贼必能破，是什么道理？"曹操答云："贼众阻遏我撤还之兵，而与我作死地战，我所以知道必胜了。"

吕布复为袁术使高顺攻刘备，公遣夏侯惇救之，不利。备为顺所败。九月，公东征布。冬十月，屠彭城，获其相侯谐。进至下邳，布自将骑逆击。大破之，获其骁将成廉。追至城下，布恐，欲降。陈宫等沮其计，求救于术，劝布出战，战又败，乃还固守，攻之不下。时公连战，士卒罢，欲还。用荀攸、郭嘉计，遂决泗、沂水以灌城。月余，布将宋宪、魏续等执陈宫，举城降，生禽布、宫，皆杀之。太山臧霸、孙观、吴敦、尹礼、昌豨各聚众。布之破刘备也，霸等悉从布。布败，获霸等，公厚纳待，遂割青、徐二州附于海以委焉。分琅邪、东海、北海为城阳、利城、昌虑郡。

初，公为兖州，以东平毕谌为别驾。张邈之叛也，邈劫谌母弟妻子。公谢遣之，曰："卿老母在彼，可去。"谌顿首无二心，公嘉之，为之流涕。既出，遂亡归。及布破，谌生得，众为谌惧。公曰："夫人孝于其亲者，岂不亦忠于君乎！吾所求也。"以为鲁相。

**【译文】**

吕布又因为袁术的请求，派部将高顺攻刘备。曹操遣夏侯惇领兵救刘备，战而不利。刘备被高顺击败。九月，曹操东征吕布。冬十月，攻破彭城，掳获其相侯谐。进军到下邳。吕布亲自率骑兵迎击。曹军大破吕布军，掳获吕布骁将成廉。追到城下。吕布恐惧，想要投降。陈宫等人劝止，乃求救于袁术，并劝吕布出战。吕布出战又败，乃回兵固守。曹兵屡攻，不能攻下。这时曹操兵连连作战，士卒疲弊，曹操想要回军。用荀攸和郭嘉所谋之计，决泗水和沂水，灌下邳城。经围困一月余，吕布部将宋宪、魏续等缚执陈宫，全城投降。曹操得以生擒吕布、陈宫，都杀死。太山臧霸、孙观、吴敦、尹礼、昌豨，各聚众。吕布击破刘备时，臧霸等都附从吕布。及吕布败，曹操擒获臧霸等人，而待臧霸等人甚厚，乃割青州、徐州附于海，以委派臧霸等据守。分琅邪、东海、北海为城阳、利城、昌虑三郡。

在先，曹操为兖州牧，以东平人毕谌为别驾。张邈叛乱时，曾劫持毕谌的母亲、弟弟和妻子。曹操解去毕谌职务而遣毕谌去，曹操说："你的老母在那里。你可以去。"毕谌当时叩首表示无二心。曹操对毕谌嘉勉，毕谌为之流涕。但毕谌辞出之后，竟逃而归张邈。后来吕布事败，毕谌被曹操生擒，大家都为毕谌担心恐惧。但曹操说：“人如果能孝其亲，岂不是也必忠于君吗！这正是我所要求的人。”曹操仍以毕谌为鲁相。

四年春二月，公还至昌邑。张杨将杨丑杀杨，眭固又杀丑，以其众属袁绍，屯射犬。夏四月，进军临河，使史涣、曹仁渡河击之。固使杨故长史薛洪、河内太守缪尚留守，自将兵北迎绍求救，与涣、仁相遇犬城。交战，大破之，斩固。公遂济河，围射犬。洪、尚率众降，封为列侯，还军敖仓。以魏种为河内太守，属以河北事。

初，公举种孝廉。兖州叛，公曰：“唯魏种且不弃孤也。”及闻种走，公怒曰：“种不南走越，北走胡，不置汝也！”既下射犬，生禽种，公曰：“唯其才也！”释其缚而用之。

是时袁绍既并公孙瓒，兼四州之地，众十余万，将进军攻许。诸将以为不可敌。公曰：“吾知绍之为人，志大而智小，色厉而胆薄，忌克而少威，兵多而分画不明，将骄而政令不一，土地虽广，粮食虽丰，适足以为吾奉也。”秋八月，公进军黎阳，使臧霸等入青州破齐、北海、东安，留于禁屯河上。九月，公还许，分兵守官渡。冬十一月，张绣率众降，封列侯。

**【译文】**

建安四年，春二月，曹操回到昌邑。张杨的部将杨丑，杀了张杨，眭固又杀了杨丑，带了张杨的人马归附了袁绍，屯兵射犬。夏四月，曹操进军临河，使史涣、曹仁领兵渡河击眭固。眭固使张杨的旧长史薛洪、河内太守缪尚留守射犬，自己领兵北上迎袁绍求救。眭固中途与史涣、曹仁相遇在犬城，双方交战。史涣、曹仁大破眭固，斩杀了眭固。曹操渡河，兵围射犬。薛洪、缪尚二人率众投降。曹操封二人为列侯，回军敖仓。以魏种为河内太守，委以全部河北政事。

在早日，曹操曾举魏种为孝廉。及兖州叛乱，曹操说：“唯有魏种将不会背弃我。”后来听说魏种逃走，曹操发怒说：“魏种不能南逃亡于越，也不能北逃亡于胡地，终逃不出我手，我不会赦免你！”及攻下射犬之后，生擒了魏种。曹操却说：“唯魏种的才可用。”解其绑绳而任为河内太守。

这时袁绍既已兼并了公孙瓒，兼有四州之地，兵众十余万，将要进军攻打许昌。曹操部下诸将都以为袁绍强大，不可敌。曹操说："我知道袁绍的为人，志向大而智能薄，颜色严厉而胆量很小，好猜忌，嫉妒贤能，而缺少威力，兵虽多而不能清楚分划组织指挥。其部将骄矜，而政令不能统一。土地虽广大，粮食虽丰富，正好作为送我们的礼物！"秋八月，曹操进军黎阳，使臧霸等领兵入青州，击破齐、北海、东安，留于禁屯兵河上。九月，曹操回许昌，分兵守官渡（今河南省中牟县，东北地傍官渡水得名）。冬十一月，张绣率众来降，封张绣为列侯。

十二月，公军官渡。

袁术自败于陈，稍困，袁谭讲自青州遣迎之。术欲从下邳北过，公遣刘备、朱灵要之。会术病死。程昱、郭嘉闻公遣备，言于公曰："刘备不可纵。"公悔，追之不及。备之未东也，阴与董承等谋反，至下邳，遂杀徐州刺史车胄，举兵屯沛。遣刘岱、王忠击之，不克。庐江太守刘勋率众降，封为列侯。

五年春正月，董承等谋泄，皆伏诛。公将自东征备，诸将皆曰："与公争天下者，袁绍也。今绍方来而弃之东，绍乘人后，若何？"公曰："夫刘备，人杰也，今不击，必为后患。袁绍虽有大志，而见事迟，必不动也。"郭嘉亦劝公，遂东击备，破之，生禽其将夏侯博。备走奔绍，获其妻子。备将关羽屯下邳，复进攻之，羽降。昌豨叛为备，又攻破之。公还官渡，绍卒不出。

**【译文】**

十二月，曹操军驻官渡。

袁术自从在陈战败之后，稍感困窘。袁谭从青州派人迎袁术。袁术要从下邳北方通过，曹操派遣刘备、朱灵二人拦截袁术。正值此时，袁术病死。程昱、郭嘉听说曹操派遣刘备去拦截袁术，对曹操说："刘备不可放走！"曹操后悔，却已追赶不及。刘备在未能得机会东走以前，曾经与董承等合谋诛除曹操。刘备到了下邳，便杀了徐州刺史车胄，举兵屯于沛县。曹操派遣刘岱、王忠二人击刘备，不能胜。庐江太守刘勋率众来降，封为列侯。

建安五年，春正月，董承等杀曹操的密谋泄露，同谋人都被杀。曹操将要亲自东征刘备，诸将都说："与公争天下的人，是袁绍。现今袁绍正要南来，而公弃袁绍不顾，却东征刘备。如果袁绍乘我之虚，从背后攻来，将如何应付？"曹操说："刘备，是人中豪杰，此时不击破，来日必为后患。袁绍虽有大志，而见事迟顿，必不会动兵。"郭嘉也劝曹操先攻刘备，于是乃出兵向东，击刘备。曹操大破刘备军，生擒刘备部将夏侯博。刘备逃走投奔袁绍，曹操获刘备妻子。刘备部将关羽屯兵下邳，曹操进兵攻下邳。关羽兵败，降。昌豨为附合刘备叛曹操，曹操攻破昌豨。曹操回官渡，袁绍到底没有出兵，果如曹操所料。

二月，绍遣郭图、淳于琼、颜良攻东郡太守刘延于白马，绍引兵至黎阳，将渡河。夏四月，公北救延。荀攸说公曰："今兵少不敌，分其势乃可。公到延津，若将渡兵向其后者，绍必西应之，然后轻兵袭白马，掩其不备，颜良可禽也。"公从之。绍闻兵渡，即分兵西应之。公乃引军兼行趣白马，未至十余里，良大惊，来逆战。使张辽、关羽前登，击破，斩良。遂解白马围，徙其民，循河而西。绍于是渡河追公军，至延津南。公勒兵驻营南阪下，使登垒望之。曰；"可五六百骑。"有顷，复白："骑稍多，步兵不可胜数。"公曰："勿复白。"乃令骑解鞍放马。是时，白马辎重就道。诸将以为敌骑多，不如还保营。荀攸曰："此所以饵敌，如何去之！"绍骑将文丑与刘备将五六千骑前后至。诸将复白："可上马。"公曰："未也。"有顷，骑至稍多，或分趣辎重。公曰："可矣。"乃皆上马。时骑不满六百，遂纵兵击，大破之，斩丑。良、丑皆绍名将也，再战，悉禽，绍军大震。公还军官渡。绍进保阳武。关羽亡归刘备。

八月，绍连营稍前，依沙埴为屯，东西数十里。公亦分营与相当，合战不利。时公兵不满万，伤者十二三。绍复进临官渡，起土山地道。公亦于内作之，以相应。绍射营中，矢如雨下，行者皆蒙楯，众大惧。时公粮少，与荀彧书，议欲还许。彧以为"绍悉众聚官渡，欲与公决胜败。公以至弱当至强，若不能制，必为所乘，是天下之大机也。且绍，布衣之雄耳，能聚人而不能用。夫以公之神武明哲而辅以大顺，何向而不济！"公从之。

【译文】

二月，袁绍遣郭图、淳于琼、颜良，攻东郡太守刘延于白马。袁绍自引兵到黎阳，将渡黄河。夏四月，曹操亲自领兵北救刘延。荀攸劝曹操说："现今我方兵少，不能敌袁绍，若能分散敌方势力，方可以一战。公可以到延津，装成将要渡河，以兵攻其背后之势。袁绍见状，必定以兵向西，以应这种形势。然后我军可以用轻兵突袭白马，乘其不备，则颜良可以擒得。"曹操听从了荀攸之计，照计划行事。袁绍听说曹兵将渡河，当即分兵向西应战。曹操乃引兵快速趋近白马。当到达距白马十余里之处时，颜良闻报大惊，急领兵来迎战。曹操使张辽、关羽为先锋，击破颜良军，关羽斩了颜良。乃解白马之围，曹操迁徙其地之民，沿黄河而向西进。袁绍于是渡黄河追曹军，到延津之南。曹操勒止兵马，扎营于南阪之下，使人登垒上远望袁军。报说："大约五六百骑来。"又过一时，又报："骑兵稍多，步兵多到数不出数目。"曹操说："不要再报了！"便下令，骑兵都解下马鞍，放马。这时，白马辎重粮草，装载在道上搬运。曹操部下诸将以为敌方骑兵多，我方不如还保营垒，弃掉辎重。荀攸说："这些辎重，正是所以引诱敌人的钓饵，怎能弃掉？"袁绍的骑将文丑，与刘备领五六千骑兵前后杀来。曹操诸将向曹操报信，并要求说："可以上马迎战了。"曹操说："还不可以。"过了些时，敌骑来到的渐渐加多，其中有些敌兵分别趋向辎重粮草。曹操下令说："可以上马了！"众将于是都上马迎战，当时敌骑不满六百，曹操乃纵兵击敌，大破敌兵，斩了文丑。颜良和文丑都是袁绍的名将，于是曹军再向前攻击，把来将都生擒，袁绍军大为震怒。曹操还兵到官渡。袁绍军进保守阳武。关羽不辞而走，归刘备。

八月，袁绍连营稍向前进，依沙堆为屯兵之处，东西连营数十里。曹操也分地做营垒，与袁军相对当。两军对战，曹军不利。那时曹兵不满万人，而受伤者有十分之二三。袁绍又进兵临官渡，堆起土山，掘地道。曹操也在官渡内做土山地道，以抵袁兵所攻处。袁绍令兵射箭于曹操营中，箭飞射如雨而下。曹营中人行走都需用盾遮身，曹兵大为恐惧。此时曹营中粮食也缺少，曹操写信给荀彧，商量是否应退回许昌。荀彧回信以为："袁绍发全部大兵，集聚在官渡，要与公决一胜负。公以极弱之兵，抵挡极强之兵，如果不能制服袁绍，就必被袁绍所制。目前情形，是天下大事转变之重大机运，为成败之重要关键。且袁绍，不过平常人中的英雄而已，能聚人才而不能用。以公之神武明哲，而有诸事都能大顺遂的鸿运辅助，何事不成？”曹操听信荀彧的说法，不退兵。

孙策闻公与绍相持，乃谋袭许，未发，为刺客所杀。

汝南降贼刘辟等叛应绍，略许下。绍使刘备助辟，公使曹仁击破之。备走，遂破辟屯。

袁绍运谷车数千乘至，公用荀攸计，遣徐晃、史涣邀击，大破之，尽烧其车。公与绍相拒连月，虽比战斩将，然众少粮尽，士卒疲乏。公谓运者曰：“却十五日为汝破绍，不复劳汝矣。”冬十月，绍遣车运谷，使淳于琼等五人将兵万余人送之，宿绍营北四十里。绍谋臣许攸贪财，绍不能足，来奔，因说公击琼等。左右疑之，荀攸、贾诩劝公。公乃留曹洪守，自将步骑五千人夜往，会明至。琼等望见公兵少，出阵门外。公急击之，琼退保营，遂攻之。绍遣骑救琼。左右或言：“贼骑稍近，请分兵拒之。”公怒曰：“贼在背后，乃白！”士卒皆殊死战，大破琼等，皆斩之。绍初闻公之击琼，谓长子谭曰：“就彼攻琼等，吾攻拔其营，彼固无所归矣！”乃使张郃、高览攻曹洪。郃等闻琼破，遂来降。绍众大溃，绍及谭弃军走，渡河。追之不及，尽收其辎重图书珍宝，虏其众。公收绍书中，得许下及军中人书，皆焚之。冀州诸郡多举城邑降者。

**【译文】**

孙策听说曹操与袁绍相持不下，乃谋划袭击许昌。还未能发动，就被刺客所杀。

汝南投降的贼首刘辟等，叛附袁绍，攻略许昌。袁绍使刘备领兵协助刘辟。曹操使曹仁领兵击刘辟。刘辟兵败，刘备遁走，刘辟所屯兵力乃破。

袁绍运粮食车数千辆，往官渡袁营。曹操用荀攸之计，遣徐晃、史涣在路上拦击车队。大破之，将粮车全部烧毁。曹操与袁绍相拒连两月，虽屡战而斩袁之部将，但曹军人少而粮缺，士卒疲乏。曹操对运粮者说：“再十五天，我击破袁绍给你看，不再劳动你们运粮了。”冬十月，袁绍派遣车辆运粮食，派淳于琼等五人领兵一万余人，保送粮车。止宿在距袁绍营北四十里之处。袁绍的谋臣许攸，极负财，袁绍不能使许攸满足。许攸乃投奔曹操，因劝曹操出兵攻击淳于琼等。曹操的左右怀疑许攸，而荀攸和贾诩劝曹操出击。曹操乃留下曹洪守营，自己领骑兵步兵共五千人，乘夜前往攻击淳于琼，当天明时到达淳于营。淳于琼等见曹操兵少，便出兵布阵于营门外面。曹操急速进击，淳于琼退保营地，曹兵进而猛攻。袁绍闻报，派骑兵往救淳于琼。曹操左右或有人说："敌兵渐近，请分兵对抗。"曹操发怒说："贼到我背后再报告我！"于是士卒们都拼命作战，大破淳于琼等，杀淳于琼和他的部将。袁绍在初闻报曹操攻击淳于琼时，对长子袁谭说："现在趁曹操攻淳于琼时，我可以攻取他的大营，他便没有可归之处了。"乃派张郃、高览领兵攻曹洪。张郃等行至中途，听说淳于琼已经被攻破，便归降于曹操。袁绍军因之大溃，袁绍和袁谭弃大军遁走，渡黄河而逃。曹操追袁绍不及，获袁军全部辎重粮草图书珍宝，俘虏了全部袁军。曹操在获得袁绍遗下的书信中，发现有许昌和自己军中之人暗中和袁绍通信的函件，曹操都烧掉。冀州诸郡，多以城邑投降。

初，桓帝时有黄星见于楚、宋之分，辽东殷馗，善天文，言后五十岁当有真人起于梁、沛之间，其锋不可当。至是凡五十年，而公破绍，天下莫敌矣。

六年夏四月，扬兵河上，击绍仓亭军，破之。绍归，复收散卒，攻定诸叛郡县。九月，公还许。绍之未破也，使刘备略汝南，汝南贼共都等应之。遣蔡扬击都，不利，为都所破。公南征备。备闻公自行，走奔刘表，都等皆散。

七年春正月，公军谯，令曰："吾起义兵，为天下除暴乱。旧土人民，死丧略尽，国中终日行，不见所识，使吾凄怆伤怀。其举义兵以来，将士绝无后者，求其亲戚以后之，授土田，官给耕牛，置学师以教之。为存者立庙，使祀其先人，魂而有灵，吾百年之后何恨哉！"遂至浚仪，治睢阳渠，遣使以太牢祀桥玄。进军官渡。

**【译文】**

在先，桓帝时有黄星发现在楚、宋之分的方位。辽东人殷馗善识天文，言后五十年当有真人兴起于梁、沛之间，其锋芒锐不可当。由那时算起，至此时凡五十年，而曹操破袁绍，天下无敌了。

建安六年，夏四月，曹操举兵于河上，击袁绍的仓亭军，破仓亭军。袁绍回来，又收集星散士卒，攻各叛离的郡县，便各地又都安定下来。九月，曹操回到许昌。当袁绍未被曹操攻破以前，袁绍曾派刘备攻略汝南，汝南贼共都等，响应刘备。曹操派蔡扬领兵击共都，不利，被共都击破。曹操亲自南征刘备。刘备听到曹操亲自领兵，乃走奔刘表，共都等都散去。

建安七年，春正月，曹操军屯于故乡谯县。曹操下令说："我起义兵，为天下消除暴乱。我故乡的人民，几乎全已死丧。我在此地终日行走于街市，看不见从前相识之人，使我凄怆伤怀。自从举义兵以来，将士战死，没有后嗣相继的，可以求其亲戚的后人作为后嗣。当给予田地，给予耕牛，设置学校师傅以教育子弟。要为生存的人立祖庙，使得祭祀其先人。亡人之魂有灵，我百年之后，还有何遗恨？"于是乃到浚仪，治睢阳渠，派使者以太牢祭祀桥玄。进军至官渡。

绍自军破后，发病呕血，夏五月死。小子尚，代谭，自号车骑将军，屯黎阳。秋九月，公征之，连战。谭、尚数败退，固守。

八年春三月，攻其郭，乃出战，击，大破之，谭、尚夜遁。夏四月，进军邺。五月还许，留贾信屯黎阳。

己酉，令曰："《司马法》：'将军死绥'，故赵括之母，乞不坐括。是古之将者，军破于外，而家受罪于内也。自命将征行，但赏功而不罚罪，非国典也。其令诸将出征，败军者抵罪，失利者免官爵。"

秋七月，令曰："丧乱已来，十有五年，后生者不见仁义礼让之风，吾甚伤之。其令郡国各修文学，县满五百户置校官，选其乡之俊造而教学之，庶几先王之道不废，而有以益于天下。"

**【译文】**

袁绍自兵败以后，发病呕血。夏五月，袁绍死。袁绍的小儿子袁尚代父爵职，长子袁谭自号为车骑将军，屯兵黎阳（今河南省浚县东北）。秋九月，曹操亲征袁谭。连战多日，袁谭袁尚屡败，退兵固守。

建安八年，春三月，曹操攻袁氏城郭，袁兵于是出战。曹兵进击，大破袁兵，袁谭袁尚乘夜遁走。夏四月，曹操进兵到邺。五月，回许昌，留贾信屯兵黎阳。

三月己酉（二十四日）曹操下令曰："《司马法》说'将军死于退却'，所以赵括的母亲，求赵王不要因赵括而连坐其罪。可知古时的为将者，如兵败于战场，其家人并应坐罪于国内。我自从出令率兵，各处征讨，仅赏有功，而不罚有罪，这并不是国家的法典。现命令诸将，凡出征时，兵败者抵罪，失利者免其官爵。"

秋七月，曹操下令说："自从国家动乱已来，已经十五年，后生的年轻人，不见仁义礼让的善良风俗。我很为之伤心。现令各郡国，各修文馆，每县凡满五百户，设置校官，选择其乡中的俊秀，加以教学。庶几能使先王之道不废，而有益于天下。"

八月，公征刘表，军西平。公之去邺而南也，谭、尚争冀州，谭为尚所败，走保平原。尚攻之急，谭遣辛毗乞降请救。诸将皆疑，荀攸劝公许之，公乃引军还。冬十月，到黎阳，为子整与谭结婚。尚闻公北，乃释平原还邺。东平吕旷、吕翔叛尚，屯阳平，率其众降，封为列侯。

九年春正月，济河，遏淇水入白沟以通粮道。二月，尚复攻谭，留苏由、审配守邺。公进军到洹水，由降。既至，攻邺，为土山、地道。武安长尹楷屯毛城，通上党粮道。夏四月，留曹洪攻邺，公自将击楷，破之而还。尚将沮鹄守邯郸，又击拔之。易阳令韩范、涉长梁岐举县降，赐爵关内侯。五月，毁土山、地道，作围堑，决漳水灌城，城中饿死者过半。秋七月，尚还救邺，诸将皆以为"此归师，人自为战，不如避之"。公曰："尚从大道来，当避之；若循西山来者，此成禽耳。"尚果循西山来，临滏水为营。夜遣兵犯围，公逆击破走之，遂围其营。未合，尚惧，故豫州刺史阴夔及陈琳乞降，公不许，为围益急。尚夜遁，保祁山，追击之。其将马延、张顗等临阵降，众大溃，尚走中山。尽获其辎重，得尚印绶节钺，使尚降人示其家，城中崩沮。八月，审配兄子荣夜开所守城东门内兵。配逆战，败，生禽配，斩之，邺定。公临祀绍墓，哭之流涕。慰劳绍妻，还其家人宝物，赐杂缯絮，廪食之。

## 【译文】

八月，曹操亲自领兵征讨刘表，兵扎西平。当曹操离邺而南归许昌之后，袁谭袁尚二人争取冀州，袁谭被袁尚所击败，退走保守平原。袁尚进攻平原甚急，袁谭派辛毗向曹操乞降，请曹操出兵相救。诸将都怀疑，荀攸劝曹操答应袁谭的请求。曹操乃引兵回。冬十月，曹操到黎阳，为儿子曹整聘袁谭之女结婚。袁尚知曹操北来，乃解平原之兵，回邺。东平吕旷、吕翔叛袁尚，屯兵阳平，率其兵众降曹操。封为列侯。

建安九年，春正月，曹操率军过黄河，遏阻淇水入白沟，以求能通运粮之路。二月，袁尚又攻袁谭，袁尚留苏由、审配等守邺。曹操进兵到洹水，苏由投降曹军。曹军既到邺，进击，做土山，掘地道。袁尚部属武安长尹楷，屯兵毛城，以通上党运粮道路。夏四月，曹操留曹洪攻邺，自己领兵攻尹楷，破尹楷而回。袁尚部将沮鹄，守邯郸，曹操又亲领兵攻破，取邯郸。易阳令韩范、涉县长梁岐，以县降。赐爵关内侯。五月，攻邺兵毁去土山，毁去地道。在城外做围城水沟，决漳水灌城，城中饿死者过半。秋七月，袁尚回兵救邺，诸将都以为："这是一种归家之兵，人人能独自作战，不如避其锋头。"曹操说："袁尚如果从大道来，应当避他，如果循西山山路来，这一回就被擒了！"袁尚果然循西山山路而来，临滏水扎营。夜间，派兵攻曹军的围兵。曹军迎击，破走袁军，乃包围袁军大营。还没有合围之际，袁尚恐惧，派前豫州刺史阴夔和陈琳，向曹操乞降。曹操不准，包围袁营更急。袁尚在夜间逃遁，退守祁山，曹操追击。袁尚部将马延、张颉等，临阵投降，袁军士众大溃，袁尚走中山。曹操获其军全部辎重，得袁尚的印绶和节钺，使袁尚的部下投降之人，将袁尚印绶等物，给其家人看，城中人心崩溃沮丧。八月，审配的兄子审荣，在夜间开了他所守的城东门，迎纳曹兵入城。审配迎战，战败。曹操生擒审配，斩审配，邺事平定。曹操亲临祭祀袁绍墓，为之流涕。慰劳袁绍妻，归还袁绍家人宝物，赐杂缯絮，由官府仓库借给他们粮食。

初，绍与公共起兵，绍问公曰："若事不辑，则方面何所可据？"公曰："足下意以为何如？"绍曰："吾南据河，北阻燕、代，兼戎狄之众，南向以争天下，庶可以济乎？”公曰：“吾任天下之智力，以道御之，无所不可。”

九月，令曰：“河北罹袁氏之难，其令无出今年租赋！”重豪强兼并之法，百姓喜悦。天子以公领冀州牧，公让还兖州。

【译文】

起初，袁绍和曹操一起起兵时，袁绍问曹操说：“如果举事不成，则据地方以作远大之图，何地为可据？”曹操说：“足下的意思，以为如何？”袁绍说：“我南据黄河，北恃燕、代，兼有戎狄的人众。南向以争取天下，差不多可以济事。”曹操说：“我依恃天下之智力，用大道治事，无地不可。”

九月，曹操颁布法令：“黄河以北遭袁氏父子荼毒的百姓，今年可以免缴租赋。”曹操还加重了对地方豪强兼并土地的处罚法令，百姓喜悦。献帝下令曹操兼任冀州牧，曹操便辞去了兖州牧的职务。

公之围邺也，谭略取甘陵、安平、渤海、河间。尚败，还中山。谭攻之，尚奔故安，遂并其众。公遗谭书，责以负约，与之绝婚，女还，然后进军。谭惧，拔平原，走保南皮。十二月，公入平原，略定诸县。

十年春正月，攻谭，破之，斩谭，诛其妻子，冀州平。下令曰：“其与袁氏同恶者，与之更始。”令民不得复私仇，禁厚葬，皆一之于法。是月，袁熙大将焦触、张南等叛攻熙、尚，熙、尚奔三郡乌丸。触等举其县降，封为列侯。初讨谭时，民亡椎冰，令不得降。顷之，亡民有诣门首者，公谓曰：“听汝则违令，杀汝则诛首，归深自藏，无为吏所获。”民垂泣而去，后竟捕得。

【译文】

当曹操围邺之时，袁谭攻取甘陵、安平、渤海、河间各地。袁尚兵败，回到中山，袁谭攻中山，袁尚奔至故安，袁谭乃合并袁尚的士众。曹操与袁谭书信，责袁谭负约背信，与袁氏断绝婚姻之好。遣袁女回，归还袁家，然后曹操进兵。袁谭恐惧，曹军攻拔平原，袁谭退走，守南皮。

十二月，曹操入平原，平定各县。

建安十年，春正月，曹操攻袁谭破之。斩袁谭，杀其妻子，冀州平定。曹操下令："与袁氏同恶之人，给他们一个改过自新的机会。"又下令民众不得报复私仇，禁止厚葬，都以法律施行。同月，袁熙的大将焦触、张南等叛变，攻击袁熙、袁尚。袁熙、袁尚奔三郡乌丸。焦触等以其县降曹骑，封为列侯。在先，曹操征讨袁谭时，使民凿开川流冰冻以通船只，民不肯椎冰而逃亡。曹操以民为叛逆，下令逃亡者，都不许投降。过些时，逃亡之民有来至曹操门首诉苦者。曹操对他们说："听你的陈述，便是违令；杀你就要砍头。你快回去，不可被官吏捕到。"逃亡之民垂泪而去，最后竟仍被捕。

夏四月，黑山贼张燕率其众十余万降，封为列侯。故安赵犊、霍奴等杀幽州刺史、涿郡太守。三郡乌丸攻鲜于辅于犷平。秋八月，公征之，斩犊等，乃渡潞河救犷平，乌丸奔走出塞。

九月，令曰："阿党比周，先圣所疾也。闻冀州俗，父子异部，更相毁誉。昔直不疑无兄，世人谓之盗嫂；第五伯鱼三娶孤女，谓之挝妇翁；王凤擅权，谷永比之申伯；王商忠议，张匡谓之左道：此皆以白为黑，欺天罔君者也。吾欲整齐风俗，四者不除，吾以为羞。"冬十月，公还邺。

初，袁绍以甥高干领并州牧，公之拔邺，干降，遂以为刺史。干闻公讨乌丸，乃以州叛，执上党太守，举兵守壶关口。遣乐进、李典击之，干还守壶关城。十一年春正月，公征干。干闻之，乃留其别将守城，走入匈奴，求救于单于，单于不受。公围壶关三月，拔之。干遂走荆州，上洛都尉王琰捕斩之。

**【译文】**

夏四月，黑山贼张燕率领贼众十余万人投降曹操，被封为列侯。故安人赵犊、霍奴等，刺杀幽州刺史和涿郡太守。三郡乌丸攻鲜于辅于犷平。秋八月，曹操领兵征讨，斩赵犊等，渡潞河，救犷平。乌丸奔走，逃往塞外。

九月，曹操下令说："暗中结党、相互亲密营私，是先圣所疾恶。闻冀州风俗，父子所居不同，竟互相毁誉，从前直不疑没有兄长，当世之人竟指他盗嫂；第五伯鱼三娶孤女，人们却说他殴打岳父；王凤擅权，谷永将他比为申伯；王商忠直建议，张匡指为左道。这都是以白为黑，欺天罔君的事类。我要整齐风俗，改正恶习，这四类风俗不除，我以为耻。”冬十月，曹操回到邺。

在初，袁绍以外甥高干领并州牧。曹操攻下邺，干投降，曹操乃以为刺史。干知曹操讨乌丸，乃以并州叛，逮捕上党太守，举兵守壶关口。曹操派乐进、李典领兵击干，干退守壶关城。建安十一年，春正月，曹操亲征干。干闻报，留下别将守城，逃入匈奴，求救于单于。单于不肯救。曹军围壶关三日，攻拔壶关。干乃逃往荆州，上洛都尉王琰捕得干，杀干。

秋八月，公东征海贼管承，至淳于，遣乐进、李典击破之，承走入海岛。割东海之襄贲、郯、戚以益琅邪，省昌虑郡。

三郡乌丸承天下乱，破幽州，略有汉民合十余万户。袁绍皆立其酋豪为单于，以家人子为己女，妻焉。辽西单于蹋顿尤强，为绍所厚，故尚兄弟归之，数入塞为害。公将征之，凿渠，自呼沲入泒水，名平虏渠。又从泃河口凿入潞河，名泉州渠，以通海。

十二年春二月，公自淳于还邺。丁酉，令曰：“吾起义兵诛暴乱，于今十九年，所征必克，岂吾功哉？乃贤士大夫之力也。天下虽未悉定，吾当要与贤士大夫共定之；而专飨其劳，吾何以安焉！其促定功行封。”于是大封功臣二十余人，皆为列侯，其余各以次受封，及复死事之孤，轻重各有差。

**【译文】**

秋八月，曹操东征海贼管承，到淳于。派乐进、李典击破管承，管承逃入海岛。割东海之襄贲、郯、戚三地，归于琅邪郡以增益其地，减去昌虑郡。

三郡乌丸乘天下大乱，攻破幽州，掳掠汉民十多万户。从前袁绍把他们的部落首领都立为单于，以本族姑娘作为自己的女儿，嫁给他们。辽西单于蹋顿势力特别强大，被袁绍优待，所以袁尚、袁熙兄弟投奔了他们。

他们多次侵入边塞骚扰破坏。曹操准备征伐他们，因此开凿河渠，从呼沲河入泒水，起名平虏渠，又从泃河口挖到潞河，起名泉州渠，与大海相通。

建安十二年（207）春二月，曹操从淳于回到邺城。二月初五日，下封《功臣令》说："我起兵平定暴乱，到现在已经有十九年，所打的仗没有不胜的，这难道是我的功劳吗？都是各位贤能人才的力量啊。天下虽然还未平定，我应当同大家一起去为之努力，而我一人独享胜利果实，哪能安心呢！现在要尽快定功行赏，安抚将士。"于是大封功臣二十余人为列侯。其余视功之大小依次受封。同时，还把自己封地的租赋收入分给部属将领、入伍早的士兵以及死难将士的遗孤。

将北征三郡乌丸，诸将皆曰："袁尚，亡虏耳，夷狄贪而无亲，岂能为尚用？今深入征之，刘备必说刘表以袭许。万一为变，事不可悔。"惟郭嘉策表必不能任备，劝公行。夏五月，至无终。秋七月，大水，傍海道不通，田畴请为乡导，公从之。引军出卢龙塞，塞外道绝不通，乃堑山堙谷五百余里，经白檀，历平冈，涉鲜卑庭，东指柳城。未至二百里，虏乃知之。尚、熙与蹋顿、辽西单于楼班、右北平单于能臣抵之等将数万骑逆军。八月，登白狼山，卒与虏遇，众甚盛。公车重在后，被甲者少，左右皆惧。公登高，望虏阵不整，乃纵兵击之，使张辽为先锋，虏众大崩，斩蹋顿及名王已下，胡、汉降者二十余万口。辽东单于速仆丸及辽西、北平诸豪，弃其种人，与尚、熙奔辽东，众尚有数千骑。初，辽东太守公孙康恃远不服。及公破乌丸，或说公遂征之，尚兄弟可禽也。公曰："吾方使康斩送尚、熙首，不烦兵矣。"九月，公引兵自柳城还，康即斩尚、熙及速仆丸等，传其首。诸将或问："公还而康斩送尚、熙，何也？"公曰："彼素畏尚等，吾急之则并力，缓之则自相图，其势然也。"十一月至易水，代郡乌丸行单于普富卢、上郡乌丸行单于那楼将其名王来贺。

十三年春正月，公还邺，作玄武池以肄舟师。汉罢三公官，置丞相、御史大夫。夏六月，以公为丞相。

**【译文】**

曹公将北征三郡乌丸，诸将都说："袁尚只是一个在逃的贼寇罢了，夷狄贪婪而不讲交情，哪能被袁尚利用呢？现在深入其境去征讨，刘备必然劝说刘表袭击许县。万一事态恶化，后悔就来不及了。”只有郭嘉料定刘表必不能任用刘备，劝曹公出征。夏五月，到达无终。秋七月，洪水泛滥，沿海道路不通，田畴请求当向导，曹公同意了。田畴带领军队出卢龙塞，塞外路断了，无法通行。于是平山填谷五百多里，经过白檀，穿过平冈，到达鲜卑庭，东进柳城。距柳城只有二百里了，敌人才发觉。袁尚、袁熙和蹋顿、辽西单于楼班、右北平单于能臣抵之等带领几万骑兵迎战。八月，部队登上白狼山，突然遇上了敌军，敌军声势强大。曹公的辎重还在后面，披甲兵士少，身边人都恐惧。曹公登上高处，望见敌阵不严整，于是挥兵进攻，派张辽为先锋，敌军大崩溃，斩了蹋顿及名王以下首领，胡、汉投降的有二十多万人。辽东单于速仆丸及辽西、北平各个乌丸首领，丢下本族人，和袁尚、袁熙逃奔辽东，只剩有骑兵几千人。当初，辽东太守公孙康凭仗地处偏远，不服从朝廷管束。等到曹公打败乌丸，有人劝曹公接着去征讨公孙康，袁尚兄弟就可以捉住了。曹公说：“我正要让公孙康斩送袁尚、袁熙首级来，不需要麻烦兵士了。”九月，曹公领兵从柳城回返，公孙康就斩了袁尚、袁熙及速仆丸等人，并送来了首级。诸将中有人问：“您回师而公孙康斩送袁尚、袁熙，这是什么原因？”曹公说：“他一向畏惧袁尚等人，我紧逼，他们就要合力对我，我放松他们，他们就要自相残杀了，这是必然之势啊。”十一月，到达易水，代郡乌丸行单于普富卢、上郡乌丸行单于那楼带着他们的名王来祝贺。

十三年春正月，曹公回到邺县，开凿玄武池以训练水军。汉朝撤销三公官职，设置丞相、御史大夫。夏六月，汉献帝任命曹操为丞相。

秋七月，公南征刘表。八月，表卒，其子琮代屯襄阳，刘备屯樊。九月，公到新野，琮遂降，备走夏口。公进军江陵，下令荆州吏民，与之更始。乃论荆州服从之功，侯者十五人，以刘表大将文聘为江夏太守，使统本兵，引用荆州名士韩嵩、邓义等。益州牧刘璋始受征役，遣兵给军。十二月，孙权为备攻合肥。公自江陵征备，至巴丘，遣张熹救合肥。权闻熹至，乃走。公至赤壁，与备战，不利。于是大疫，吏士多死者，乃引军还。备遂有荆州、江南诸郡。

十四年春三月，军至谯，作轻舟，治水军。秋七月，自涡入淮，出肥水，军合肥。辛未，令曰："自顷已来，军数征行，或遇疫气，吏士死亡不归，家室怨旷，百姓流离，而仁者岂乐之哉?不得已也。其令死者家无基业不能自存者，县官勿绝廪，长吏存恤抚循，以称吾意。"置扬州郡县长吏，开芍陂屯田。十二月，军还谯。

十五年春，下令曰："自古受命及中兴之君，曷尝不得贤人君子与之共治天下者乎！及其得贤也，曾不出闾巷，岂幸相遇哉?上之人不求之耳。今天下尚未定，此特求贤之急时也。'孟公绰为赵、魏老则优，不可以为滕、薛大夫。'若必廉士而后可用，则齐桓其何以霸世!今天下得无有被褐怀玉而钓于渭滨者乎?又得无盗嫂受金而未遇无知者乎?二三子其佐我明扬仄陋，唯才是举，吾得而用之。"冬，作铜雀台。

十六年春正月，天子命公世子丕为五官中郎将，置官属，为丞相副。太原商曜等以大陵叛，遣夏侯渊、徐晃围破之。张鲁据汉中，三月，遣钟繇讨之。公使渊等出河东与繇会。



**【译文】**

秋七月，曹公南征刘表。八月，刘表去世，他儿子刘琮接替他的职位，屯驻襄阳，刘备屯驻樊城。九月，曹公到新野，刘琮就投降了，刘备逃奔夏口。曹公进军江陵，下令荆州吏民，废除旧制度，实行新规定。接着，评论荆州归降者的功绩，封侯的有十五个人，以刘表大将文聘为江夏太守，叫他统领本部兵马。邀请任用了荆州名士韩嵩、邓义等人。益州牧刘璋开始接受摊派给他的征调租赋徭役义务，派遣兵卒补给朝廷军队。十二月，孙权为刘备进攻合肥。曹公从江陵出发征讨刘备，到巴丘，派遣张熹救合肥。孙权听说张熹到了，就逃走了。曹公到赤壁，和刘备作战，不利。这时又流行瘟疫，死了不少官兵，于是领兵回返。刘备于是占有荆州、江南诸郡。



十四年春三月，曹公领兵到谯，修造轻便船，整训水军。秋七月，从涡水入淮水，出淝水，驻扎合肥。辛未，下令说："最近以来，多次出征，有时还遇到瘟疫，官兵死亡，不能回家，妻子失去丈夫，百姓流离失所，仁慈的人难道高兴这样吗？是不得已啊！现在下令，战死者的家属没有产业不能自己生活的，官府不得断绝食粮供应，主管官吏要抚恤慰问，以称我的心意。”为扬州郡、县委派主管官吏，开辟芍陂地区屯田。十二月，领兵回谯。

十五年春，下令说：“自古接受天命开国及中兴的君主，何曾不是得到贤人君子和他共同治理天下呢！在他得到贤才的时候，简直不需要走出里巷，难道是侥幸碰到的吗？只是有时在上位的人不肯去求啊。现在天下还没有平定，这正是求贤最迫切的时候啊。‘孟公绰担任赵国、魏国的家臣是才力有余的，但不能任命为滕、薛一类小国的大夫。’如果限定只有廉洁的人才可任用，那齐桓公靠谁帮助成为霸主呢！现今天下难道没有身穿粗布陋衣，胸怀超凡见识，而在渭水边钓鱼的姜尚一类的人吗？又难道没有蒙受‘私通嫂嫂’恶名，确有接受贿赂事实，并且还没有得到魏无知力荐的陈平一类的人吗？希望你们帮助我连最卑微的人也不要漏略，广泛发现人才。只要有才干就荐举，我好选拔任用。”冬，建造铜雀台。

十六年春正月，天子任命曹公嫡长子曹丕为五官中郎将，设置官属，为丞相副手。太原人商曜等在大陵反叛，派夏侯渊、徐晃包围打败了他们。张鲁割据汉中。三月，派钟繇讨伐他。曹公派夏侯渊等从河东出发与钟繇会师。

是时关中诸将疑繇欲自袭马超，遂与韩遂、杨秋、李堪、成宜等叛。遣曹仁讨之。超等屯潼关，公敕诸将：“关西兵精悍，坚壁勿与战。”秋七月，公西征，与超等夹关而军。公急持之，而潜遣徐晃、朱灵等夜渡蒲阪津，据河西为营。公自潼关北渡，未济，超赴船急战。校尉丁斐因放牛马以饵贼，贼乱取牛马，公乃得渡，循河为甬道而南。贼退，拒渭口，公乃多设疑兵，潜以舟载兵入渭，为浮桥，夜，分兵结营于渭南。贼夜攻营，伏兵击破之。超等屯渭南，遣信求割河以西请和，公不许。

九月，进军渡渭。超等数挑战，又不许；固请割地，求送任子，公用贾诩计，伪许之。韩遂请与公相见，公与遂父同岁孝廉，又与遂同时侪辈，于是交马语移时，不及军事，但说京都旧故，拊手欢笑。既罢，超等问遂：“公何言？”遂曰：“无所言也。”超等疑之。他日，公又与遂书，多所点窜，如遂改定者。超等愈疑遂。公乃与克日会战，先以轻兵挑之，战良久，乃纵虎骑夹击，大破之，斩成宜、李堪等。遂、超等走凉州，杨秋奔安定，关中平。诸将或问公曰："初，贼守潼关，渭北道缺，不从河东击冯翊而反守潼关，引日而后北渡，何也?"公曰："贼守潼关，若吾入河东，贼必引守诸津，则西河未可渡，吾故盛兵向潼关，贼悉众南守，西河之备虚，故二将得擅取西河。然后引军北渡，贼不能与吾争西河者，以有二将之军也。连车树栅，为甬道而南，既为不可胜，且以示弱。渡渭为坚垒，虏至不出，所以骄之也，故贼不为营垒而求割地。吾顺言许之，所以从其意，使自安而不为备，因畜士卒之力，一旦击之，所谓疾雷不及掩耳，兵之变化，固非一道也。"始，贼每一部到，公辄有喜色。贼破之后，诸将问其故。公答曰："关中长远，若贼各依险阻，征之，不一二年不可定也。今皆来集，其众虽多，莫相归服，军无适主，一举可灭，为功差易，吾是以喜。"

冬十月，军自长安北征杨秋，围安定。秋降，复其爵位，使留抚其民人。十二月，自安定还，留夏侯渊屯长安。

【译文】

这时关中诸将怀疑钟繇将要袭击自己，于是马超和韩遂、杨秋、李堪、成宜等反叛。曹公派曹仁讨伐他们。马超等屯驻潼关，曹公告诫诸将："关西兵精悍，你们坚守营垒别和他们交战。"秋七月，曹公西征，和马超等隔着潼关驻扎。曹公紧紧牵制住敌军，而暗派徐晃、朱灵等夜渡蒲阪津，占据河西扎营。曹公从潼关北渡河，还没渡过去时，马超急攻渡船，校尉丁斐于是放出牛马引诱贼兵，贼乱取牛马，曹公才得渡过河去，顺着河向南，边筑甬道边推进。贼后退，挡住渭口。曹公就多设疑兵，暗地用船运兵进入渭水。架浮桥，夜里，在渭水南岸分兵扎营。贼夜里攻营，伏兵起来打败了他们。马超等屯扎渭水南岸，派使者请求割让黄河西岸土地以缔结和约，曹公不同意。

九月，进军渡渭水，马超等多次挑战，曹公又不应战。马超等又坚持请求割地，请求送来人质以缔结和约。曹公用贾诩计策，假装答应他们。韩遂请求与曹公相见。曹公和韩遂父亲同一年被举为孝廉，又和韩遂本人年龄不相上下，于是马头相接交谈多时，但不涉及军事，只谈京都老友往事，拍手欢笑。谈完以后，马超问韩遂："您和他说了什么？"韩遂说："没说什么。"马超等怀疑不信。另一天，曹公又给韩遂写信，多处涂改，弄得像是韩遂涂改的一样。马超等更加怀疑韩遂。曹公于是和他们定日子会战，先以轻装士兵挑战，交战很长时间，才派出勇猛骑兵夹攻，于是大败敌军，斩了成宜、李堪等人。韩遂、马超等逃奔凉州，杨秋逃奔安定，关中平定。诸将中有人问曹公："当初，贼守潼关，渭水北岸防卫空虚，您不从河东攻冯翊而反守潼关，拖延一段时间后才北去渡河，这是为什么呢？"曹公说："贼守潼关，如果我进入河东，贼必然分守各个渡口，那样一来，西河就不能渡了。我故意大兵向潼关，贼集中全力防守南部，西河守备空虚，所以两位将军能夺取西河！后来领兵北渡，贼无法和我争西河，那是因为西河已经有了我方两位将军的部队啊。连接兵车树立栅栏，筑甬道掩护着南进，既是要形成敌方不易取胜的态势，又要向敌方故意示弱。渡过渭水后构筑坚固壁垒，敌人来了不出战，为的是助长敌人的骄傲啊。所以贼不筑营垒而要求割地。我顺口答应了他，为的是顺从他的意思，使他们自己感到安全而不做战争准备。因而我得以蓄积士卒战斗力，突然出击，这就是所谓'迅雷不及掩耳'。兵势的变化，本没有一个固定的格式啊。"开始时，贼兵每有一部到达前线，曹公就有喜色，贼兵失败之后，诸将问他一再有喜色的原因，曹公回答："关中地域长道路远，若贼各在一处据险而守，征讨他们，没有一两年不能平定。现在都来集中，他们兵虽多，但谁也不服从谁，军队没有主帅，一仗就可以消灭，取得成功很容易，我因此高兴。"

冬十月，军队从长安北征杨秋，围安定。杨秋投降，就恢复了他的爵位，让他留任，安抚当地百姓。十二月，从安定回师，留夏侯渊驻扎长安。

十七年春正月，公还邺。天子命公赞拜不名，入朝不趋，剑履上殿，如萧何故事。马超余众梁兴等屯兰田，使夏侯渊击平之。割河内之荡阴、朝歌、林虑，东郡之卫国、顿丘、东武阳、发干，钜鹿之瘿陶、曲周、南和、广平之任城，赵之襄国、邯郸、易阳以益魏郡。冬十月，公征孙权。

十八年春正月，进军濡须口，攻破权江西营，获权都督公孙阳，乃引军还。诏书并十四州，复为九州。夏四月，至邺。

五月丙申，天子使御史大夫郗虑持节策命公为魏公曰：

朕以不德，少遭愍凶，越在西土，迁于唐、卫。当此之时，若缀旒然，宗庙乏祀，社稷无位，群凶觊觎，分裂诸夏，率土之民，朕无获焉，即我高祖之命将坠于地。朕用夙兴假寐，震悼于厥心，曰："惟祖惟父，股肱先正，其孰能恤朕躬？"乃诱天衷，诞育丞相，保祐我皇家，弘济于艰难，朕实赖之。今将授君典礼，其敬听朕命。

【译文】

十七年春正月，曹公回到邺县。天子特许曹公朝拜时，司仪宣呼行礼仪式，不需直呼其名；入朝时，不需小步快走；上殿时，可以穿鞋佩剑，就像当年的萧何一样。马超残余部队梁兴等屯驻在兰田，曹公派夏侯渊打败了这支军队，平定了地方。割河内郡的荡阴、朝歌、林虑，东郡的卫国、顿丘、东武阳、发干，钜鹿郡的瘿陶、曲周、南和，广平郡的任城，赵国的襄国、邯郸、易阳等县来扩大魏郡。冬十月，曹公征孙权。

十八年春正月，曹公进军濡须口，攻破孙权的江西营地，捉获孙权都督公孙阳，才带兵回返。天子下诏，把天下由十四州恢复为九州。夏四月，曹公到邺县。

五月丙申，天子派御史大夫郗虑持节册命曹公为魏公，册文说：

朕由于不修德行，年少时遭遇忧患，先是远迁在西土，后又东迁到唐、卫。在这时候，像缀旒一样任凭别人执持。宗庙缺乏祭祀，社稷没有确定的位置。许多坏人觊觎皇位，分裂天下。境内百姓，朕不能领有，即使我高祖创建的皇权，也都几乎要坠落在地了。朕因此日夜忧虑，潜心默念："历代祖先啊，先代辅佐大臣们啊，你们谁能怜悯我啊？"这才感动了天心，诞生了丞相，保佑我皇家平安，在艰难中给我皇家巨大帮助，朕于是有了依靠。现在将授予您典法礼仪，希望您恭敬地听我的命令。

昔者董卓初兴国难，群后释位以谋王室，君则摄进，首启戎行，此君之忠于本朝也。后及黄巾反易天常，侵我三州，延及平民，君又翦之以宁东夏，此又君之功也。韩暹、杨奉专用威命，君则致讨，克黜其难，遂迁许都，造我京畿，设官兆祀，不失旧物，天地鬼神于是获祐，此又君之功也。袁术僭逆，肆于淮南，慑惮君灵，用丕显谋，蕲阳之役，桥蕤授首，，稜威南迈，术以陨溃，此又君之功也。回戈东征，吕布就戮，乘辕将返，张杨殂毙，眭固伏罪，张绣稽服，此又君之功也。袁绍逆乱天常，谋危社稷，凭恃其众，称兵内侮，当此之时，王师寡弱，天下寒心，莫有固志，君执大节，精贯白日，奋其武怒，运其神策，致届官渡，大歼丑类，俾我国家拯于危坠，此又君之功也。济师洪河，拓定四州，袁谭、高干，咸枭其首，海盗奔进，黑山顺轨，此又君之功也。乌丸三种，崇乱二世，袁尚因之，逼据塞北，束马县车，一征而灭，此又君之功也。刘表背诞，不供贡职，王师首路，威风先逝，百城八郡，交臂曲膝，此又君之功也。马超、成宜，同恶相济，滨据河、潼，求逞所欲，殄之渭南，献馘万计，遂定边境，抚和戎狄，此又君之功也。鲜卑、丁零，重译而至，单于、白屋，请吏率职，此又君之功也。君有定天下之功，重之以明德，班叙海内，宣美风俗，旁施勤教，恤慎刑狱，吏无苛政，民无怀慝；敦崇帝族，表继绝世，旧德前功，罔不咸秩；虽伊尹格于皇天，周公光于四海，方之蔑如也。

朕闻先王并建明德，胙之以土，分之以民，崇其宠章，备其礼物，所以藩卫王室，左右厥世也。其在周成，管、蔡不静，惩难念功，乃使邵康公赐齐太公履，东至于海，西至于河，南至于穆陵，北至于无棣，五侯九伯，实得征之，世祚太师，以表东海。爰及襄王，亦有楚人不供王职，又命晋文登为侯伯，锡以二辂、虎贲、铁钺、秬鬯、弓矢，大启南阳，世作盟主。故周室之不坏，繄二国是赖。今君称丕显德，明保朕躬，奉答天命，导扬弘烈，绥爰九域，莫不率俾，功高于伊、周，而赏卑于齐、晋，朕甚恧焉。朕以眇眇之身，托于兆民之上，永思厥艰，若涉渊冰，非君攸济，朕无任焉。今以冀州之河东、河内、魏郡、赵国、中山、常山、钜鹿、安平、甘陵、平原凡十郡，封君为魏公。锡君玄土，苴以白茅，爰契尔龟，用建冢社。昔在周室，毕公、毛公入为卿佐，周、邵师保出为二伯，外内之任，君实宜之。其以丞相领冀州牧如故。又加君九锡其敬听朕命。以君经纬礼律，为民轨仪，使安职业，无或迁志，是用锡君大辂，戎辂各一，玄牡二驷。君劝分务本，穑人昏作，粟帛滞积，大业惟兴，是用锡君衮冕之服，赤舄副焉。君敦尚谦让，俾民兴行，少长有礼，上下咸和，是用锡君轩县之乐，六佾之舞。君冀宣风化，爰发四方，远人革面，华夏充实，是用锡君朱户以居。君研其明哲，思帝所难，官才任贤，群善必举，是用锡君纳陛以登。君秉国之钧，正色处中，纤毫之恶，靡不抑退，是用锡君虎贲之士三百人。君纠虔天刑，章厥有罪，犯关干纪，莫不诛殛，是用锡君𫓧钺各一。君龙骧虎视，旁眺八维，掩讨逆节，折冲四海，是用锡君彤弓一，彤矢百，玈弓十，玈矢千。君以温恭为基，孝友为德，明允笃诚，感于朕思。是用锡君秬鬯一卣，珪瓒副焉。魏国置丞相已下群卿百僚，皆如汉初诸侯王之制。往钦哉，敬服朕命，简恤尔重，时亮庶功，用终尔显德，对扬我高祖之休命。

【译文】

以前董卓首先作乱，把国家推进灾难，各位州牧郡守放下本管区域的政务来拯救王室，您引导他们前进，首先进攻敌军，这是您忠于本朝的表现啊。后来黄巾贼违犯天道，侵扰我三州，祸乱连累到百姓，您又打败了他们，安定了东夏，这又是您的功劳啊。韩进、杨奉专擅朝政您就讨伐他们，消除他们制造的灾难。把朝廷迁到许都，建造京城重地，设置官府，开始祭祀，不遗弃应有的典礼制度，天地鬼神于是获得安宁。这又是您的功劳。袁术僭称帝号，在淮南胡作非为，但畏惧您的神威，您运用伟大英明谋略，蕲阳战役，桥蕤被杀，威势南指，袁术毙命，党羽溃散。这又是您的功劳。回师东征，吕布正法，战车将返，张杨丧命，眭固伏罪，张绣来降，这又是您的功劳。袁绍叛逆扰乱天道，阴谋颠覆社稷，凭恃他兵多，发动军队进犯朝廷，当这时候，国家兵力薄弱，上下恐惧，谁也没有坚定的信心，您坚守保卫朝廷的大原则，精诚感动上天，发挥您的武威，运用您的神妙策略，亲临官渡，大歼叛贼。把国家从危亡中拯救出来，这又是您的功劳。挥师渡大河，开拓疆域，平定四州，袁谭、高干，都被杀头，海盗奔逃，黑山归顺，这又是您的功劳啊。三支乌丸，作乱两世，袁尚投奔他们，占据塞北，威胁中原，您包裹马脚，挂牢车子，以防跌滑，穿隘过险，一战就消灭了他们，这又是您的功劳啊。刘表违抗朝廷，放纵胡为，不履行对朝廷的义务，王师出发，威风先到，百城八郡，屈膝投降，这又是您的功劳啊。马超、成宜，狼狈为奸，占据黄河、潼关，企图作恶逞凶，您在渭南把他们打垮，献上万颗首级，接着平定边境，安抚戎、狄并与他们和好，这又是您的功劳啊。鲜卑、丁零通过几层翻译也来朝见，单于、白屋也愿意臣服，愿意纳贡，这又是您的功劳啊。您有平定天下的大功，又有完美的德行，您理顺全国上下的社会政治秩序，倡导美好风俗，普遍而辛勤地施行教诲，顾惜民命，审慎处理刑狱，官吏不施残暴，百姓不怀恶意，诚恳地尊崇帝族，显扬、接续中断的封爵，以前有功有德的人，没有谁没有得到应有的安排。虽然伊尹功勋上感皇天，周公业绩光照四海，也全都赶不上您。

朕听说先王都分封德高功大的人为诸侯，赐给他们土地，分给他们人口，增添他们的荣誉，完备他们用以显示特权的礼器，为的是让他们能保卫王室，辅佐朝廷。在周成王时，管叔、蔡叔作乱，叛乱平定以后，吸取叛乱教训，想念有功之臣，于是派邵康公向齐太公授权：在东到海、西到河、南到穆陵、北到无棣的范围之内，大小诸侯有过错，齐太公都有权征讨。把这权利世世赐予太师，使齐成为显赫于东方的大国。到襄王时，也有楚人不对周王尽义务的事发生，又命令晋文公担任侯伯，赐予他二辂、虎贲、鈇钺、秬鬯、弓矢，开辟南阳大片土地，世世代代做诸侯盟主。所以周室没有灭亡，就是因为有二国可以依赖。现在您发挥大德，保卫朕的安全，顺应天命，发展大业，平定全国，没有谁不服从，功劳比伊尹、周公还高，而奖赏比齐、晋还要低，朕很惭愧。我是一个渺小的人，高居万民之上，常想到做皇帝的艰难，就像走近了深渊，就像在薄薄的冰面上行走，不是您帮我走过去，我没有人可以依靠。现在以冀州的河东、河内、魏郡、赵国、中山、常山、钜鹿、安平、甘宁陵、平原共十郡，封您为魏公。赐予您黑红色的土，用白茅包上，您可以去占卜吉日，建您魏国的社稷。过去在周朝时，毕公、毛公身有封国但又入朝任辅佐周王的卿，周公、召公以朝廷太师太保身份出朝兼为诸侯之伯，这种朝内朝外的重任，您都能同时担当起来。我命令您以丞相身份兼任冀州牧像原来一样。再加赐您九锡，希望您听从我的命令。考虑到您筹建制度，为人民提供行动规范，使民安居乐业，没有二心，因此赐予您大辂、戎辂各一辆，黑红色的马八匹。您鼓励农业，农民耕作努力，粮食丝帛都有积存，国家事业因而兴盛，因此赐予您衮服冕服，再配上一双赤舄。您提倡谦让，并使人民实际去做，因而年龄大年龄小的都讲礼貌，社会上下一片和谐，因此赐予您轩悬之车，六佾之舞。您辅佐朝廷发扬汉朝风俗教化，直达四方，使远方民族改变精神面貌，中原精神生活更加充实，因此赐予您用朱红颜色漆门的特权。您深明道理，思念皇帝的困难，把有才能的人任用为官，把善良的人都提拔起来，因此赐予您在殿前纳陛的特权。您执掌国家大政，保持严肃公正不偏不倚的态度，即使一点点小的坏人坏事，都不会不加压制、放逐，因此赐予您虎贲战士三百人。您严格按国家法律办事，揭露犯罪行为，触犯国法的，没有谁能逃脱惩处，因此赐予您铁和钺各一件。您高瞻远瞩，明察八方，周密地讨伐逆贼，平息全国的叛乱，因此赐予您彤弓一张，彤矢百支，玈弓十张，玈矢千支。您以温和恭敬为根本，孝顺友爱为美德，明智公平忠厚诚实，深深感动了我，因此赐予您秬鬯一卣，配上圭瓒。魏国设置丞相以下各种官职，都和汉初诸侯王的制度一样。慎重啊，您要大范围地普遍地关怀您的臣民，辅助他们做好各种事务，用这些行动来完成您的伟大功德，报答、颂扬我高祖传留下来的美好天命。

秋七月，始建魏社稷宗庙。天子聘公三女为贵人，少者待年于国。九月，作金虎台。凿渠引漳水入白沟以通河。冬十月，分魏郡为东西部，置都尉。十一月，初置尚书、侍中、六卿。

马超在汉阳，复因羌、胡为害，氐王千万叛应超，屯兴国。使夏侯渊讨之。

十九年春正月，始耕籍田。南安赵衢、汉阳尹奉等讨超，枭其妻子，超奔汉中。韩遂徙金城，入氐王千万部，率羌、胡万余骑与夏侯渊战，击，大破之，遂走西平。渊与诸将攻兴国，屠之。省安东、永阳郡。

安定太守毋丘兴将之官，公戒之曰："羌、胡欲与中国通，自当遣人来，慎勿遣人往。善人难得，必将教羌、胡妄有所请求，因欲以自利；不从便为失异俗意，从之则无益事。"兴至，遣校尉范陵至羌中，陵果教羌，使自请为属国都尉。公曰："吾预知当尔，非圣也，但更事多耳。"

三月，天子使魏公位在诸侯王上，改授金玺、赤绂、远游冠。

秋七月，公征孙权。

**【译文】**

秋七月，开始建立魏国的社稷宗庙。天子聘魏公的三个女儿为贵人，岁数还小的，就暂且留在魏国等待结婚年龄的到来。九月，建造金虎台，凿渠引漳水进入白沟以通达黄河。冬十月，分魏郡为东西部，设置都尉管辖。十一月，开始设置尚书、侍中、六卿等官职。

马超在汉阳，又联合羌、胡作乱，氐王千万反叛朝廷响应马超，在兴国驻兵。魏公派夏侯渊讨伐马超。

十九年春天正月，魏公开始举行“耕籍田”礼。南安赵衢、汉阳尹奉等讨伐马超，斩了马超妻子、儿子的头，马超逃奔汉中。韩遂转徙到金城，又进入氐王千万的部落，率领羌、胡一万多骑兵和夏侯渊交战，夏侯渊出击，大败韩遂，韩遂逃奔西平。夏侯渊和诸将攻兴国，屠杀了兴国军民。朝廷撤销了安东、永阳郡。

安定太守毋丘兴将去赴任，魏公告诫他说：“羌、胡想和中国交往，自然会派人来联系，你千万不要先派人到羌、胡中去联系。善良的人难以找到，不善良的人一定会教羌、胡乱提要求，他们乘机从中取利。不听从要求，就错失了羌、胡求好的美意，听了要求则对事情没有好处。”毋丘兴到任，派遣校尉范陵进入羌中，范陵果然给羌人出主意，叫他们自己提出，要当属国都尉。魏公说：“我预先就知道会出这样的事了，不是我聪明，只是我经历的事情多罢了。”

三月，天子命令把魏公位次排列在诸侯王的上面。改授金玺、赤绂、远游冠。秋七月，魏公出征孙权。

初，陇西宋建自称河首平汉王，聚众枹罕，改元，置百官，三十余年。遣夏侯渊自兴国讨之。冬十月，屠枹罕，斩建，凉州平。

公自合肥还。

十一月，汉皇后伏氏坐昔与父故屯骑校尉完书，云帝以董承被诛怨恨公，辞甚丑恶，发闻，后废黜死，兄弟皆伏法。

十二月，公至孟津。天子命公置旄头，宫殿设钟虡。乙未，令曰：“夫有行之士未必能进取，进取之士未必能有行也。陈平岂笃行，苏秦岂守信邪?而陈平定汉业，苏秦济弱燕。由此言之，士有偏短，庸可废乎!有司明思此义，则士无遗滞，官无废业矣。”又曰：“夫刑，百姓之命也，而军中典狱者或非其人，而任以三军死生之事，吾甚惧之。其选明达法理者，使持典刑。”于是置理曹掾属。

二十年春正月，天子立公中女为皇后。省云中、定襄、五原、朔方郡，郡置一县领其民，合以为新兴郡。

三月，公西征张鲁，至陈仓，将自武都入氐；氐人塞道，先遣张郃、朱灵等攻破之。夏四月，公自陈仓以出散关，至河池。氐王窦茂众万余人，恃险不服，五月，公攻屠之。西平、金城诸将麴演、蒋石等共斩送韩遂首。秋七月，公至阳平。张鲁使弟卫与将杨昂等据阳平关，横山筑城十余里，攻之不能拔，乃引军还。贼见大军退，其守备解散。公乃密遣解慓、高祚等乘险夜袭，大破之，斩其将杨任，进攻卫，卫等夜遁，鲁溃奔巴中。公军入南郑，尽得鲁府库珍宝。巴、汉皆降。复汉宁郡为汉中；分汉中之安阳、西城为西城郡，置太守；分锡、上庸郡，置都尉。

八月，孙权围合肥，张辽、李典击破之。

**【译文】**

当初，陇西宋建自称河首平汉王。在枹罕聚集部队，改纪元，设置百官，三十多年。魏公派夏侯渊从兴国出发去征讨。冬十月，屠杀枹罕军民，斩宋建，凉州平定。

魏公从合肥返回。

十一月，汉皇后伏氏，过去因给她的以前任过屯骑校尉的父亲伏完写信，信中说皇帝因为董承被杀而怨恨魏公，语句恶毒，事情被人揭发，因此获罪。皇后被废黜杀死，皇后的兄弟也被杀死。

十二月，魏公到孟津。天子命令魏公在出行仪仗队中配置旄头骑兵，宫殿中设置钟虡。乙未，魏公下令说：“一般地说，品行好的，未必能有所作为，有所作为的，未必品行好。陈平难道厚道，苏秦难道守信吗？但陈平奠定了汉朝基业，苏秦扶助了弱小的燕国。这样说来，难到士人有缺点就能废弃不用吗？主管部门要是明白这个道理，那么贤士就不会被遗漏丢弃，官府也就不会耽误工作了。”又说：“一般说来，刑律，是百姓的生命线啊。但军中负责刑律的，有时不是合适人选，就这样把三军生死大权交给他，我很害怕。希望选择明白法律道理的人，让他主持刑法事务。”于是，设置理曹掾属。

二十年春正月，天子立魏公二女儿为皇后。撤销云中、定襄、五原、朔方郡，在每郡原来辖区设置一个县，管理当地居民，合并原四个郡为一个新兴郡。

三月，魏公西征张鲁，到陈仓，将要从武都进入氐。氐人挡住道路。魏公先派出张郃、朱灵等打败了氐人。夏四月，魏公从陈仓出散关，到河池。氐王窦茂兵有一万多人，凭仗有险可守，不投降。五月，魏公进攻并屠杀了氐人。西平、金城诸将麴演、蒋石等人共同斩了韩遂首级送给魏公。秋七月，魏公到阳平。张鲁派弟弟张卫和将军杨昂等据守阳平关。在山腰筑城十多里，魏公攻不破，于是带兵回撤。贼见大军后退，守备就松解了。魏公趁机秘密派遣解憬、高祚等穿越险要地段，在夜间发起进攻，大败张鲁军队，斩了张鲁将领杨任。进攻张卫，张卫在黑夜中逃走。张鲁军队溃散，逃往巴中。魏公军队进入南郑，全部缴获了张鲁库藏的珍宝。巴和汉地区全都归降。把汉宁郡恢复为汉中郡；分出汉中郡的安阳县、西城县组成西城郡，设置太守；分锡、上庸为上庸郡，设置都尉。

八月，孙权围攻合肥，张辽、李典打败了他。

九月，巴七姓夷王朴胡、賨邑侯杜濩举巴夷，賨民来附，于是分巴郡，以胡为巴东太守，濩为巴西太守，皆封列侯。天子命公承制封拜诸侯守相。

冬十月，始置名号侯至五大夫，与旧列侯、关内侯凡六等，以赏军功。

十一月，鲁自巴中将其余众降。封鲁及五子皆为列侯。刘备袭刘璋，取益州，遂据巴中；遣张郃击之。

十二月，公自南郑还，留夏侯渊屯汉中。

二十一年春二月，公还邺。三月壬寅，公亲耕籍田。夏五月，天子进公爵为魏王。代郡乌丸行单于普富卢与其侯王来朝。天子命王女为公主，食汤沐邑。秋七月，匈奴南单于呼厨泉将其名王来朝，待以客礼，遂留魏，使右贤王去卑监其国。八月，以大理钟繇为相国。冬十月，治兵，遂征孙权，十一月至谯。

二十二年春正月，王军居巢。二月，进军屯江西郝溪。权在濡须口筑城拒守，遂逼攻之，权退走。三月，王引军还，留夏侯惇、曹仁、张辽等屯居巢。

夏四月，天子命王设天子旌旗，出入称警跸。五月，作泮宫。六月，以军师华歆为御史大夫。冬十月，天子命王冕十有二旒，乘金根车，驾六马，设五时副车，以五官中郎将丕为魏太子。

刘备遣张飞、马超、吴兰等屯下辩；遣曹洪拒之。

【译文】

九月，巴人七姓夷王朴胡、賨邑侯杜濩带巴夷、賨民来归附。于是分开巴郡，以朴胡为巴东太守，杜濩为巴西太守，都封为列侯。天子命令魏公可以秉承皇帝旨意分封诸侯，任命太守、国相。

冬十月，开始设置名号侯到五大夫，连同旧有的列侯、关内侯，共六等，用于奖赏军功。十一月，张鲁从巴中带着残余兵力来投降。张鲁和五个儿子都被封为列侯。刘备袭击刘璋，夺取益州，接着占有巴中。魏公派张郃去攻打刘备。十二月，魏公从南郑返回，留夏侯渊驻扎汉中。

二十一年春二月，魏公回到邺城。三月壬寅，魏公亲耕籍田。夏五月，天子把魏公进爵为魏王。代郡乌丸行单于普富卢和他部下的侯王来朝。天子下令让魏王女儿称公主，享受汤沐邑。秋七月，匈奴南单于呼厨泉带着部下名王来朝，魏王用客礼接待他，接着把他留在魏国，派右贤王去卑监匈奴国。八月，魏王以大理钟繇为相国。冬十月，魏王整训部队，接着出发征讨孙权，十一月，魏王到谯县。

二十二年春正月，魏王驻扎居巢。二月，进军驻扎江西郝溪。孙权在濡须口筑城拒守，于是魏王进逼攻打，孙权后退逃走。三月，魏王带兵回返，留夏侯惇、曹仁、张辽等驻屯居巢。

夏四月，天子命令魏王设置天子旌旗，出入称警跸。五月，建造泮宫。六月，魏王以军师华歆为御史大夫。冬十月，天子命令魏王冕上悬垂十二枚旒，乘坐金根车，驾六匹马，配设五时副车。以五官中郎将曹丕为魏国太子。刘备派遣张飞、马超、吴兰等驻屯下辩。魏王派遣曹洪去对抗。

二十三年春正月，汉太医令吉本与少府耿纪、司直韦晃等反，攻许，烧丞相长史王必营，必与颍川典农中郎将严匡讨斩之。

曹洪破吴兰，斩其将任夔等。三月，张飞、马超走汉中，阴平氐强端斩吴兰，传其首。夏四月，代郡、上谷乌丸无臣氐等叛，遣鄢陵侯彰讨破之。

六月，令曰："古之葬者，必居瘠薄之地。其规西门豹祠西原上为寿陵，因高为基，不封不树，周礼冢人掌公墓之地，凡诸侯居左右以前，卿大夫居后，汉制亦谓之陪陵。其公卿大臣列将有功者，宜陪寿陵，其广为兆域，使足相容。"

秋七月，治兵，遂西征刘备，九月，至长安。冬十月，宛守将侯音等反，执南阳太守，劫略民，吏保宛。初，曹仁讨关羽，屯樊城，是月使仁围宛。

二十四年春正月，仁屠宛，斩音。

夏侯渊与刘备战于阳平，为备所杀。三月，王自长安出斜谷，军遮要以临汉中，遂至阳平。备因险拒守。

夏五月，引军还长安。

**【译文】**

二十三春正月，汉太医令吉本和少府耿纪，司直韦晃等造反，进攻许都，烧丞相长史王必的军营，王必和颍川典农中郎将严匡攻杀了吉本等人。

曹洪打败吴兰，杀死吴兰将领任夔等人。三月，张飞、马超逃往汉中，阴平氐人强端杀了吴兰，把首级送给朝廷。夏四月，代郡，上谷乌丸无臣氐等人反叛，魏王派遣鄢陵侯曹彰去打败了他们。

六月，下令说："古代埋葬死者，一定要找瘠薄的地去埋葬。现命令划出西门豹祠西边原上的一片地，来建造我的寿陵，就用原地高度为基点，不堆坟丘，不栽树为标志。《周礼》冢人掌管公墓土地，凡是诸侯都葬在王墓左右两侧的前方，卿大夫在后方。汉朝制度也叫作陪陵。现决定有功的公卿大臣列将，死后陪葬我的寿陵。把寿陵墓地规划得广阔一些，让陪葬的容纳得下。"

秋七月，魏王训练部队，接着西征刘备，九月，到达长安。冬十月，宛县守将侯音等人造反，逮捕南阳太守，掳略官民，据守宛县。在这以前，曹仁奉命讨伐关羽，屯驻樊城。这个月，魏王派曹仁包围宛县。

二十四年春正月，曹仁屠杀宛县军民，杀了侯音。

侯渊与刘备在阳平交战，被刘备杀了。三月，魏王从长安出发，经过斜谷派军队占据了军事要地，进军汉中，接着又到阳平。刘备利用险要地势据守抵抗。

夏五月，魏王带兵回长安。

秋七月，以夫人卞氏为王后。遣于禁助曹仁击关羽。八月，汉水溢，灌禁军，军没，羽获禁，遂围仁。使徐晃救之。九月，相国钟繇坐西曹掾魏讽反免。

冬十月，军还洛阳。孙权遣使上书，以讨关羽自效。王自洛阳南征羽，未至，晃攻羽，破之，羽走，仁围解。王军摩陂。

二十五年春正月，至洛阳。权击斩羽，传其首。

庚子，王崩于洛阳，年六十六。遗令曰："天下尚未安定，未得遵古也。葬毕，皆除服。其将兵屯戍者，皆不得离屯部。有司各率乃职。敛以时服，无藏金玉珍宝。"谥曰武王。二月丁卯，葬高陵。

评曰：汉末，天下大乱，雄豪并起，而袁绍虎视四州，强盛莫敌。太祖运筹演谋，鞭挞宇内，揽申、商之法术，该韩、白之奇策，官方授材，各因其器，矫情任算，不念旧恶，终能总御皇机，克成洪业者，惟其明略最优也。抑可谓非常之人，超世之杰矣。

**【译文】**

秋七月，魏王以夫人卞氏为王后。魏王派于禁帮助曹仁进攻关羽。八月，汉水泛滥，淹了于禁军队，于禁军队全部溃散，关羽捉了于禁，接着包围曹仁。魏王派徐晃救曹仁。九月，魏相国钟繇因为西曹掾魏讽造反而获罪，被免职。

冬十月，魏王大军回到洛阳。孙权送来书信，愿以讨伐关羽作为对朝廷的报效。魏王从洛阳南征关羽，还未到前线，徐晃已经打败了关羽，关羽逃走，曹仁被解围，魏王驻扎摩陂。

二十五年春正月，魏王到达洛阳，孙权攻杀了关羽，把关羽首级传送给朝廷。

庚子年，魏王在洛阳去世，年龄是六十六岁。留下遗令说：“天下还没安定，还不能够一切遵从古代礼制办事。埋葬以后，全部除去孝服。那些带兵驻扎戍守的，都不许离开驻屯地。各部门官吏照常做自己的本职事情。用现在流行穿用的服装装殓，不要陪葬金玉珍宝。”魏王被谥为武王。二月丁卯，葬于高陵。

评：汉朝末年，天下大乱，英雄豪杰同时兴起，而袁绍占有四州，虎视眈眈，强盛无敌。太祖运用计谋，征讨天下，采纳申不害、商鞅的法术，兼用韩信、白起的奇谋，把官职授予有知识有才能的人，根据本人情况授予不同官职，控制感情，重视计谋，不记旧仇。终于能全面掌握大权，完成建国大业的原因，在于他有英明的谋略啊。他可以称得上是非常之人，盖世的英杰了。

# 文帝纪

文皇帝讳丕，字子桓，武帝太子也。中平四年冬，生于谯。建安十六年，为五官中郎将、副丞相。二十二年，立为魏太子。太祖崩，嗣位为丞相、魏王。尊王后曰王太后。改建安二十五年为延康元年。

元年二月壬戌，以大中大夫贾诩为太尉，御史大夫华歆为相国，大理王朗为御史大夫。置散骑常侍、侍郎各四人，其宦人为官者不得过诸署令；为金策著令，藏之石室。

初，汉熹平五年，黄龙见谯，光禄大夫桥玄问太史令单飏："此何祥也？"飏曰："其国后当有王者兴，不及五十年，亦当复见。天事恒象，此其应也。"内黄殷登默而记之。至四十五年，登尚在。三月，黄龙见谯，登闻之曰："单飏之言，其验兹乎！"

**【译文】**

魏文帝曹丕，字子桓，是武帝曹操的太子。东汉灵帝中平四年冬季，生于谯县。汉献帝建安十六年，被任命为五官中郎将，成为丞相曹操处理军国事务的副手。建安二十二年，被立为魏王太子。曹操逝世后，他继位为丞相、魏王，把自己的母亲、魏王后卞氏尊称为王太后。同时，把建安二十五年改为延康元年。

延康元年二月壬戌，任命大中大夫贾诩为太尉，御史大夫华歆为相国，大理王朗为御史大夫。设置散骑常侍、散骑侍郎各四人，规定后宫宦官担任官职，不得超过诸署的署令；把这命令用黄金做成的简策记录下来，收藏在石室中。

起初，东汉灵帝熹平五年，有黄龙出现在谯县，光禄大夫桥玄为此询问太史令单飏说："这是什么祥瑞呢？"单飏回答说："在这个地方以后会有王者兴起，不到五十年，黄龙还会再度出现。上天安排的事情都会有预兆的，这就是与天意相对应的。"内黄人殷登暗自把这件事记下来。过了四十五年，殷登还活着。这年三月，又有黄龙出现在谯县，殷登听到后说："单飏的预言，大概就应验在这里了。"

己卯，以前将军夏侯惇为大将军。濊貊、扶余单于、焉耆、于阗王皆各遣使奉献。

夏四月丁巳，饶安县言白雉见。庚午，大将军夏侯惇薨。

五月戊寅，天子命王追尊皇祖太尉曰太王，夫人丁氏曰太王后，封王子睿为武德侯。是月，冯翊山贼郑甘、王照率众降，皆封列侯。酒泉黄华、张掖张进等各执太守以叛。金城太守苏则讨进，斩之。华降。

六月辛亥，治兵于东郊，庚午，遂南征。

秋七月庚辰，令曰："轩辕有明台之议，放勋有衢室之问，皆所以广询于下也。百官有司，其务以职尽规谏，将率陈军法，朝士明制度，牧守申政事，缙绅考六艺，吾将兼览焉。"

孙权遣使奉献。蜀将孟达率众降。武都氐王杨仆率种人内附，居汉阳郡。

甲午，军次于谯，大飨六军及谯父老百姓于邑东。八月，石邑县言凤皇集。

【译文】

三月己卯，任命前将军夏侯惇为大将军。濊貊单于、扶余单于、焉耆王、于阗王等都分别派遣使者前来进奉贡品。

夏季，四月丁巳，饶安县上书报告说有白雉出现。庚午，大将军夏侯惇逝世。

五月戊寅，东汉献帝命令魏王曹丕为祖父太尉曹嵩追加尊号，称太王，称曹嵩夫人丁氏为太王后。同时，封曹丕的儿子曹睿为武德侯。本月，冯翊山贼郑甘、王照率领部众归降朝廷，都被封为列侯。酒泉人黄华、张掖人张进各自捉住本郡太守，背叛朝廷。金城郡太守苏则讨伐张进，将张进杀死。黄华投降。

六月辛亥，在邺城东郊操练军队，庚午，曹丕率大军出发，向南征伐吴国。

秋季，七月庚辰，曹丕下令说："黄帝在明台听取贤人的议论，尧在道路旁修建房屋，以便听到百姓的谈话，都是去广泛征询下面的意见。朝廷各部分的官员，都要尽到进行规谏的职责，将帅们可以谈论军务、军纪，朝士们议论制度，地方长官报告政务，士大夫们考察六艺，我都要详细审看。”

孙权派遣使者前来进奉贡品。蜀国大将孟达率领部众归降魏国。氐人武都部落首领杨仆率领部落归附魏国，内迁到汉阳郡居住。

七月甲午，曹丕统率大军抵达故乡谯县，在东郊为随行军队及谯县的父老百姓举行盛宴。八月，石邑县上书报告，说有凤凰聚集。

冬十月癸卯，令曰：“诸将征伐，士卒死亡者或未收敛，吾甚哀之；其告郡国给槥椟殡敛，送致其家，官为设祭。”丙午，行至曲蠡。

汉帝以众望在魏，乃召群公卿士，告祠高庙。使兼御史大夫张音持节奉玺绶禅位，册曰：“咨尔魏王：昔者帝尧禅位于虞舜，舜亦以命禹，天命不于常，惟归有德。汉道陵迟，世失其序，降及朕躬，大乱兹昏，群凶肆逆，宇内颠覆。赖武王神武，拯兹难于四方，惟清区夏，以保绥我宗庙，岂予一人获乂，俾九服实受其赐。今王钦承前绪，光于乃德，恢文武之大业，昭尔考之弘烈。皇灵降瑞，人神告征，诞惟亮采，师锡朕命，佥曰尔度克协于虞舜，用率我唐典，敬逊尔位。於戏！天之历数在尔躬，允执其中，天禄永终；君其祗顺大礼，飨兹万国，以肃承天命。”乃为坛于繁阳。庚午，王升坛即阼，百官陪位。事讫，降坛，视燎成礼而反。改延康为黄初，大赦。

**【译文】**

冬季，十月癸卯，曹丕下令说：“诸位将领在进行征伐时，战死的士兵有的还没有被埋葬，我对此很怜悯。命令各郡、国预备棺材，把战死士兵装入棺内，送回他的家中，由官府为他安排祭礼。”丙午，曹丕率军抵达曲蠡。

汉献帝因为群臣都已依附魏王曹丕，于是召集朝中大小官员，祭祀汉高祖刘邦的祭庙，并禀告祖先，命令兼任御史大夫张音持符节把皇帝的御玺、绶带进献给曹丕，表示把皇帝的位置让给曹丕。诏书说：“告诉魏王：从前帝尧让位给虞舜，舜又让位给大禹，上天的意旨并不固定不变，只是由有德望的人来进行统治。汉朝的统治衰败已久，天下失去正常的秩序，等到了我这一代，战乱更加严重，许多凶暴之人横行肆虐，汉朝的统治已经被颠覆。幸亏武王曹操英明神武，把天下从这场灾难中拯救出来，重新安定，保护了汉朝的宗庙、社稷，不仅是我一个人享受太平，实在是天下都受到他的恩德。现在魏王曹丕继承其父亲的事业，加以发扬光大，恢复周文王、周武王的大业，发展您父亲的宏图大计。上天降下祥瑞，人、神都提出预兆，建立了显赫的业绩，大家献言，让我下达命令，都指出您的品德才干与虞舜相同，因此，我遵循尧的做法，把皇帝的位置恭敬地让给您。呜呼！上天已把使命交付给您，运用得当，就能永保天禄。请您恭顺大礼，治理天下万国，以上承天命。”于是，为曹丕在繁阳修筑举行即位仪式的高坛。十月庚午，魏王曹丕登上高坛，正式接受皇帝称号，朝廷大臣都参加了即位仪式。仪式完毕后，曹丕下坛，燃火祭祀天地山川，然后，返回宫殿。改延康元年为黄初元年，大赦天下。

黄初元年十一月癸酉，以河内之山阳邑万户奉汉帝为山阳公，行汉正朔，以天子之礼郊祭，上书不称臣，京都有事于太庙，致胙；封公之四子为列侯。追尊皇祖太王曰太皇帝，考武王曰武皇帝，尊王太后曰皇太后。赐男子爵人一级，为父后及孝悌力田人二级。以汉诸侯王为崇德侯，列侯为关中侯。以颍阴之繁阳亭为繁昌县。封爵增位各有差。改相国为司徒，御史大夫为司空，奉常为太常，郎中令为光禄勋，大理为廷尉，大农为大司农。郡国县邑，多所改易。更授匈奴南单于呼厨泉魏玺绶，赐青盖车、乘舆、宝剑、玉玦。十二月，初营洛阳宫，戊午幸洛阳。是岁，长水校尉戴陵谏不宜数行弋猎，帝大怒；陵减死罪一等。

二年春正月，郊祀天地、明堂。甲戌，校猎至原陵，遣使者以太牢祠汉世祖。乙亥，朝日于东郊。初令郡国口满十万者，岁察孝廉一人；其有秀异，无拘户口。辛巳，分三公户邑，封子弟各一人为列侯。壬午，复颍川郡一年田租。改许县为许昌县。以魏郡东部为阳平郡，西部为广平郡。

**【译文】**

黄初元年十一月癸酉，曹丕封汉献帝刘协为山阳公，把河内郡山阳县一万户百姓所居住的地方作为刘协的封地。在封地内，仍实行汉朝的年号，刘协可以用天子的规格祭祀天地，向皇帝上书时可以不称臣。当皇帝在京城祭祀太庙时，要赐予刘协祭肉。同时，封刘协的四个儿子为列侯。曹丕追尊祖父太王曹嵩为太皇帝，父亲武王曹操为武皇帝，尊称母亲武王太后卞氏为皇太后。赐予天下的男人每人进爵一级，继承父亲成为家长的、孝顺父母、尊敬兄长以及努力耕田的人进爵二级。把汉朝的诸侯王降封为崇德侯，列侯降封为关中侯。把颍阴的繁阳亭改为繁昌县。朝廷大臣分别受到增加爵位和晋升官职的赏赐。对官职名称进行改动：相国改为司徒、御史大夫改为司空、奉常改为太常、郎中令改为光禄勋、大理改为廷尉、大农改为大司农。郡、国、县及城镇的名称，也有很多改动。重新授予南匈奴单于呼厨泉魏国的玺印、绶带，赐给他青盖车、帝王用的乘舆、宝剑、玉玦等。十二月，开始修建洛阳宫。戊午，曹丕到达洛阳。这一年，长水校尉戴陵劝阻曹丕，不要经常出去打猎，曹丕大怒，戴陵被判处比死罪轻一等的处分。

黄初二年春季，正月，曹丕到郊外祭祀天地、明堂。甲戌，曹丕到原陵打猎，派遣使者用太牢的规格祭祀东汉光武帝刘秀。乙亥，在东郊举行朝日仪式。开始命令各郡、国户口在十万以上的，每年推荐孝廉一名，有特别优秀的人才，不受名额限制。辛巳，从三公的封地中划分出一块，各封他们的子弟一人为列侯，以那块划出来的土地为封地。壬午，免除颍川郡一年的田租。改许县为许昌县。把魏郡的东部改为阳平郡，西部改为广平郡。

诏曰："昔仲尼资大圣之才，怀帝王之器，当衰周之末，无受命之运，在鲁、卫之朝，教化乎洙、泗之上，凄凄焉，遑遑焉，欲屈己以存道，贬身以救世。于时王公终莫能用之，乃退考五代之礼，修素王之事，因鲁史而制《春秋》，就太师而正《雅颂》，俾千载之后，莫不宗其文以述作，仰其圣以成谋，咨！可谓命世之大圣，亿载之师表者也。遭天下大乱，百祀堕坏，旧居之庙，毁而不修，褒成之后，绝而莫继，阙里不闻讲颂之声，四时不睹蒸尝之位，斯岂所谓崇礼报功，盛德百世必祀者哉！其以议郎孔羡为宗圣侯，邑百户，奉孔子祀。"令鲁郡修起旧庙，置百户吏卒以守卫之，又于其外广为室屋以居学者。

春三月，加辽东太守公孙恭为车骑将军。初复五铢钱。夏四月，以车骑将军曹仁为大将军。五月，郑甘复叛，遣曹仁讨斩之。六月庚子，初祀五岳四渎，咸秩群祀。丁卯，夫人甄氏卒。戊辰晦，日有食之，有司奏免太尉，诏曰："灾异之作，以谴元首，而归过股肱，岂禹、汤罪己之义乎？其令百官各虔厥职，后有天地之眚，勿复劾三公。"

**【译文】**

曹丕下诏说："从前，孔子有大圣人的才干，怀有帝王的器度，但他生于衰败的周期末期，没有受天命的机运。他在鲁国、卫国，在洙水和泗水流域，凄凄遑遑，想要委屈自己以保护自己的政治主张和思想，贬低自己的身份去拯救世人。当时，各国的王、公终究不能任用他，于是他就隐退去考证五代的礼仪制度，代替帝王立法，在鲁国史书的基础上编撰《春秋》，到乐官那里去改正《雅》、《颂》。使得千年以后，全都按照他的文章进行写作，依靠他的圣明制定谋略，啊！真可称之为绝世的大圣人，可以作为万代的师表了。现在遭到天下大乱，各种祭祀活动都受到毁坏，他的旧居祭庙，也毁坏而无人修理。他的后裔在汉朝曾被封为褒成侯，但这个爵位到现在也没有人继承。在他故乡阙里听不到讲解和诵读经书的声音，每年的四季也没有人进行祭祀，这怎么能称为尊崇礼敬，报答他对世人的恩德，符合百代以后，也要祭祀对天下有大恩德人的制度呢？现在，任命议郎孔羡为宗圣侯，享有一百户的封地，作为孔子的后裔，负责按时祭祀。"命令鲁郡把孔子的旧祭庙重新修好，设置一百户官吏和士兵专门守卫祭庙，又在祭庙的外面大修房屋，供学者在那里居住、学习。

春季三月，晋升辽东太守公孙恭为车骑将军。开始恢复五铢钱，可以作为货币在市上流通。夏季，四月，任命车骑将军曹仁为大将军。五月，郑甘再次反叛，派遣曹仁进行讨伐，杀死郑甘。六月庚子，开始祭祀五岳、四渎，规定各种祭祀的规格。丁卯，曹丕的夫人甄氏逝世。戊辰，出现日食。有关部门提出应该罢免太尉，曹丕下诏说："上天降下灾异，是对元首进行谴责，而把过错都推给辅政的大臣，怎么符合大禹、商汤归罪于自己的本意呢？现在，命令文、武百官各尽职守，以后天地出现灾异，不要再弹劾三公。”

秋八月，孙权遣使奉章，并遣于禁等还。丁巳，使太常邢贞持节拜权为大将军，封吴王，加九锡。冬十月，授杨彪光禄大夫。以谷贵，罢五铢钱。己卯，以大将军曹仁为大司马。十二月，行东巡。是岁筑陵云台。

三年春正月丙寅朔，日有蚀之。庚午，行幸许昌宫。诏曰：“今之计、考，古之贡地；十室之邑，必有忠信，若限年然后取士，是吕尚、周晋不显于前世也。其令郡国所选，勿拘老幼；儒通经术，吏达文法，到皆试用。有司纠故不以实者。”二月，鄯善、龟兹、于阗王各遣使奉献，诏曰：“西戎即叙，氐、羌来王，《诗》、《书》美之。顷者西域外夷并款塞内附，其遣使者抚劳之。”是后西域遂通，置戊己校尉。

**【译文】**

秋季，八月，孙权派遣使者进奉表章，并送于禁等人回来。丁巳，曹丕命令太常邢贞持符节到江东拜孙权为大将军，封吴王，并赐予九锡——使用九种帝王御用器物的特权。冬季，十月，任命杨彪为光禄大夫。因为粮食价格过高，废止五铢钱的使用。己卯，任命大将军曹仁为大司马。十二月，曹丕向东方出巡。这一年，修筑陵云台。

黄初三年春季，正月丙寅朔，出现日食。庚午，曹丕到达许昌宫。下诏说：“现在的计吏、孝廉，就是古代的贡士。十户人家的村镇，必定会有忠信之人，如果限制年龄然后选取人才，那么，姜子牙、周太子晋就不会在前代有显赫的业绩了。现在，命令各郡、国在选取人才时，不要限制老幼；只要儒士精通经术，吏士通晓文法，一到就可以试用。由有关部门来检举推荐不实的人。”二月，鄯善、龟兹、于阗等国的国王各自派遣使者前来进献贡品。曹丕下诏说：“西戎归附大禹，氐人、羌人服从周朝的统治，《诗经》、《尚书》中都大为赞美。最近，西域各国的少数民族统治者纷纷都来到边塞，请求归附。派遣使者去安抚、慰劳他们。”以后，与西域的联系再度恢复，设置戊己校尉。

三月乙丑，立齐公睿为平原王，帝弟鄢陵公彰等十一人皆为王。初制封王之庶子为乡公，嗣王之庶子为亭侯，公之庶子为亭伯。甲戌，立皇子霖为河东王。甲午，行幸襄邑。夏四月戊申，立鄄城侯植为鄄城王。癸亥，行还许昌宫。五月，以荆、扬江表八郡为荆州，孙权领牧故也；荆州江北诸郡为郢州。闰月，孙权破刘备于夷陵。初，帝闻备兵东下，与权交战，树栅连营七百余里，谓群臣曰："备不晓兵，岂有七百里营可以拒敌者乎！'苞原隰险阻而为军者为敌所禽'，此兵忌也。孙权上事今至矣。"后七日，破备书到。

秋七月，冀州大蝗，民饥，使尚书杜畿持节开仓廪以振之。八月，蜀大将黄权率众降。

九月甲午，诏曰："夫妇人与政，乱之本也。自今以后，群臣不得奏事太后，后族之家不得当辅政之任，又不得横受茅土之爵；以此诏传后世，若有背违，天下共诛之。"庚子，立皇后郭氏。赐天下男子爵人二级；鳏寡笃癃及贫不能自存者赐谷。

【译文】

三月乙丑，曹丕封儿子齐公曹睿为平原王，同时，封自己的弟弟鄢陵公曹彰等十一人都为王。开始制定封王的庶子为乡公，嗣王的庶子为亭侯，嗣公的庶子为亭伯的制度。甲戌，曹丕封儿子曹霖为河东王。甲午，曹丕出巡，到达襄邑。夏季，四月戊申，封鄄城侯曹植为鄄城王。癸亥，曹丕回到许昌宫。五月，把荆州、扬州在江南的八个郡称为荆州，是因为由孙权兼任荆州牧的原因。把荆州在长江以北的各郡改设为郢州。闰六月，孙权在夷陵大败刘备统率的蜀军。起初，曹丕听说刘备统军东下，与孙权交战，建立营寨，绵延不断，有七百余里，就告诉大臣们说："刘备不懂得军事，哪里有七百里连营可以进攻敌人的！'在大片低洼和险要地区驻扎军队的，容易被敌人擒获'，这是兵法中的大忌。孙权报告战况的奏书就要到了。"过了七天，孙权击败刘备的奏书果然送到。

秋季，七月，冀州蝗灾严重，百姓饥饿，派尚书杜畿持符节打开官府粮库赈济饥民。八月，蜀军大将黄权率领部下投降魏国。

九月甲午，曹丕下诏说："妇人干预政治，是祸乱的原因。从此以后，大臣们不得向太后奏报政事，外戚不能担任辅政的职务，也不能无故接受封爵。把这个诏书传到后世，如果有人违背，天下共诛之。”庚子，立郭氏为皇后。赐天下男子每人进爵二级，对鳏夫、寡妇、病重、有残疾以及贫困无法生活的人赐给粮食。

冬十月甲子，表首阳山东为寿陵，作终制曰：“礼，国君即位为椑，存不忘亡也。昔尧葬谷林，通树之，禹葬会稽，农不易亩，故葬于山林，则合乎山林。封树之制，非上古也，吾无取焉。寿陵因山为体，无为封树，无立寝殿，造园邑，通神道。夫葬也者，藏也，欲人之不得见也。骨无痛痒之知，冢非栖神之宅，礼不墓祭，欲存亡之不黩也，为棺椁足以朽骨，衣衾足以朽肉而已。故吾营此丘墟不食之地，欲使易代之后不知其处。无施苇炭，无藏金银铜铁，一以瓦器，合古涂车、刍灵之义。棺但漆际会三过，饭含无以珠玉，无施珠襦玉匣，诸愚俗所为也。季孙以玙璠敛，孔子历级而救之，譬之暴骸中原。宋公厚葬，君子谓华元、乐莒不臣，以为弃君于恶。汉文帝之不发，霸陵无求也；光武之掘，原陵封树也。霸陵之完，功在释之；原陵之掘，罪在明帝。是释之忠以利君，明帝爱以害亲也。忠臣孝子，宜思仲尼、丘明、释之之言，鉴华元、乐莒、明帝之戒，存于所以安君定亲，使魂灵万载无危，斯则贤圣之忠孝矣。自古及今，未有不亡之国，亦无不掘之墓也。丧乱以来，汉氏诸陵无不发掘，至乃烧取玉匣金缕，骸骨并尽，是焚如之刑，岂不重痛哉！祸由乎厚葬封树。‘桑、霍为我戒’，不亦明乎？其皇后及贵人以下，不随王之国者，有终没皆葬涧西，前又以表其处矣。盖舜葬苍梧，二妃不从，延陵葬子，远在嬴博。魂而有灵，无不之也，一涧之间，不足为远。若违今诏，妄有所变改造施，吾为戮尸地下，戮而重戮，死而重死。臣子为蔑死君父，不忠不孝，使死者有知，将不福汝。其以此诏藏之宗庙，副在尚书、秘书、三府。”

【译文】

冬季，十月甲子，曹丕把首阳山东划定为自己的陵墓，事先安排自己的丧葬事宜，说：“依按礼制，国君在即位后就要安排制作棺材，表示存不忘亡。从前，尧葬在谷林，都种上树；大禹葬在会稽，农民没有改变耕地的方向，所以埋葬在山林，就要合乎山林自然。修造坟墓，植树作为标志的制度，不是上古的制度，我不采用。我的陵墓依仗山势作为主体，不要再堆土做成高丘及四面种植树木，不要建立寝殿、园林，不要修筑神道。安葬的目的就是把人体埋葬起来，想要不再被别人看到。尸骨已没有痛痒的知觉，坟墓也不是神灵存身的地方。依照礼制，不在坟墓处设祭，为了不轻慢死者，制作的棺椁能够装殓尸骨，衣服被褥能够遮尸体就行了。所以我选择在这丘陵不生长庄稼的地方修建陵墓，希望改朝换代之后，不再知道陵墓的位置。在墓内不要放置苇草木炭，不要收藏金、银、铜、铁器物，全部使用陶器，以符合古代用泥做的涂车，茅草扎成的人、马来送葬的制度。棺材只要在应该油漆的时候漆三遍，死后不要把珠玉含在我的嘴里，不要给我穿上珠子做成的衣服，盛放在玉匣中，不要搞这些庸俗愚昧之人所做的事情。从前，当季孙要以君王佩戴的美玉殉葬时，孔子赶紧登上台阶去劝阻，把这个举动比喻为将死者的尸骨暴露在原野中。宋国的国君厚葬后，当时的君子都说华元、乐莒没有尽到臣子的职责，因为他们眼看君王犯了错误而不加阻止。汉文帝的霸陵在战乱中没有被发掘，是因为其中没有值得收藏挖掘的宝物。光武帝的原陵被挖掘，是因为修筑了高丘，并四面植树，作为标记，墓中也有大批陪葬的器物。霸陵保存完整的功劳在于张释之，原陵被挖掘的过错在于汉明帝。因此，是张释之的忠心有利于君主，而明帝对父亲的爱心反而损害了亲人。忠臣孝子，应该考虑孔子、左丘明、张释之的议论，借鉴华元、乐莒、明帝的错误教训，心里存有怎样能使君主、亲人的遗骨安定不动，使死者的魂灵万年不危的想法，这就是圣贤的忠孝了。从古至今，没有不灭亡的国家，也没有不被挖掘的坟墓。战乱以来，汉朝皇帝的陵墓都遭到挖掘，甚至放火焚烧，以取得盛放尸骨的玉匣和死者身上穿的金缕衣，使得死者的尸骨也被烧尽，这犹如在受焚刑，怎能不深为痛苦呢！受祸的原因都在于修坟厚葬。前人已说，'要以桑弘羊和霍显因骄奢而招祸为诫'，这不是很明显的道理吗？将来，皇后以及贵人以下的妃嫔，凡不随她儿子到王国去的，死后都埋葬在涧西，以前我已划定那里作为墓地。之所以这样做，是因为舜死后安葬在苍梧，他的两个妃子都没有与他葬在一起；延陵季子则把儿子远葬在泰山一带。魂魄如果有灵验，就没有不能到的地方，一涧的距离，不能算远。如果违背我这个诏书，妄加改动，修筑陵墓或厚葬，我死后在地下还将被戮尸，戮后还会再戮，真是死了一遍还要再死一遍。身为臣子的要是那样做，就是轻蔑死去的君父，不忠不孝，假如死者有知，将不会给你降福。把这个诏书收藏在宗庙，副本存在尚书、秘书和三府。”

是月，孙权复叛，复郢州为荆州。帝自许昌南征，诸军兵并进，权临江拒守。十一月辛丑，行幸宛。庚申晦，日有食之。是岁，穿灵芝池。

四年春正月，诏曰：“丧乱以来，兵革未戢，天下之人，互相残杀。今海内初定，敢有私复仇者皆族之。”筑南巡台于宛。三月丙申，行自宛还洛阳宫。癸卯，月犯心中央大星。丁未，大司马曹仁薨。是月大疫。夏五月，有鹈鹕鸟集灵芝池，诏曰：“此诗人所谓污泽也。《曹诗》‘刺恭公远君子而近小人’，今岂有贤智之士处于下位乎？否则斯鸟何为而至？其博举天下俊德茂才、独行君子，以答曹人之刺。”



**【译文】**

这个月，孙权再次背叛魏国，恢复郢州为荆州。曹丕从许昌出军南征孙权，各路兵马齐头并进，孙权沿长江部署军队，抵抗魏军。十一月辛丑，曹丕到达宛城。庚申晦，出现日食。这一年，修凿灵芝池。

黄初四年春季，正月，曹丕下诏说：“自从丧乱以来，战事不断，天下的人都互相残杀。现在，四海之内已经初步安定，以后，有敢于私自报仇，杀害别人的，要处死他的全族。”在宛城修筑南巡台。三月丙申，曹丕从宛城返回洛阳宫。癸卯，月亮运行到心宿中间那一颗大星附近。丁未，大司马曹仁逝世。这一个月，瘟疫流行。夏季，五月，有鹈鹕鸟聚集在灵芝池。曹丕下诏说：“这就是诗人所称的污泽。《诗经·曹风》讲这是讽刺曹恭公疏远君子而亲近小人。如今，是否有贤能才智之士还被困留在下位？否则，这鸟为什么会来呢？现在，要广泛推荐天下品德出众、才能过人、操行高尚的人，以答复曹人的讽刺。”



六月甲戌，任城王彰薨于京都。甲申，太尉贾诩薨。太白昼见。是月大雨，伊、洛溢流，杀人民，坏庐宅。秋八月丁卯，以廷尉钟繇为太尉。

辛未，校猎于荥阳，遂东巡。论征孙权功，诸将已下进爵增户各有差。九月甲辰，行幸许昌宫。

五年春正月，初令谋反大逆乃得相告，其余皆勿听治；敢妄相告，以其罪罪之。三月，行自许昌还洛阳宫。夏四月，立太学，制五经课试之法，置《春秋谷梁》博士。五月，有司以公卿朝朔望日，因奏疑事，听断大政，论辩得失。秋七月，行东巡，幸许昌宫。八月，为水军，亲御龙舟，循蔡、颍，浮淮，幸寿春。扬州界将吏士民，犯五岁刑已下，皆原除之。九月，遂至广陵，赦青、徐二州，改易诸将守。冬十月乙卯，太白昼见。行还许昌宫。十一月庚寅，以冀州饥，遣使者开仓廪振之。戊申晦，日有食之。

**【译文】**

六月甲戌，任城王曹彰在京城洛阳逝世。甲申，太尉贾诩逝世。太白星在白天出现。这个月大雨不停，伊水、洛水泛滥成灾，淹死百姓，冲坏房屋。秋季，八月丁卯，任命廷尉钟繇为太尉。辛未，曹丕在荥阳打猎，并乘势巡视东方。评定征伐孙权的战功，各军将领以下分别受到进升爵位、增加封地的赏赐。九月甲辰，曹丕到达许昌宫。

黄初五年春季，正月，开始下令只有犯下谋反和大逆不道的罪过，才允许互相揭发，其余的罪名不再受理。如果有人诬告别人，就以他揭发的罪名来判处他。三月，曹丕从许昌返回洛阳宫。夏季，四月，建立太学，制定五经考试的方法，设置讲授《春秋谷梁传》的博士。五月，有关部门制定在每月初一、十五大臣朝见皇帝时，上奏有疑问的事情，听取决断大的施政方针，议论朝政的得失。秋季，七月，曹丕巡视东方，到达许昌宫。八月，曹丕调集水军，自己亲自乘坐龙舟，顺蔡水、颍水进入淮河，直达寿春。扬州界内的将领、官吏、士人和一般百姓，凡犯有判处五年刑期以下轻罪的人，都得到赦免。九月，曹丕到达广陵，下令在青州、徐州境内实行大赦，改换这一地区的统兵将领和官吏。冬季，十月乙卯，太白星在白天出现。曹丕返回许昌宫。十一月庚寅，因为冀州百姓缺粮，派遣使者打开官仓赈济饥民。十一月戊申，出现日食。

十二月，诏曰："先王制礼，所以昭孝事祖，大则郊社，其次宗庙，三辰五行，名山大川，非此族也，不在祀典。叔世衰乱，崇信巫史，至乃宫殿之内，户牖之间，无不沃酹，甚矣其惑也。自今，其敢设非祀之祭，巫祝之言，皆以执左道论，著于令典。"是岁穿天渊池。

六年春二月，遣使者循行许昌以东尽沛郡，问民所疾苦，贫者振贷之。三月，行幸召陵，通讨虏渠。乙巳，还许昌宫。并州刺史梁习讨鲜卑轲比能，大破之。辛未，帝为舟师东征。五月戊申，幸谯。壬戌，荧惑入太微。六月，利成郡兵蔡方等以郡反，杀太守徐质。遣屯骑校尉任福、步兵校尉段昭与青州刺史讨平之；其见胁略及亡命者，皆赦其罪。

秋七月，立皇子鉴为东武阳王。八月，帝遂以舟师自谯循涡入淮，从陆道幸徐。九月，筑东巡台。冬十月，行幸广陵故城，临江观兵，戎卒十余万，旌旗数百里。是岁大寒，水道冰，舟不得入江。乃引还。十一月，东武阳王鉴薨。十二月，行自谯过梁，遣使以太牢祀故汉太尉桥玄。

**【译文】**

十二月，曹丕下诏说："从前，先王制定礼仪制度，是为了奉事祖先，显示孝道。最重要的是在郊外祭祀天地，其次是在宗庙祭祀祖先，然后是祭祀日、月、星等三辰，金、木、水、火、土等五行以及各地的名山大川，在这范围以外的，都不是经典所记载应该祭祀的。到了末代，有的人信仰巫史，甚至在宫殿以内，门窗之间，到处都要把酒洒在地上祭祀鬼神，这是太过于困惑了。从此以后，有敢于再进行这种经典所不记载的祭祀，相信巫史的话，都以信奉旁门邪道论处，把这点写入法律条文中。"这一年，修凿天渊池。

黄初六年春季，二月，派遣使者在许昌以东巡视，直到沛郡，慰问百姓的疾苦，对贫困者发放赈济。三月，曹丕出行到达召陵，派人打通讨虏渠。乙巳，曹丕返回许昌宫。并州刺史梁习率军讨伐鲜卑人首领轲比能，大破鲜卑军。辛未，曹丕统率水军东征孙权。五月戊申，曹丕到达谯县。壬戌，火星运行到天空中被称作"太微"的区域中。六月，利城郡士兵蔡方等造反，占领郡城，杀死太守徐质。派遣屯骑校尉任福、步兵校尉段昭与青州刺史讨伐蔡方，平定了这次叛乱。凡被裹胁叛乱的以及逃亡在外的，都赦免了他们的罪过。

秋季，七月，曹丕封儿子曹鉴为东武阳王。八月，曹丕率水军从谯县顺涡水进入淮河，从陆路到达徐州。九月，修筑东巡台。冬季，十月，曹丕到达广陵旧城，在长江边进行阅兵仪式，显示军威。魏军十余万人，旌旗招展，绵延数百里。这一年天气严寒，河流全部结冰，船不能进入长江，于是曹丕率军退回北方。十一月，东武阳王曹鉴逝世。十二月，曹丕从谯县经过梁国，派遣使者以太牢的规格祭祀已故汉朝太尉桥玄。

七年春正月，将幸许昌，许昌城南门无故自崩，帝心恶之，遂不入。壬子，行还洛阳宫。三月，筑九华台。夏五月丙辰，帝疾笃，召中军大将军曹真、镇军大将军陈群、征东大将军曹休、抚军大将军司马宣王，并受遗诏辅嗣主。遣后宫淑媛、昭仪已下归其家。丁巳，帝崩于嘉福殿，时年四十。六月戊寅，葬首阳陵。自殡及葬，皆以终制从事。

初，帝好文学，以著述为务，自所勒成垂百篇。又使诸儒撰集经传，随类相从，凡千余篇，号曰《皇览》。

评曰：文帝天资文藻，下笔成章，博闻强识，才艺兼该；若加之旷大之度，励以公平之诚，迈志存道，克广德心，则古之贤主，何远之有哉！

**【译文】**

黄初七年春季，正月，曹丕将要到达许昌，许昌城的南门无缘无故自己崩坏，曹丕心中对此很不愉快，就没有进入许昌。壬子，曹丕返回洛阳宫。三月，修筑九华台。夏季，五月丙辰，曹丕病势垂危，召见中军大将军曹真、镇军大将军陈群、征东大将军曹休、抚军大将军司马懿，他们一齐领受曹丕遗诏，辅佐将要继承皇位的幼主曹睿。曹丕让后宫自淑媛、昭仪已下的妃嫔都出宫回到各自家中。丁巳，曹丕在嘉福殿逝世，终年四十岁。六月戊寅，把曹丕安葬在首阳陵，从殡敛到下葬，都是按照他生前的安排进行的。

起初，曹丕喜好文学，以撰写诗、赋、文、论为工作，自己写成的有将近一百篇。又让儒士们编撰前人所著的经书以及注释等，按类编排在一起，有一千余篇，称作《皇览》。

评论说：曹丕拥有上天赐给他的文采，下笔成章，博闻多识，记性过人，兼通才艺。如果他的器度能更大一些，以诚心待人，处事公平，勤勉地维护道义，增加对下属的恩德，那么，与古代贤能的君王，也就相距不远了。

# 先主刘备传

先主姓刘，讳备，字玄德，涿郡涿县人，汉景帝子中山靖王胜之后也。胜子贞，元狩六年封涿县陆城亭侯，坐酎金失侯，因家焉。先主祖雄，父弘，世仕州郡。雄举孝廉，官至东郡范令。

先主少孤，与母贩履织席为业。舍东南角篱上有桑树生高五丈余，遥望见童童如小车盖，往来者皆怪此树非凡，或谓当出贵人。先主少时，与宗中诸小儿于树下戏，言："吾必当乘此羽葆盖车。"叔父子敬谓曰："汝勿妄语，灭吾门也！"年十五，母使行学，与同宗刘德然、辽西公孙瓒俱事故九江太守同郡卢植。德然父元起常资给先主，与德然等。元起妻曰："各自一家，何能常尔邪！"起曰："吾宗中有此儿，非常人也。"而瓒深与先主相友。瓒年长，先主以兄事之。先主不甚乐读书，喜狗马、音乐、美衣服。身长七尺五寸，垂手下膝，顾自见其耳。少语言，善下人，喜怒不形于色。好交结豪侠，年少争附之。中山大商张世平、苏双等赀累千金，贩马周旋于涿郡，见而异之，乃多与之金财。先主由是得用合徒众。

**【译文】**

先主姓刘，名备，字玄德，涿郡涿县人，是汉景帝之子中山靖王刘胜的后代。刘胜的儿子刘贞，元狩六年受封为涿县陆城亭侯，因犯献酎金不合规格之罪而被削去了爵位，于是就在那里安了家。先主祖父刘雄，父亲刘弘，都做过州郡官。刘雄被推举为孝廉，官做到东郡范县县令。

先主年少时丧父，和母亲靠贩卖草鞋和织席为生。他家院子东南角的篱笆边上长着一棵桑树，高五丈多，远远望去，枝叶浓密，形状像小车盖，来往的人都觉得此树长得不同一般，有人说这家一定会出贵人。先主小时候，和同族的孩子们在树下玩耍，说："将来我一定要乘坐这种羽葆盖车。"叔父刘子敬对他说："你不要胡说，这是要灭我们刘家九族的！"先主十五岁时，母亲让他去游学，他和同族的刘德然、辽西郡的公孙瓒一起奉事前九江太守同郡人卢植。德然的父亲刘元起经常资助先主，把他与德然一样看待。元起的妻子说："各立门户，怎么能经常这样呢！"元起说："我们族中有这个孩子，不是一般的人。"公孙瓒和先主很要好。公孙瓒年龄大，先主以对待兄长之礼待他。先主不很喜欢读书，而喜爱狗马、音乐和好衣着。他身长七尺五寸，手臂垂下来过了膝盖，眼睛能看见自己的耳朵。平时寡言少语，好为人下，喜怒不露于声色。喜欢结交行侠仗义的人，年轻人争着依附于他。中山国大商人张世平、苏双等积累了价值千金的家财，到涿郡一带贩马，遇见先主，觉得他是个奇才，于是赠给他很多钱。先主因此能够用这笔钱组织起一支人马。

灵帝末，黄巾起，州郡各举义兵，先主率其属从校尉邹靖讨黄巾贼有功，除安喜尉。督邮以公事到县，先主求谒，不通，直入缚督邮，杖二百，解绶系其颈着马桩，弃官亡命。顷之，大将军何进遣都尉毋丘毅诣丹阳募兵，先主与俱行，至下邳遇贼，力战有功，除为下密丞。复去官。后为高唐尉，迁为令。为贼所破，往奔中郎将公孙瓒，瓒表为别部司马，使与青州刺史田楷以拒冀州牧袁绍。数有战功，试守平原令，后领平原相。郡民刘平素轻先主，耻为之下，使客刺之。客不忍刺，语之而去。其得人心如此。

袁绍攻公孙瓒，先主与田楷东屯齐。曹公征徐州，徐州牧陶谦遣使告急于田楷，楷与先主俱救之。时先主自有兵千余人及幽州乌丸杂胡骑，又略得饥民数千人。既到，谦以丹阳兵四千益先主，先主遂去楷归谦。谦表先主为豫州刺史，屯小沛。谦病笃，谓别驾麋竺曰："非刘备不能安此州也。"谦死，竺率州人迎先主，先主未敢当。下邳陈登谓先主曰："今汉室陵迟，海内倾覆，立功立事，在于今日。徐州殷富，户口百万，欲屈使君抚临州事。"先主曰："袁公路近在寿春，此君四世五公，海内所归，君可以州与之。"登曰："公路骄豪，非治乱之主。今欲为使君合步骑十万，上可以匡主济民，成五霸之业，下可以割地守境，书功于竹帛。若使君不见听许，登亦未敢听使君也。"北海相孔融谓先主曰："袁公路岂忧国忘家者邪？冢中枯骨，何足介意。今日之事，百姓与能，天与不取，悔不可追。"先主遂领徐州。袁术来攻先主，先主拒之于盱眙、淮阴。曹公表先主为镇东将军，封宜城亭侯，是岁建安元年也。先主与术相持经月，吕布乘虚袭下邳。下邳守将曹豹反，间迎布。布虏先主妻子，先主转军海西。杨奉、韩暹寇徐、扬间，先主邀击，尽斩之。先主求和于吕布，布还其妻子。先主遣关羽守下邳。

【译文】

汉灵帝末年，黄巾起义爆发，各州郡都组织起镇压黄巾起义的义兵，先主率其部属跟随校尉邹靖讨伐黄巾贼有功，授官为安喜县尉。督邮因为公事到县里来，先主求见，不给通报，先主便径直闯进去，捆住督邮，打了二百杖，并解下系印的丝带拴住他的脖子，把他捆在了马桩上，然后自己弃官逃走。不久，大将军何进派遣都尉毋丘毅到丹阳郡招兵，先主应募和他一起上路，到下邳县时遇上了强盗，先主奋力搏斗，立了功，被任命为下密县丞。不久又放弃了这一官职。后来做了高唐县尉，之后又升任县令。没多久，该县被盗贼攻破，先主逃到中郎将公孙瓒那里，公孙瓒上表举荐他为别部司马，让他与青州刺史田楷一起来抵御冀州牧袁绍。他多次立下战功，又让他暂时代理平原县令，后兼任平原国相。郡中有个叫刘平的人，一向瞧不起先主，耻于受他管辖，派刺客去刺杀先主，刺客不忍心下手，向先主讲了此事便走了。先主就是这样的得人心。

袁绍进攻公孙瓒，先主和田楷向东驻扎齐地。曹公攻打徐州，徐州牧陶谦派使者向田楷告急，田楷和先主一起去救援。当时先主自己有兵一千多人，还有幽州乌丸各部族的一群骑兵，又抓来了几千饥民。到徐州后，陶谦把丹阳郡四千兵增拨给先主，先主于是离开田楷，归附陶谦。陶谦上表请封先主为豫州刺史，屯驻小沛。陶谦病危时，对别驾麋竺说："除了刘备，再没有人能安定徐州了。"陶谦死后，麋竺率领本州绅民迎接先主，先主不敢接受。下邳人陈登劝告先主说："今日汉室衰微，天下将要覆没，创立功业，就在今日这个时机。徐州殷实富裕，户口有百万，希望委屈您来主持州事。"先主说："袁公路近在寿春，他家四代人出了五个公卿，天下人心归附，您可以将州事委托给他。"陈登说："袁公路骄傲自负，不是治理乱世的人才。现在我们想给您纠集十万步、骑兵，成功的话，就可辅佐皇帝，救济人民，成就五霸的事业；否则也可以割据一方，守土安民，功垂史册。如果您不听我的意见，不答应我们的请求，那我陈登也不敢听从您的意见了。"北海国相孔融对先主说："难道袁公路是忧国忘家的人吗？他不过是坟墓中的一堆枯骨，有什么值得注意的。现在的情况是百姓拥戴贤能之士，天赐良机而不接受，后悔就来不及了。”于是，先主就接管了徐州。袁术来攻打先主，先主在盱眙、淮阴一带进行抵抗。曹公上表请求授与先主镇东将军之职，封为宜城亭侯，这一年是建安元年。先主与袁术相持一个月以上，吕布乘虚袭击下邳。下邳守将曹豹反叛，暗迎吕布。吕布俘虏了先主的妻子儿女，先主把军队撤到海西。杨奉、朝暹又在徐州、扬州一带骚扰，先主截击，把他们全部消灭。先主向吕布求和，吕布交还了他的妻子儿女。先主派关羽防守下邳。

先主还小沛，复合兵得万余人。吕布恶之，自出兵攻先主，先主败走归曹公。曹公厚遇之，以为豫州牧。将至沛收散卒，给其军粮，益与兵使东击布。布遣高顺攻之，曹公遣夏侯惇往，不能救，为顺所败，复虏先主妻子送布。曹公自出东征，助先主围布于下邳，生禽布。先主复得妻子，从曹公还许。表先主为左将军，礼之愈重，出则同舆，坐则同席。袁术欲经徐州北就袁绍，曹公遣先主督朱灵、路招要击术。未至，术病死。

先主未出时，献帝舅车骑将军董承辞受帝衣带中密诏，当诛曹公。先主未发。是时曹公从容谓先主曰：“今天下英雄，唯使君与操耳。本初之徒，不足数也。”先主方食，失匕箸。遂与承及长水校尉种辑、将军吴子兰、王子服等同谋。会见使，未发。事觉，承等皆伏诛。

先主据下邳。灵等还，先主乃杀徐州刺史车胄，留关羽守下邳，而身还小沛。东海昌霸反，郡县多叛曹公为先主，众数万人，遣孙乾与袁绍连和，曹公遣刘岱、王忠击之，不克。五年，曹公东征先主，先主败绩。曹公尽收其众，虏先主妻子，并禽关羽以归。

**【译文】**

先主回到小沛，又集结一万多人的军队。吕布忌恨他，亲自带兵攻打先主，先主战败逃亡，归附了曹公。曹公厚待他，任他为豫州牧。先主想要去沛地收集散兵，曹公给他拨了军粮，补充了兵员，让他向东攻打吕布。吕布派高顺迎击先主，曹公派夏侯惇前来增援先主，但被高顺打败，无法救援先主，高顺又俘虏了先主的妻子儿女，送给吕布。曹公亲自出兵东征，帮助先主把吕布包围在下邳，并活捉了他。先主复得妻子儿女，跟随曹公回到许县。曹公上表封先主为左将军，待他的礼节越来越隆重，出则同乘一辆车，坐就同坐一张席。袁术想经过徐州北上去袁绍那里，曹公派先主督率朱灵、路招截击袁术。袁术未到，就病死了。

先主出兵前，汉献帝的丈人、车骑将军董承曾接受汉献帝写在衣带上的密诏，要先主诛灭曹操。先主没有行动。这时，曹操闲谈着对先主说："现在天下的英雄，只有您和我了。袁本初那些人，是算不上数的。"当时先主正在吃饭，听得此话，惊得勺子和筷子都掉到了地上。于是，先主便与董承以及长水校尉种辑、将军吴子兰、王子服等人一起商谈对策。适逢先主又被派出去打仗，没有行动。这件事暴露后，董承等都被杀了。

先主离开了曹公，占据了下邳。朱灵等人返回以后，先主就杀死徐州刺史车胄，留下关羽镇守下邳，自己回到小沛。东海郡的昌霸反叛，很多郡县叛离曹公归附先主，军队有几万人，先主派孙乾去与袁绍联盟讲和，曹公派刘岱、王忠去攻打他，没有攻下。建安五年，曹公向东征讨先主，先主大败，曹公全数收编了他的军队，俘虏了先主的妻子、儿女，并活捉关羽而还。

先主走青州。青州刺史袁谭，先主故茂才也，将步骑迎先主。先主随谭到平原，谭驰使白绍。绍遣将道路奉迎，身去邺二百里，与先主相见。驻月余日，所失亡士卒稍稍来集。曹公与袁绍相拒于官渡，汝南黄巾刘辟等叛曹公应绍。绍遣先主将兵与辟等略许下。关羽亡归先主。曹公遣曹仁将兵击先主，先主还绍军，阴欲离绍，乃说绍南连荆州牧刘表。绍遣先主将本兵复至汝南，与贼龚都等合，众数千人。曹公遣蔡阳击之，为先主所杀。

曹公既破绍，自南击先主。先主遣麋竺、孙乾与刘表相闻，表自郊迎，以上宾礼待之，益其兵，使屯新野。荆州豪杰归先主者日益多，表疑其心，阴御之。使拒夏侯惇、于禁等于博望。久之，先主设伏兵，一旦自烧屯伪遁，惇等追之，为伏兵所破。

十二年，曹公北征乌丸，先主说表袭许，表不能用。曹公南征表，会表卒，子琮代立，遣使请降。先主屯樊，不知曹公卒至，至宛乃闻之，遂将其众去。过襄阳，诸葛亮说先主攻琮，荆州可有。先主曰："吾不忍也。”乃驻马呼琮，琮惧不能起。琮左右及荆州人多归先主。比到当阳，众十余万，辎重数千两，日行十余里，别遣关羽乘船数百艘，使会江陵。或谓先主曰：“宜速行保江陵，今虽拥大众，被甲者少，若曹公兵至，何以拒之？”先主曰：“夫济大事必以人为本，今人归吾，吾何忍弃去！”

【译文】

先主逃到青州。青州刺史袁谭是先主先前举荐的茂才，他率领步、骑兵前来迎接先主。先主随袁谭来到平原，袁谭派使者快马飞报袁绍。袁绍派部将前往迎接，还亲自到邺城两百里以外，和先主相见。在这里住了一个多月，先主以前流散逃亡的士卒，渐渐集中。曹公和袁绍在官渡相持，汝南郡的黄巾军首领刘辟等叛离曹公，响应袁绍。袁绍派遣先主率兵与刘辟等夺取许县。关羽逃归先主。曹公派曹仁率兵攻打先主，先主归还袁绍的军队，私下里想离开袁绍，就劝说袁绍向南与荆州牧刘表结好。袁绍派先主带领本部军队再到汝南，与贼兵龚都等会合，共有几千人。曹公派蔡阳攻打他们，蔡阳被先主杀死。

曹公攻破袁绍以后，从南面攻打先主。先主派麋竺、孙乾和刘表互通消息，刘表亲自到郊外迎接，以上宾的礼节对待他们，增加了先主的兵力，让他屯驻在新野。荆州的英雄豪杰归附先主的日益增多，刘表怀疑先主的用心，暗中防备他，派先主去抵抗夏侯惇、于禁等。过了一段时间，先主设下伏兵，一天早晨自己烧毁营房，假装逃跑，夏侯惇等追击他们，被伏兵打败。

建安十二年，曹公向北征讨乌丸，先主劝刘表袭击许昌，刘表不接受。曹公向南征讨刘表，适逢刘表刚刚死去，他的儿子刘琮继位，派使者向曹公求降。当时先主驻军攀城，没料到曹兵突然来到，曹兵到了宛城，他才听到消息，于是带领军队撤离攀城。路过襄阳时，诸葛亮劝先主攻打刘琮，可占有荆州。先主说：“我不忍心这样做。”就停下马招呼刘琮。刘琮吓得站不起来。刘琮的近臣以及荆州的很多人都归附了先主。等到达当阳时，跟随先主的已有十余万人，军需物资装了几千辆车，每天走十几里路，另派关羽带几百艘船走水路，让他和自己到江陵会合。有人对先主说：“应该快速前进保住江陵，现在虽然有很多人，但是能披甲打仗的人却很少，如果曹操的军队赶上来，怎么来抵挡他们？”先主说：“成就大事必须以得人心为根本，现在百姓都来归附我，我怎么能忍心抛弃他们呢！”

曹公以江陵有军实，恐先主据之，乃释辎重，轻军到襄阳。闻先主已过，曹公将精骑五千急追之，一日一夜行三百余里，及于当阳之长坂。先主弃妻子，与诸葛亮、张飞、赵云等数十骑走，曹公大获其人众辎重。先主斜趋汉津，适与羽船会，得济沔，遇表长子江夏太守琦众万余人，与俱到夏口。先主遣诸葛亮自结于孙权，权遣周瑜、程普等水军数万，与先主并力，与曹公战于赤壁，大破之，焚其舟船。先主与吴军水陆并进，追到南郡，时又疾疫，北军多死，曹公引归。

先主表琦为荆州刺史，又南征四郡。武陵太守金旋、长沙太守韩玄、桂阳太守赵范、零陵太守刘度皆降。庐江雷绪率部曲数万口稽颡。琦病死，群下推先主为荆州牧，治公安。权稍畏之，进妹固好。先主至京见权，绸缪恩纪。权遣使云欲共取蜀，或以为宜报听许，吴终不能越荆有蜀，蜀地可为己有。荆州主簿殷观进曰：“若为吴先驱，进未能克蜀，退为吴所乘，即事去矣。今但可然赞其伐蜀，而自说新据诸郡，未可兴动，吴必不敢越我而独取蜀。如此进退之计，可以收吴、蜀之利。”先主从之，权果辍计。迁观为别驾从事。

**【译文】**

曹公估计江陵储备的军用物资丰富，害怕先主占有，就丢下装载军需物资的车辆，轻装赶到襄阳。听说先主已经过去了，曹公便率五千精锐骑兵，一日一夜行军三百余里，在当阳县的长坂追上了先主。先主丢下妻子儿女，与诸葛亮、张飞、赵云等数十人骑马逃跑，曹公俘获了大量的人马和辎重。先主抄近路跑往汉津，正好与关羽的船队相遇，得以渡过沔水，碰上刘表的长子江夏太守刘琦率部一万多人，与他们一起到了夏口。先主派诸葛亮和孙权结盟，孙权派周瑜、程普等率水军数万人和先主合力，与曹公在赤壁交战，大败曹军，烧毁了他们的战船。先主和东吴的军队从水上、陆上同时并进，一直追到南郡；当时又发生了疫病，北方的军队死亡很多，曹公只好率军撤回北方。

先主上表请封刘琦为荆州刺史，又率军讨伐南方四郡。武陵太守金旋、长沙太守韩玄、桂阳太守赵范、零陵太守刘度都投降了。庐江郡的雷绪也率领几万私人武装来投降。刘琦病死后，众部下推举先主为荆州牧，治所设在公安县。孙权渐渐地怕先主会威胁自己，就把妹妹嫁给他，以巩固友好关系。先主到京城去会见孙权，彼此非常亲密。孙权派使者游说，想联合先主一起攻打蜀郡，有人认为应当答应孙权，因为东吴终不能跨过荆州去占据蜀郡，这样蜀地就能被我们占有。荆州主簿殷观进言说："如果我们替东吴打先锋，向前不能攻下蜀郡，后退又会给东吴军以可乘之机，那么大事就不好了。现在只能在口头上赞同伐蜀，而同时告诉他们，我们刚刚占据了几个郡，不能再兴师动众，东吴一定不敢跨过我们的领土，而单独攻打蜀郡。像这样有进有退的计划，我们可以得到吴、蜀两方的好处。"先主听从了他的建议。孙权果然停止了他的计策。先主升殷观为别驾从事。

十六年，益州牧刘璋遥闻曹公将遣钟繇等向汉中讨张鲁，内怀恐惧。别驾从事蜀郡张松说璋曰："曹公兵强无敌于天下，若因张鲁之资以取蜀土，谁能御之者乎？"璋曰："吾固忧之而未有计。"松曰："刘豫州，使君之宗室而曹公之深仇也，善用兵，若使之讨鲁，鲁必破。鲁破，则益州强，曹公虽来，无能为也。"璋然之，遣法正将四千人迎先主，前后赂遗以巨亿计。正因陈益州可取之策。先主留诸葛亮、关羽等据荆州，将步卒数万人入益州。至涪，璋自出迎，相见甚欢。张松令法正白先主，及谋臣庞统进说，便可于会所袭璋。先主曰："此大事也，不可仓卒。"璋推先主行大司马，领司隶校尉；先主亦推璋行镇西大将军，领益州牧。璋增先主兵，使击张鲁，又令督白水军。先主并军三万余人，车甲器械资货甚盛。是岁，璋还成都。先主北到葭萌，未即讨鲁，厚树恩德，以收众心。

明年，曹公征孙权，权呼先主自救。先主遣使告璋曰："曹公征吴，吴忧危急。孙氏与孤本为唇齿，又乐进在青泥与关羽相拒，今不往救羽，进必大克，转侵州界，其忧有甚于鲁。鲁自守之贼，不足虑也。"乃从璋求万兵及资（实），欲以东行。璋但许兵四千，其余皆给半。张松书与先主及法正曰："今大事垂可立，如何释此去乎！"松兄广汉太守肃，惧祸逮己，白璋发其谋。于是璋收斩松，嫌隙始构矣。璋敕关戍诸将交书勿复关通先主。先主大怒，召璋白水军督杨怀，责以无礼，斩之。乃使黄忠、卓膺勒兵向璋。先主径至关中，质诸将并士卒妻子，引兵与忠、膺等进到涪，据其城。璋遣刘璝、冷苞、张任、邓贤等拒先主于涪，皆破败，退保绵竹。璋复遣李严督绵竹诸军，严率众降先主。先主军益强，分遣诸将平下属县，诸葛亮、张飞、赵云等将兵溯流定白帝、江州、江阳，惟关羽留镇荆州。先主进军围雒；时璋子循守城，被攻且一年。

【译文】

建安十六年，益州牧刘璋听说曹公将要派钟繇等进兵汉中讨伐张鲁，心中害怕。别驾从事蜀郡人张松劝刘璋说："曹公兵力强盛，天下无敌，如果他利用张鲁的物资来攻取蜀部，谁能抵抗住他呢？"刘璋说："我本来就担心此事，但是没有办法。"张松说："刘豫州是您的同宗，又与曹公有深仇，善于用兵，如果让他去讨伐张鲁，张鲁必败。张鲁败了，益州就会更强盛，曹公即使来了，也无能为力了。"刘璋认为他说得对，就派遣法正率领四千人去迎接先主，前后所赠送的礼物多得要以亿来计数。法正乘机向先主陈述攻取益州的方略。先主留下诸葛亮、关羽等驻守荆州，自己率领几万步兵进入益州，到了涪县，刘璋亲自出来迎接，见面时十分高兴。张松让法正禀告先主，等到谋臣庞统陈述意见时，就可以在会见的地方袭击刘璋。先主说："这是大事，不能操之过急。"刘璋推荐先主代理大司马，兼任司隶校尉；先主也推举刘璋代理镇西大将军，兼任益州牧。刘璋加强了先主的兵力，让他攻打张鲁，又命他监督白水的驻军。先主会集各军三万多人，车辆、盔甲、武器、物资很多。这一年，刘璋回到成都。先主向北到达葭萌，没有立刻讨伐张鲁，而是广施恩德，来收揽人心。

第二年，曹公征讨孙权，孙权向先主呼求援救。先主派使者告诉刘璋说："曹公攻打东吴，东吴担忧危急。孙氏和我本来是唇齿相依，加上乐进在青泥和关羽相持，现在不去救关羽，乐进一定会大胜，转而入侵益州地界，那比张鲁更令人担心。张鲁是盘踞一方的贼寇，不值得忧虑。"于是便向刘璋请求一万军队及军需物资，想要向东去。刘璋只答应给四千军队，其余东西只给一半。张松写信给先主及法正说："现在大事即将成功，怎么能放弃此事离开益州呢！"张松的哥哥广汉太守张肃，害怕祸事累及自己，向刘璋报告，揭发了他们的阴谋。因此刘璋逮捕并斩杀了张松，先主和刘璋之间的怨恨和裂痕开始产生。刘璋命令戍守关隘的各将领不要再将文书传送给先主。先主大怒，把刘璋的白水督军杨怀叫来，责备他没有礼节，杀了他。又派黄忠、卓膺统率军队进攻刘璋。先主直接到了白水关内，把诸将领和士卒的妻子儿女扣作抵押，统率军队与黄忠、卓膺等进入涪县，占据了县城。刘璋派刘璝、冷苞、张任、邓贤等在涪县抵御先主，都被打败，退守绵竹。刘璋又派李严去监管绵竹各军，李严率众投降了先主，先主的军队更加强大，分别派遣各将领平定下属各县，诸葛亮、张飞、赵云等率兵逆流而上，平定了白帝、江州、江阳，只有关羽留下来镇守荆州。先主进军围攻雒县，当时刘璋的儿子刘循守卫县城，被围攻了将近一年。

十九年夏，雒城破，进围成都数十日，璋出降。蜀中殷盛丰乐，先主置酒大飨士卒，取蜀城中金银分赐将士，还其谷帛。先主复领益州牧，诸葛亮为股肱，法正为谋主，关羽、张飞、马超为爪牙，许靖、糜竺、简雍为宾友。及董和、黄权、李严等本璋之所授用也，吴壹、费观等又璋之婚亲也，彭羕又璋之所排摈也，刘巴者宿昔之所忌恨也，皆处之显任，尽其器能。有志之士，无不竞劝。

二十年，孙权以先主已得益州，使使报欲得荆州。先主言："须得凉州，当以荆州相与。"权忿之，乃遣吕蒙袭夺长沙、零陵、桂阳三郡。先主引兵五万下公安，令关羽入益阳。是岁，曹公定汉中，张鲁遁走巴西。先主闻之，与权连和，分荆州，江夏、长沙、桂阳东属。南郡、零陵、武陵西属，引军还江州。遣黄权将兵迎张鲁，张鲁已降曹公。曹公使夏侯渊、张郃屯汉中，数犯暴巴界。先主令张飞进兵宕渠，与郃等战于瓦口，破郃等，郃收兵还南郑。先主亦还成都。

二十三年，先主率诸将进兵汉中。分遣将军吴兰、雷铜等入武都，皆为曹公军所没。先主次于阳平关，与渊、郃等相拒。

【译文】

建安十九年夏天，雒城被攻下，先主又进兵围困成都几十天，刘璋出城投降。蜀郡富裕强盛，物产丰富，人民安乐，先主设置酒席犒劳士卒，取出蜀城中的金银分赐给将士，把谷物、布帛归还原主。先主又兼任益州牧，诸葛亮是辅佐他的大臣，法正是出谋人，关羽、张飞、马超是武将，许靖、麋竺、简雍是贵宾。至于董和、黄权、李严等人，本是刘璋所委任的官员，吴壹、费观等又与刘璋有婚姻关系，彭羕是刘璋所排挤的人，刘巴一向被刘璋所忌恨，先主把他们都安排在显要的职位上，充分发挥他们的才能。有志之士，无不为此争相勉力。

建安二十年，孙权因为先主已经取得益州，派遣使者告知想要收回荆州。先主说："等得到凉州后，就把荆州交还。"孙权对此很气愤，就派吕蒙袭击夺取长沙、零陵、桂阳三郡。先主率兵五万人顺江而下进入公安，命令关羽进入益阳。这年，曹公平定汉中，张鲁逃往巴西。先主听到这个消息，和孙权联盟和好，分荆州湘水以东的江夏、长沙、桂阳三郡属东吴，以西的南郡、零陵、武陵属于蜀，然后领兵回到江州。先主派黄权率兵去迎接张鲁，张鲁已经投降曹公了。曹公派夏侯渊、张郃驻守汉中，屡次骚扰巴蜀郡界。先主命令张飞进兵宕渠，张飞和张郃等在瓦口交战，打败了张郃等人。张郃收兵回到南郑，先主也回到成都。

建安二十三年，先主率领诸将进军汉中。另派遣将军吴兰、雷铜等进入武都，都被曹公的军队消灭了。先主临时驻扎在阳平关，与夏侯渊、张郃等相持。

二十四年春，自阳平南渡沔水，缘山稍前，于定军山势作营。渊将兵来争其地。先主命黄忠乘高鼓噪攻之，大破渊军，斩渊及曹公所署益州刺史赵颙等。曹公自长安举众南征。先主遥策之曰："曹公虽来，无能为也，我必有汉川矣。"及曹公至，先主敛众拒险，终不交锋，积月不拔，亡者日多。夏，曹公果引军还，先主遂有汉中。遣刘封、孟达、李平等攻申耽于上庸。

秋，群下上先主为汉中王，表于汉帝曰："平西将军都亭侯臣马超、左将军（领）长史镇军将军臣许靖、营司马臣庞羲、议曹从事中郎军议中郎将臣射援、军师将军臣诸葛亮、荡寇将军汉寿亭侯臣关羽、征虏将军新亭侯臣张飞、征西将军臣黄忠、镇远将军臣赖恭、扬武将军臣法正、兴业将军臣李严等一百二十人上言曰：昔唐尧至圣而四凶在朝，周成仁贤而四国作难，高后称制而诸吕窃命，孝昭幼冲而上官逆谋，皆冯世宠，藉履国权，穷凶极乱，社稷几危。非大舜、周公、朱虚、博陆，则不能流放禽讨，安危定倾。伏惟陛下诞姿圣德，统理万邦，而遭厄运不造之艰。董卓首难，荡覆京畿，曹操阶祸，窃执天衡；皇后太子，鸩杀见害，剥乱天下，残毁民物。久令陛下蒙尘忧厄，幽处虚邑。人神无主，遏绝王命，厌昧皇极，欲盗神器。左将军领司隶校尉豫、荆、益三州牧宜城亭侯备，受朝爵秩，念在输力，以殉国难。睹其机兆，赫然愤发，与车骑将军董承同谋诛操，将安国家，克宁旧都。会承机事不密，令操游魂得遂长恶，残泯海内。臣等每惧王室大有阎乐之祸，小有定安之变，夙夜惴惴，战栗累息。昔在《虞书》，敦序九族，周监二代，封建同姓，《诗》著其义，历载长久。汉兴之初，割裂疆土，尊王子弟，是以卒折诸吕之难，而成太宗之基。臣等以备肺腑枝叶，宗子藩翰，心存国家，念在弭乱。自操破于汉中，海内英雄望风蚁附，而爵号不显，九锡未加，非所以镇卫社稷，光昭万世也。奉辞在外，礼命断绝。昔河西太守梁统等值汉中兴，限于山河，位同权均，不能相率，咸推窦融以为元帅，卒立效绩，摧破隗嚣。今社稷之难，急于陇、蜀，操外吞天下，内残群寮，朝廷有萧墙之危，而御侮未建，可为寒心。臣等辄依旧典，封备汉中王，拜大司马，董齐六军，纠合同盟，扫灭凶逆。以汉中、巴、蜀、广汉、犍为为国，所署置依汉初诸侯王故典。夫权宜之制，苟利社稷，专之可也。然后功成事立，臣等退伏矫罪，虽死无恨。”遂于沔阳设坛场，陈兵列众，群臣陪位，读奏讫，御王冠于先主。

**【译文】**

建安二十四年春天，先主从阳平关向南渡过沔水，顺着山脚渐渐推进，在定军山扎营。夏侯渊带兵来争夺这块地方。先主命令黄忠登到高处击鼓呐喊进行反攻，大败了夏侯渊的军队，杀了夏侯渊以及曹公所任命的益州刺史赵颙等人。曹公从长安率领大批人马南征。先主预言说：“曹公虽然亲自来了，也是无能为力的，我们一定能占有汉川。”等曹公到了，先主集结部队凭借险要地势与其对峙，始终不与曹军交战，曹公一个月也攻不下来，逃跑的士兵日益增多。夏季到了，曹公果然领兵撤回，先主就占有了汉中。派刘封、孟达、李平等在上庸郡进攻申耽。

秋天，群臣呈表请立先主为汉中王，上表给汉献帝说："平西将军都亭侯臣马超、左将军（领）长史镇军将军臣许靖、营司马臣庞羲、议曹从事中郎军议中郎将臣射援、军师将军臣诸葛亮、荡寇将军汉寿亭侯臣关羽、征虏将军新亭侯臣张飞、征西将军臣黄忠、镇远将军臣赖恭、扬武将军臣法正、兴业将军臣李严等一百二十人上奏章说：古代至圣唐尧的时候，朝廷有四个奸臣，仁贤的周成王有四个反叛的诸侯国，汉高祖的皇后行使皇帝权力而诸吕盗用了君权，汉昭帝年幼而上官桀阴谋叛逆，这些人都是凭借世代相传的恩宠，执掌了国家大权，穷凶极恶，混乱不堪，国家将要倾覆。如果不是有大舜、周公、朱虚侯刘章、博陆侯霍光，就不可能对这些人进行流放、捉拿和讨伐，扶助倾危，使之安定。俯伏思惟，陛下以魁伟的姿容和极高的品德治理天下，却遭受了许多困苦、不幸与艰险，董卓首先倡乱，动摇倾覆了京师，曹操又挑起祸端，窃取了帝王之权，皇后和太子被他毒害，扰乱了天下，摧残了百姓，毁坏了财物。很长时间以来让陛下蒙受逃亡之苦，忧愁困顿，困居空城。太庙无人祭祀、人臣无君主统治，（曹操）拦截阻断帝王诏令，窥测帝王之位，妄图篡夺政权。左将军兼任司隶校尉，豫、荆、益三州牧，宜城亭侯刘备，接受朝廷的爵位和俸禄，常想为汉室尽力，来为国难献身。看到事机的先兆，奋发起来，采取果断行动，和车骑将军董承一起谋划诛杀曹操，要使国家安宁，恢复旧日京城，只因董承对事机保密不好，才让曹操苟延残喘，得以滋长其罪恶，残害国家。我们经常担心王室，大则有阎乐杀秦二世这类的祸患，小则有王莽废孺子婴为定安公那样的政变，故朝夕恐惧不安，战战兢兢，不敢呼吸。以前的《虞书》上记载，以宽厚的态度次第对待同族或近亲，周朝的礼仪制度是以夏商两代为根据，分封建立了同姓诸侯国，这些《诗经》都已宣扬了它的义理，历时长久。汉朝刚建立时，分割国土，尊崇王室子弟建立王国，因此终于挫败了诸吕的叛乱，完成了太宗的基业。我们认为，刘备是皇帝后裔，王室的屏藩，一心忧虑国家，想着消除叛乱。自从曹操在汉中失败后，国内英雄纷纷聚集在刘备周围，可他的爵位名号不显赫，没有赐给九锡，这不是镇守保卫国家、让他的功德光耀万代的做法。我等奉诏令在外，朝廷按礼制规定的百官升迁的文书与我们也断绝了。过去河西太守梁统等人在汉室中兴的时候，被山河阻隔限制，几郡的郡守地位、权力一样高，无法相互统率，都推举窦融为元帅，终于立下功绩，摧毁了隗嚣政权。现在国家的忧患，比东汉初年隗嚣割据陇西、公孙述称帝于蜀时更紧迫。曹操在外要吞并天下，在内残害众官员，朝廷有发生内讧的危险，而王室宗亲还没有同心协力抗御曹操，实在让人心寒。我们擅自依照旧有的典章制度，立刘备为汉中王，授官大司马，监督整肃六军，联络同盟，消灭叛逆。以汉中、巴、蜀、广汉、犍为等郡的土地建立封国，设置官署、任命人员依照汉初诸侯王的旧例。这种因事而变的制度，如果能对国家有利，专权行事也是可以的。这样之后功业可以建立，大事能够完成。那时我们退而承担假托诏命之罪，即使死了也无悔恨。”于是在沔阳设下坛场，军队和百姓排列整齐，众官员陪位，读完奏章，把王冠戴在了先主头上。

先主上言汉帝曰：“臣以具臣之才，荷上将之任，董督三军，奉辞于外，不得扫除寇难，靖匡王室，久使陛下圣教陵迟，六合之内，否而未泰，惟忧反侧，疢如疾首。曩者董卓造为乱阶，自是之后，群凶纵横，残剥海内。赖陛下圣德威灵，人神同应，或忠义奋讨，或上天降罚，暴逆并殪，以渐冰消。惟独曹操，久未枭除，侵擅国权，恣心极乱。臣昔与车骑将军董承图谋讨操，机事不密，承见陷害，臣播越失据，忠义不果。遂得使操穷凶极逆，主后戮杀，皇子鸩害。虽纠合同盟，念在奋力，懦弱不武，历年未效。常恐殒没，孤负国恩，寤寐永叹，夕惕若厉。今臣群寮以为在昔《虞书》敦叙九族，庶明励翼，五帝损益，此道不废。周监二代，并建诸姬，实赖晋、郑夹辅之福。高祖龙兴，尊王子弟，大启九国，卒斩诸吕，以安大宗。今操恶直丑正，实繁有徒，包藏祸心，篡盗已显。既宗室微弱，帝族无位，斟酌古式，依假权宜，上臣大司马汉中王。臣伏自三省，受国厚恩，荷任一方，陈力未效，所获已过，不宜复忝高位以重罪谤。群寮见逼，迫臣以义。臣退惟寇贼不枭，国难未已，宗庙倾危，社稷将坠，成臣忧责碎首之负。若应权通变，以宁靖圣朝，虽赴水火，所不得辞，敢虑常宜，以防后悔。辄顺众议，拜受印玺，以崇国威。仰惟爵号，位高宠厚，俯思报效，忧深责重，惊怖累息，如临于谷。尽力输诚，奖厉六师，率齐群义，应天顺时，扑讨凶逆，以宁社稷，以报万分。谨拜章因驿上还所假左将军、宜城亭侯印绶。”于是还治成都。拔魏延为都督，镇汉中。时关羽攻曹公将曹仁，禽于禁于樊。俄而孙权袭杀羽，取荆州。

二十五年，魏文帝称尊号，改年曰黄初。或传闻汉帝见害，先主乃发丧制服，追谥曰孝愍皇帝。是后在所并言众瑞，日月相属，故议郎阳泉侯刘豹、青衣侯向举、偏将军张裔、黄权、大司马属殷纯、益州别驾从事赵莋、治中从事杨洪、从事祭酒何宗、议曹从事杜琼、劝学从事张爽、尹默、谯周等上言：“臣闻《河图》、《洛书》，五经谶、纬，孔子所甄，验应自远。谨案《洛书甄曜度》曰：‘赤三日德昌，九世会备，合为帝际。’《洛书宝号命》曰：‘天度帝道备称皇，以统握契，百成不败。’《洛书录运期》曰：‘九侯七杰争命民炊骸，道路籍籍履人头，谁使主者玄且来。’《孝经钩命决录》曰：‘帝三建九会备。’臣父群未亡时，言西南数有黄气，直立数丈，见来积年，时时有景云祥风，从璇玑下来应之，此为异瑞。又二十二年中，数有气如旗，从西竟东，中天而行，《图》、《书》曰‘必有天子出其方’。加是年太白、荧惑、填星，常从岁星相追。近汉初兴，五星从岁星谋；岁星主义，汉位在西，义之上方，故汉法常以岁星侯人主。当有圣主起于此州，以致中兴。时许帝尚存，故群下不敢漏言。顷者荧惑复追岁星，见在胃昴毕；昴毕为天纲，《经》曰‘帝星处之，众邪消亡’。圣讳豫睹，推揆期验，符合数至，若此非一。臣闻圣王先天而天不违，后天而奉天时，故应际而生，与神合契。愿大王应天顺民，速即洪业，以宁海内。”

**【译文】**

先主向汉帝上奏说：“臣以备位充数之才，担负了上将的重任，监督统率三军，奉诏命在外，不能扫除贼寇叛乱，平定扶持王室，长期让陛下圣明的教化衰微，全国上下混乱而不得太平，我思虑忧愁，辗转反侧，夜不能寐，忧病日益加深，像头痛一样难受。从前董卓制造了混乱，从那以后，大批恶人到处横行，残害天下。靠着陛下极高的品德和威力，人、神都来相助，或者是忠臣义士奋起讨伐，或者是上天降罪惩罚，横暴逆乱被消灭了，就像冰雪渐渐消融一样。只有曹操，长时期没能消除，篡夺国家的权力，肆意将国家搞得极其混乱。我以前和车骑将军董承谋划讨伐曹操，事情保密不严，董承被害死，我流离失所，想对朝廷尽忠义之道却没有实现。于是使曹操穷凶极恶，做尽坏事，皇后被杀害，皇太子被毒死。我虽然组集盟军，想着奋发努力，但秉性懦弱而不能用武，经历多年而没有成效。常常担心突然死去而辜负了国家的恩德，睡梦中一直在叹息，白天黑夜都在戒惧，丝毫不敢懈怠。现在我的属吏们认为在以前的《虞书》上记载着‘以宽厚的态度次第对待同族和近亲，使他们贤明起来，努力辅佐你治理国家’，五帝对此有增删，但其中的道理经久不衰。周朝根据夏、商两代的礼制，一起建立了许多姬姓的国家，确实是依靠了晋、郑二国共同的辅佐。高祖创立汉王朝，尊崇王室子弟，创建了九个王国，终于诛灭了诸吕，安定了嫡子大宗。如今曹操憎恶正直的人，实在还有不少这样的人，隐藏着险恶的用心，篡权窃国的迹象已经显露。宗室已经衰弱，帝族中没有在重位的大臣，反复衡量考虑古代的范例，按照一种权宜之计，他们拥立我为大司马汉中王。我反复检查自己，接受了国家的大恩，担当一方的重任，出了力还未见成效，所得到的官职已经过了头，不应当再有愧于这么崇高的位置而遭人更大的非议。诸位同僚以大义逼迫我称王。我退而考虑，寇贼不灭，国难不停，王室将要倾覆，国家将要灭亡，这些都成了我忧虑职责未尽而又求以死报国的负担。如果适应需要而改变方法，能安定朝廷，即使赴汤蹈火，也在所不辞，岂敢按常规考虑，来防备日后的悔恨。故擅自顺应了大家的要求，拜受了印玺，来提高国家的声威。我抬头考虑自己的爵位和名号，位置高，受到的宠爱深厚，低头想到报效朝廷之事，忧虑很深，责任重大，惊惧不安而呼吸急促，就像面临绝境一样。竭尽全力向朝廷奉献忠诚，劝勉六军，率领整顿各路义军，顺应天时，讨伐、扑灭凶恶的叛贼，来安定国家，以报答陛下万分之一的恩德。谨呈上奏章，派驿使送还原来授与的左将军、宜城亭侯的印绶。”于是返回成都建立都城。提拔魏延为都督，镇守汉中。当时关羽正在攻打曹公的将领曹仁，在樊城活捉于禁。不久，孙权袭击交杀害了关羽，夺取了荆州。

建安二十五年，魏文帝曹丕称帝，改年号为黄初。有传闻说汉献帝被害死了，先主就向全国公告汉献帝之死，并为他穿丧服，追加谥号为孝愍皇帝。此后各地都报告种种祥瑞，每日每月这类的事接踵而至，原来的议郎阳泉侯刘豹、青衣侯向举、偏将军张裔、黄权、大司马属殷纯、益州别驾从事赵莋、治中从事杨洪、从事祭酒何宗、议曹从事杜琼、劝学从事张爽、尹默、谯周等上奏章说："我听说《河图》、《洛书》、五经、谶纬，是孔子阐明经文而流传下来的，应验自然久远。根据《洛书甄曜度》记载：'尚赤的第三个人主出现，国家才能昌盛，经历多代碰到名字叫备的，应当称帝。'《洛书宝号命》记载：'天运和帝王之道都该由名字叫备的称帝，以皇室正统的资格掌握王命，总能成功不会失败。'《洛书录运期》记载：'九侯七杰争着让百姓用人骨头烧饭，道路上行人踏着纵横交错的人头走路，让谁做人主呢？名中有玄字的就要来了。'《孝经钩命决录》记载：'上帝已经很多次见了备。'周群的父亲在世时，说西南多次出现黄气，径直向上有几丈高，已经出现许多年了，常常有祥瑞的云气和吉祥的风，从璇玑下来与黄气相呼应，这是非常吉祥的预兆。又在建安二十二年，多次看到有一股像旗子一样的云气从西到东，在天空的中央走动，《图》、《书》上解释说：'一定会有天子在那里出现。'再加上那年太白、荧惑、填星，常常跟着岁星移动。汉朝刚刚兴起时，五星就跟随着岁星在一起；岁星与五常中的义相配，汉高祖兴起之地汉中西方，正是义所在的方位，因此汉朝常常以岁星来占验人主。应当有圣明的君主从这个州兴起，来成就中兴大业。当时许都的汉献帝还在，因此群臣不敢把它说出来。近来荧惑又随着岁星运转，出现在胃、昴、毕三个星宿之间；昴、毕是天体的中枢部位，《星经》说：'帝星处在这个位置上，一切邪恶都将消灭。'您的名字已经在谶、纬中预见到了，推求应验的时间，人事与天降符命相合的运数，像这样的事不只一件。我听说圣明的君主走在天象之前而天不违背他，走在天象之后就依天时行事，故能顺应天时而产生，与神相契合。希望大王顺应天命，顺从民心，立即登上帝位，来使国家安定。"

太傅许靖、安汉将军麋竺、军师将军诸葛亮、太常赖恭、光禄勋黄权、少府王谋等上言："曹丕篡弑，湮灭汉室，窃据神器，劫迫忠良，酷烈无道。人鬼忿毒，咸思刘氏。今上无天子，海内惶惶，靡所式仰。群下前后上书者八百余人，咸称述符瑞，图、谶明征。间黄龙见武阳赤水，九日乃去。《孝经援神契》曰'德至渊泉则黄龙见'，龙者，君之象也。《易》乾九五'飞龙在天'，大王当龙升，登帝位也。又前关羽围樊、襄阳，襄阳男子张嘉、王休献玉玺，玺潜汉水，伏于渊泉，晖景烛耀，灵光彻天。夫汉者，高祖本所起定天下之国号也，大王袭先帝轨迹，亦兴于汉中也。今天子玉玺神光先见，玺出襄阳，汉水之末，明大王承其下流，授与大王以天子之位，瑞命符应，非人力所致。昔周有乌鱼之瑞，咸曰休哉。二祖受命，《图》、《书》先著，以为征验。今上天告祥，群儒英俊并进，《河》、《洛》、孔子谶记咸悉具至。伏惟大王出自孝景皇帝中山靖王之胄，本支百世，乾祇降祚，圣姿硕茂，神武在躬，仁覆积德，爱人好士，是以四方归心焉。考省灵图，启发谶、纬，神明之表，名讳昭著。宜即帝位，以纂二祖，绍嗣昭穆，天下幸甚。臣等谨与博士许慈、议郎孟光，建立礼仪，择令辰，上尊号。”即皇帝位于成都武担之南。为文曰："惟建安二十六年四月丙午，皇帝备敢用玄牡，昭告皇天上帝后土神祇：汉有天下，历数无疆。曩者王莽篡盗，光武皇帝震怒致诛，社稷复存。今曹操阻兵安忍，戮杀主后，滔天泯夏，罔顾天显。操子丕，载其凶逆，窃居神器。群臣将士以为社稷堕废，备宜修之，嗣武二祖，龚行天罚。备惟否德，惧忝帝位。询于庶民，外及蛮夷君长，佥曰'天命不可以不答，祖业不可以久替，四海不可以无主'。率土式望，在备一人。备畏天明命，又惧汉阼将湮于地，谨择元日，与百寮登坛，受皇帝玺绶。修燔瘗，告类于天神，惟神飨祚于汉家，永绥四海！"

章武元年夏四月，大赦，改年。以诸葛亮为丞相，许靖为司徒。置百官，立宗庙，祫祭高皇帝以下。五月，立皇后吴氏，子禅为皇太子。六月，以子永为鲁王，理为梁王。车骑将军张飞为其左右所害。初，先主忿孙权之袭关羽，将东征，秋七月，遂帅诸军伐吴。孙权遣书请和，先主盛怒不许，吴将陆议、李异、刘阿等屯巫、秭归；将军吴班、冯习自巫攻破异等，军次秭归，武陵五谿蛮夷遣使请兵。

【译文】

太傅许靖、安汉等军麋竺、军师将军诸葛亮、太常赖恭、光禄勋黄权，少府王谋等人一起上书说："曹丕杀死皇帝自己篡夺了皇位，灭掉了汉室，窃取了国家大权，胁持逼迫忠臣良将，极其残酷没有德行。人与鬼都极其愤恨，都渴望刘氏重新掌权。现在上无天子，国内人心不安，没有可以敬仰的人。群臣前后上书的有八百多人，都述说祥瑞的征兆，图谶也显示了明显的征验。近来武阳县的赤水出现黄龙，九天才隐没。《孝经援神契》说：‘品德达到很高的境界才会有黄龙出现。’龙，是君王的象征。《易·乾》九五‘龙飞在天上’，大王应当乘龙升天，登上帝王之位，先前关羽围攻樊城、襄阳，襄阳男子张嘉、王休献出玉玺，玉玺掉入汉水，潜伏在最深处，光辉照耀，神异的光彩一直通到天上。汉原是高祖兴起平定天下时确定的国号，大王因袭先帝的典范，也是在汉中兴起的。如今天子玉玺的神光预先出现，玉玺从襄阳的汉水下游捞出来，说明大王是承继先帝的后代，把天子之位授于大王，是吉祥的征兆与人事相应合，这不是人力所能达到的。过去周期出现过白鱼、赤乌的祥瑞，都说是好的征兆。高祖和世祖接受天命，《河图》、《洛书》都预先有记载，作为征兆应验的证明。现在上天显示祥瑞，众多的儒者和英雄豪杰，共同挖掘出《河图》、《洛书》中的机密，还有孔子的图谶著述，全部征兆都具备了。大王是孝景帝之子中山靖王的后代，嫡系和庶出的子孙传了百代，天地降福。有天子的姿容，德高学博，自身神明威武，仁义覆于天下，恩德积于四海，喜爱人才，结交贤德之士，因此四方的人倾心依附。考察《灵图》，根据谶、纬，神灵显示的名字非常明显。应当登上帝王之位，来继承二祖的帝业，接续宗庙的位次，天下人都会非常荣幸。我们谨与博士许慈、议郎孟光，制定登基的仪式，选择吉日，向您奉上尊号。”先主在成都武担山之南即皇帝位。撰写祭文说：“建安二十六年四月初六，皇帝刘备冒昧地献上黑色牲畜，向天神、地神明白宣告：汉朝拥有天下，传世无穷。从前王莽篡权窃位，光武皇帝大怒，讨伐诛灭了他，国家又得以生存，现在曹操依仗武力，残忍地杀害皇子皇后，扰乱中原，不顾天理，罪恶滔天。曹操的儿子曹丕，继承了曹操凶恶悖逆的本性，窃取了国家权力。群臣将士认为国家即将毁灭，刘备应当起来恢复它，继承二祖的事业，执行上天的惩罚。我刘备德行鄙陋，担心在愧于帝位。征求百姓的意见，一直到各族的君长大家都说‘上天之命不能不做出回报，祖宗的大业不能够长久废弃，国家不能没有君主’。全国仰慕的只刘备一人。刘备畏于上天明示的旨意，又怕汉朝的皇位将被湮没于地下，恭谨地选择吉日，与百官一起登上祭坛，接受皇帝的印玺。准备祭祀天地的燔瘗之礼，把皇帝登位之事告知天神，希望神赐福给汉室，保佑四海永远安定！”

章武元年夏四月，大赦天下，改了年号。任命诸葛亮为丞相，许靖担任司徒。设置百官，建立宗庙，袷祭高皇帝以下的先祖。五月，立吴氏为皇后，儿子刘禅为皇太子。六月，封儿子刘永为鲁王，刘理为梁王。车骑将军张飞被他身边的人所杀害。当初，先主愤恨孙权袭击和杀害关羽，打算东征。秋七月，就统率诸军讨伐东吴。孙权派使者送信请求和解，先主非常生气，没有答应，东吴将领陆议、李异、刘阿等驻扎在巫县、秭归县；将军吴班、冯习从巫县打败李异等军，军队进驻秭归，武陵五谿的少数民族部落派使者请求派军队安定地方。

二年春正月，先主军还秭归，将军吴班、陈式水军屯夷陵，夹江东西岸。二月，先主自秭归率诸将进军，缘山截岭，于夷道猇亭驻营，自佷山通武陵，遣侍中马良安慰五谿蛮夷，咸相率响应，镇北将军黄权督江北诸军，与吴军相拒于夷陵道。夏六月，黄气见自秭归十余里中，广数十丈。后十余日，陆议大破先主军于猇亭，将军冯习、张南等皆没。先主自猇亭还秭归，收合离散兵，遂弃船舫，由步道还鱼复，改鱼复县日永安。吴遣将军李异、刘阿等踵蹑先主军，屯驻南山。秋八月，收兵还巫。司徒许靖卒。冬十月，诏丞相亮营南北郊于成都。孙权闻先主住白帝，甚惧，遣使请和。先主许之，遣太中大夫宗玮报命。冬十二月，汉嘉太守黄元闻先主疾不豫，举兵拒守。

三年春二月，丞相亮自成都到永安。三月，黄元进兵攻临邛县。遣将军陈曶讨元，元军败，顺流下江，为其亲兵所缚，生致成都，斩之。先主病笃，托孤于丞相亮，尚书令李严为副。夏四月癸巳，先主殂于永安宫，时年六十三。

【译文】

章武二年正月，先主领兵回到秭归，将军吴班、陈式的水军驻扎在夷陵，在长江的东西两岸设营。二月，先主从秭归率领诸将军，翻山越岭，在夷道的猇亭扎营，从佷山打通去武陵的道路，派侍中马良去安抚五谿的蛮夷各族，他们都相继响应先主。镇北将军黄权统领江北的各路军队，在夷陵道上与东吴军队相持。夏六月，在距秭归十余里的地方出现了黄气，宽有几十丈。以后十多天，陆议在猇亭大败先主的军队，将军冯习、张南等都战死了。先主从猇亭回到秭归，收集离散的军队，丢掉了船只，从陆路回到鱼复，改鱼复县名为永安。东吴派将军李异、刘阿等跟踪追击先主的军队，驻扎在南山。秋八月，先主收兵回到巫县。司徒许靖死了。冬十月，下诏书给丞相诸葛亮，让他在成都营建南、北郊祀的祭坛。孙权听说先主驻扎在白帝城，十分害怕，派使者请求讲和。先主答应了他，派太中大夫宗玮办完此事回来复命。冬十二月，汉嘉太守黄元听说先主生病，发兵抗命防守。

章武三年二月，丞相诸葛亮从成都来到永安。三月，黄元进兵攻打临邛县。先主派将军陈曶讨伐黄元，黄元兵败，顺长江而下，被他的亲兵捆绑起来，送到成都后被杀。先主病危，把辅佐太子的事委托给丞相诸葛亮，让尚书令李严辅佐诸葛亮。夏四月癸巳，先主在永安宫去世，时年六十三岁。

亮上言于后主曰："伏惟大行皇帝迈仁树德，覆焘无疆，昊天不吊，寝疾弥留，今月二十四日奄忽升遐，臣妾号咷，若丧考妣。乃顾遗诏，事惟大宗，动容损益；百寮发哀，满三日除服，到葬期复如礼；其郡国太守、相、都尉、县令长，三日便除服。臣亮亲受敕戒，震畏神灵，不敢有违。臣请宣下奉行。"五月，梓宫自永安还成都，谥曰昭烈皇帝。秋，八月，葬惠陵。

评曰：先主之弘毅宽厚，知人待士，盖有高祖之风，英雄之器焉。及其举国托孤于诸葛亮，而心神无贰，诚君臣之至公，古今之盛轨也。机权干略，不逮魏武，是以基宇亦狭。然折而不挠，终不为下者，抑揆彼之量必不容己，非唯竞利，且以避害云尔。

**【译文】**

诸葛亮上奏章给后主说："已故皇帝行仁道，树立恩德，覆被无边，上天不善，致患重病，卧床不起，本月二十四日突然逝世，群臣和妃嫔都悲恸号啕，就像父母去世一样。根据遗诏，国事要由宗子定夺，服丧期间，仪容举止要适当；百官进行哀悼，满三天才脱去丧服，到安葬的日期，再按照葬礼行事；其他郡国太守、相、都尉、县令、县长，满三天便脱去丧服。臣诸葛亮亲自接受的命令和告诫，畏惧先帝的神灵，不敢违背他的遗命。臣请求宣布执行。”五月，灵柩从永安运回成都，追谥号为昭烈皇帝。秋八月，葬于惠陵。

评论说：先主心胸宽广，意志刚强，宽容厚道，善于发现人才，礼贤下士，具有汉高祖的风度，具有英雄人物的度量。至于他把整个国家和辅佐太子的大事委托给诸葛亮，而毫不怀疑，确实是君臣都出于最大的公心，是古今最好的楷模。先主临机应变的才干和方略比不上魏武帝，因此国家的版图也比较狭窄。但是他受到挫折而不灰心，始终不愿屈居曹公之下。这可能是揣摸曹公的度量一定不会容得下自己，而不是与他争利，而且也可避免受害，如此而已。

# 诸葛亮传

诸葛亮，字孔明，琅邪阳都人也。汉司隶校尉诸葛丰后也。父珪，字君贡，汉末为太山郡丞。亮早孤，从父玄为袁术所署豫章太守，玄将亮及亮弟均之官。会汉朝更选朱皓代玄。玄素与荆州牧刘表有旧，往依之。玄卒，亮躬耕陇亩，好为《梁父吟》。身长八尺，每自比于管仲、乐毅，时人莫之许也。惟博陵崔州平、颍川徐庶元直与亮友善，谓为信然。

时先主屯新野。徐庶见先主，先主器之，谓先主曰："诸葛孔明者，卧龙也，将军岂愿见之乎？"先主曰："君与俱来。"庶曰："此人可就见，不可屈致也。将军宜枉驾顾之。"由是先主遂诣亮，凡三往，乃见。因屏人曰："汉室倾颓，奸臣窃命，主上蒙尘。孤不度德量力，欲信大义于天下，而智术浅短，遂用猖蹶，至于今日。然志犹未已，君谓计将安出？"亮答曰："自董卓以来，豪杰并起，跨州连郡者不可胜数。曹操比于袁绍，则名微而众寡，然操遂能克绍，以弱为强者，非惟天时，抑亦人谋也。今操已拥百万之众，挟天子而令诸侯，此诚不可与争锋。孙权据有江东，已历三世，国险而民附，贤能为之用，此可以为援而不可图也。荆州北据汉、沔，利尽南海，东连吴会，西通巴、蜀，此用武之国，而其主不能守，此殆天所以资将军，将军岂有意乎？益州险塞，沃野千里，天府之土，高祖因之以成帝业。刘璋暗弱，张鲁在北，民殷国富而不知存恤，智能之士思得明君。将军既帝室之胄，信义著于四海，总揽英雄，思贤如渴，若跨有荆、益，保其岩阻，西和诸戎，南抚夷越，外结好孙权，内修政理，天下有变，则命一上将将荆州之军以向宛、洛，将军身率益州之众出于秦川，百姓孰敢不箪食壶浆以迎将军者乎？诚如是，则霸业可成，汉室可兴矣。"先主曰："善！"于是与亮情好日密。关羽、张飞等不悦，先主解之曰："孤之有孔明，犹鱼之有水也。愿诸君勿复言。"羽、飞乃止。

**【译文】**

诸葛亮，字孔明，琅邪郡阳都县人，汉朝司隶校尉诸葛丰的后代。

父亲名珪，字君贡，汉末任太山郡丞。诸葛亮很早就死了父亲，叔父诸葛玄是袁术任命的豫章太守，诸葛玄携带诸葛亮和诸葛亮弟弟诸葛均前去赴任。正碰上汉朝改派朱皓取代诸葛玄。诸葛玄一向和荆州牧刘表有交往，就去投奔刘表。诸葛玄死后，诸葛亮亲自参加农田耕种，喜欢吟诵《梁父吟》。身高八尺，常常拿自己和管仲、乐毅相提并论，当时人没有谁赞成他的自我评价。只有和诸葛亮友好的博陵崔州平，颍川徐庶元直，认为诸葛亮的自我评价符合实际。

当时先主（刘备）屯驻新野，徐庶拜见先主，先主器重徐庶。徐庶对先主说："诸葛孔明，是一条卧龙，将军是否愿意见见他？"先主说："您陪他一起来吧。"徐庶说："此人可以去拜见，不能委曲他来拜见将军。将军应当委曲自己前去拜见他。"于是先主就去拜见诸葛亮，共去了三次，才见到。于是屏退其他人，对诸葛亮说："汉朝陷入危机，奸臣窃取了大权，皇帝流离失所。我不考虑自己的品德能力，想在全天下伸张大义，可是智慧和办法不够，因此遭受挫折，直到今天。但我志向还没放弃，您说怎么办好？"诸葛亮回答说："自从董卓以来，豪杰并起，地跨几个州几个郡的，多得数不过来。曹操和袁绍相比，名声小，兵力少，但曹操终能打垮袁绍，变弱为强，这不仅是时机碰得好，也是人的谋略强啊。现在曹操已经拥有百万之众，挟持了天子，以天子名义号令诸侯，这的确不能和他正面冲突了。孙权占有江东，已经历了三代，地势险要，人民拥护，贤士能人愿为他效力。这支力量可结为外援，而不能去并吞。荆州北面有汉水、沔水可供据守，远接南海的广阔地域可以提供丰盛财源，东与吴会相连，西面通达巴蜀，这是兵家必争的地方，但它的主人没有能力来守护。这可能是老天为将军提供的，将军有意吗？益州地形险要，肥田沃土上千里，是座物产富饶的天然仓库，高祖凭借它建成了帝业。刘璋糊涂软弱，北受张鲁威胁，境内人口众多，财源充沛，但不懂得关怀体贴民众，有智慧有才干的人希望得到贤明君主。将军既是皇室后代，信义天下皆知，多方招求英雄，思慕贤才如饥如渴，如能跨有荆、益两州，守住险要，西面和各支戎人和好，南面安抚夷越各族，对外和孙权建立友好关系，对内改进政治，天下形势一有变化，就派一员上将率领荆州兵力进军宛、洛，将军亲自率领益州兵力出击秦川，百姓有谁敢不用篮子盛饭，用壶装酒欢迎您的部队呢？如果真像这样了，那霸业就可建成，汉朝就可复兴了。”先主说：“说得好！”于是和诸葛亮一天比一天友好亲密起来。关羽、张飞等不高兴，先主向他们解释说：“我有了孔明，就像鱼得了水一样，希望你们各位不要再说什么了。”关羽、张飞于是不再议论。

刘表长子琦，亦深器亮。表受后妻之言，爱少子琮，不悦于琦。琦每欲与亮谋自安之术，亮辄拒塞，未与处画。琦乃将亮游观后园，共上高楼，饮宴之间，令人去梯，因谓亮曰："今日上不至天，下不至地，言出子口，入于吾耳，可以言未？"亮答曰："君不见申生在内而危，重耳在外而安乎？"琦意感悟，阴规出计。会黄祖死，得出，遂为江夏太守。俄而表卒，琮闻曹公来征，遣使请降。先主在樊闻之，率其众南行，亮与徐庶并从，为曹公所追破，获庶母。庶辞先主而指其心曰："本欲与将军共图王霸之业者，以此方寸之地也。今已失老母，方寸乱矣，无益于事，请从此别。"遂诣曹公。

先主至于夏口，亮曰："事急矣，请奉命求救于孙将军。"时权拥军在柴桑，观望成败。亮说权曰："海内大乱，将军起兵据有江东，刘豫州亦收众汉南，与曹操并争天下。今操芟夷大难，略已平矣，遂破荆州，威震四海。英雄无所用武，故豫州遁逃至此。将军量力而处之：若能以吴、越之众与中国抗衡，不如早与之绝；若不能当，何不案兵束甲，北面而事之！今将军外托服从之名，而内怀犹豫之计，事急而不断，祸至无日矣！"权曰："苟如君言，刘豫州何不遂事之乎？"亮曰："田横，齐之壮士耳，犹守义不辱，况刘豫州王室之胄，英才盖世，众士慕仰，若水之归海，若事之不济，此乃天也，安能复为之下乎！"权勃然曰："吾不能举全吴之地，十万之众，受制于人。吾计决矣！非刘豫州莫可以当曹操者，然豫州新败之后，安能抗此难乎？"亮曰："豫州军虽败于长阪，今战士还者及关羽水军精甲万人，刘琦合江夏战士亦不下万人，曹操之众，远来疲弊，闻追豫州，轻骑一日一夜行三百余里，此所谓'强弩之末，势不能穿鲁缟'者也。故兵法忌之，曰'必蹶上将军'。且北方之人，不习水战；又荆州之民附操者，逼兵势耳，非心服也。今将军诚能命猛将统兵数万，与豫州协规同力，破操军必矣。操军破，必北还，如此则荆、吴之势强，鼎足之形成矣。成败之机，在于今日。”权大悦，即遣周瑜、程普、鲁肃等水军三万，随亮诣先主，并力拒曹。曹公败于赤壁，引军归邺。先主遂收江南，以亮为军师中郎将，使督零陵、桂阳、长沙三郡，调其赋税，以充军实。

【译文】

刘表长子刘琦，也非常器重诸葛亮。刘表听了后妻的话，只爱小儿子刘琮，不爱刘琦。刘琦常想和诸葛亮研究自保安全的办法，诸葛亮总是拒绝，不给他出主意。刘琦于是领诸葛亮游览后花园，一同登上高楼。喝酒时，叫人把楼梯撤了，然后对诸葛亮说：“现在上不连天，下不连地，话从你口中出来，只进我的耳朵，可以说了吗？”诸葛亮说：“您没看到申生在内遭遇了灾祸，重耳在外获得了安全吗？”刘琦领悟了这话的含意，暗地谋划去外地任职的办法。正巧黄祖死了，有了外出任职的机会，就当了江夏太守，不久刘表死了，刘琮听说曹操来攻荆州，就派去使者请求投降。先主在樊城听说了，率领部下向南走，诸葛亮和徐庶都随行，被曹操追上来击溃，俘虏了徐庶的母亲。徐庶向先主告辞，指着心说：“本来想和您一起创建王霸大业的，是这一小块地方，现在失去了老母，这小块地方乱了，不能再对事情有所帮助了，请允许我从此和您分别。”于是就到曹操那里去了。

先主到达夏口，诸葛亮说：“事情危急了，请派我去向孙将军求救。”当时孙权带兵驻扎柴桑，观望成败。诸葛亮劝孙权说：“天下大乱，将军起兵占有了江东，刘豫州也在汉南招募军队，和曹操争夺天下。现在曹操已经破除大敌，基本控制了北方局势，接着又击破荆州，威镇四海。英雄没有用武之地了，所以刘豫州逃到这里。希望将军量力而行。如果能凭借吴、越兵力和中原对抗，不如早点和曹操决裂；如果不能抵挡，为什么不放下刀枪卷起盔甲，屈膝投降称臣呢！现在将军表面装作服从，内心还在犹豫，事情紧急而不下决断，大祸就要降临了。”孙权说：“如果像您说的这样，刘豫州为什么不干脆投降他呢？”诸葛亮说：“田横只不过是齐国一个壮士罢了，还坚守原则不屈辱投降呢，更何况刘豫州是王室后代，英才盖世无双，众多贤士思慕敬仰他就像水归大海一样。如果事情不成功，那是天意，怎么能向曹操投降称臣呢？”孙权激动地说：“我不能拿全吴土地十万大军，交给别人控制。我决定了！不是刘豫州，没有谁可以抵挡曹操。但豫州刚刚战败，能担当起这重任吗？”诸葛亮说：“豫州军队虽在长阪战败，现在从战场回来的战士加上关羽精锐水军有一万人，刘琦会合江夏战士也不下万人。曹操军队，远来疲劳，听说追击刘豫州时，轻骑一天一夜行三百多里，这就是所谓的‘即使是强弓射出的箭，飞到尽头时，力量也要衰减得连薄薄的鲁地丝绸也穿不过去了’。所以兵法上禁止这样进军，说‘必定会导致主帅的失败’。加上北方人不习惯水战，还有荆州民众归附曹操，是曹操用军事力量威逼的结果，不是心服。现在将军果真能派遣猛将带几万军队和豫州同心协力，则打败曹操，必定无疑。曹操失败，必然退回北方，如此则荆、吴势力增强，鼎足三分局面就确立下来了。成败关键，在于您今天的决定。”孙权非常高兴，就派周瑜、程普、鲁肃等水军三万人，随诸葛亮去见先主，合力抵抗曹操。曹操在赤壁战败，带兵回返邺城。先主于是占领江南，以诸葛亮为军师中郎将，让他督察零陵、桂阳、长沙三郡事务，征调三郡赋税，供应军需。

建安十六年，益州牧刘璋遣法正迎先主，使击张鲁。亮与关羽镇荆州。先主自葭萌还攻璋，亮与张飞、赵云等率众溯江，分定郡县，与先主共围成都。成都平，以亮为军师将军，署左将军府事。先主外出，亮常镇守成都，足食足兵。二十六年，群下劝先主称尊号，先主未许，亮说曰：“昔吴汉、耿弇等初劝世祖即帝位，世祖辞让，前后数四，耿纯进言曰：‘天下英雄喁喁，冀有所望。如不从议者，士大夫各归求主，无为从公也。’世祖感纯言深至，遂然诺之。今曹氏篡汉，天下无主，大王刘氏苗族，绍世而起，今即帝位，乃其宜也。士大夫随大王久勤苦者，亦欲望尺寸之功如纯言耳。”先主于是即帝位，策亮为丞相曰：“朕遭家不造，奉承大统，兢兢业业，不敢康宁，思靖百姓，惧未能绥。於戏！丞相亮其悉朕意，无怠辅朕之阙，助宣重光，以照明天下，君其勖哉！”亮以丞相录尚书事，假节。张飞卒后，领司隶校尉。

章武三年春，先主于永安病笃，召亮于成都，属以后事，谓亮曰：“君才十倍曹丕，必能安国，终定大事。若嗣子可辅，辅之；如其不才，君可自取。”亮涕泣曰：“臣敢竭股肱之力，效忠贞之节，继之以死！”先主又为诏敕后主曰：“汝与丞相从事，事之如父。”建兴元年，封亮武乡侯，开府治事。顷之，又领益州牧。政事无巨细，咸决于亮。南中诸郡，并皆叛乱，亮以新遭大丧，故未便加兵，且遣使聘吴，因结和亲，遂为与国。

三年春，亮率众南征，其秋悉平。军资所出，国以富饶，乃治戎讲武，以俟大举。五年，率诸军北驻汉中，临发，上疏曰：

**【译文】**

建安十六年，益州牧刘璋派法正迎接先主，要先主攻打张鲁。诸葛亮和关羽镇守荆州。先主从葭萌出发回师攻击刘璋，诸葛亮与张飞、赵云等率兵溯江而上，分头平定郡县，和先主合围成都。成都攻克，以诸葛亮为军师将军，署左将军府事。先主外出，诸葛亮常镇守成都，确保钱粮足用，兵力充实。二十六年，部下劝先主称皇帝，先主没有答应。诸葛亮劝说道：“当年吴汉、耿弇等开始劝世祖称皇帝，世祖辞让，劝说好几次也没答应。耿纯对世祖说：‘天下英雄敬仰归向您，都在您身上寄托着希望，如果您坚持不听从大家建议，士大夫们就各自转回去另找主人，没有必要再跟从您了。’世祖被耿纯真挚深刻的谈话感动了，就接受了大家的建议。现在曹氏篡夺了汉朝政权，天下无主，大王是刘氏后裔，是为了延续刘氏帝统才奋起斗争的，现在接受帝号，是应当的事。士大夫随大王长期辛苦，也是想建点小功，如耿纯所说的那样。”先主于是即位为皇帝，任命诸葛亮为丞相，任命书说：“朕遭遇家族不幸，恭敬地承接了帝位，小心谨慎，不敢安逸，希望丞相诸葛亮了解朕的意思，不要放松弥补朕的不足，帮助朕发扬伟大的汉室光辉，以照明天下。希望您努力啊。”诸葛亮以丞相录尚书事，假节。张飞死后，诸葛亮兼司隶校尉。

章武三年春，先主在永安病重，把诸葛亮从成都召去，托付后事。对诸葛亮说：“您的才能是曹丕的十倍，必能安定国家，最终完成统一大业。如果太子可以辅佐，就辅佐他，如果他不成才，您可以取而代之。”诸葛亮流着泪说：“我一定竭尽全力辅佐，坚守忠贞原则，一直到死。”先主又写一份诏书告诫后主：“您和丞相共事，要把他当父亲一样看待。”建兴元年，封诸葛亮为武乡侯，设立丞相府署办理政务。不久，又兼益州牧。政事不分大小，都由诸葛亮决定。南中地区各个郡，全都叛乱了，诸葛亮因为新遭国丧，所以没有马上派兵镇压。暂且先遣派使者出访东吴，趁便建立和平友善关系，进而结成盟国。

三年春，诸葛亮率兵南征，当年秋天全都平定，南中能提供军事物资，国家因而逐渐富饶。于是整军练武，等待机会出兵伐魏。五年，率领各路大军北驻汉中，出发前，给皇帝呈上奏疏说：

先帝创业未半而中道崩殂，今天下三分，益州疲弊，此诚危急存亡之秋也。然侍卫之臣不懈于内，忠志之士忘身于外者，盖追先帝之殊遇，欲报之于陛下也。诚宜开张圣听，以光先帝遗德，恢弘志士之气，不宜妄自菲薄，引喻失义，以塞忠谏之路也。宫中府中，俱为一体，陟罚臧否，不宜异同。若有作奸犯科及为忠善者，宜付有司论其刑赏，以昭陛下平明之理，不宜偏私，使内外异法也。侍中、侍郎郭攸之、费祎、董允等，此皆良实，志虑忠纯，是以先帝简拔以遗陛下。愚以为宫中之事，事无大小，悉以咨之，然后施行，必能裨补阙漏，有所广益。将军向宠，性行淑均，晓畅军事，试用于昔日，先帝称之曰能，是以众议举宠为督。愚以为营中之事，悉以咨之，必能使行阵和睦，优劣得所。亲贤臣，远小人，此先汉所以兴隆也；亲小人，远贤臣，此后汉所以倾颓也。先帝在时，每与臣论此事，未尝不叹息痛恨于桓、灵也。侍中、尚书、长史、参军，此悉贞良死节之臣，愿陛下亲之信之，则汉室之隆，可计日而待也。

臣本布衣，躬耕于南阳，苟全性命于乱世，不求闻达于诸侯。先帝不以臣卑鄙，猥自枉屈，三顾臣于草庐之中，咨臣以当世之事，由是感激，遂许先帝以驱驰。后值倾覆，受任于败军之际，奉命于危难之间，尔来二十有一年矣。先帝知臣谨慎，故临崩寄臣以大事也。受命以来，夙夜忧叹，恐托付不效，以伤先帝之明。故五月渡泸，深入不毛。今南方已定，兵甲已足，当奖率三军，北定中原，庶竭驽钝，攘除奸凶，兴复汉室，还于旧都，此臣所以报先帝，而忠陛下之职分也。

至于斟酌损益，进尽忠言，则攸之、祎、允之任也。愿陛下托臣以讨贼兴复之效，不效，则治臣之罪，以告先帝之灵。责攸之、祎、允等之慢，以彰其咎。陛下亦宜自谋，以咨诹善道，察纳雅言，深追先帝遗诏。臣不胜受恩感激。今当远离，临表涕零，不知所言。

遂行，屯于沔阳。

【译文】

先帝创建大业没有一半就中途逝世了，现在天下三分，益州困难重重，这确实是危急存亡的关键时刻。但侍卫大臣在朝廷依然兢兢业业，毫不懈怠；忠诚将士在疆场依然英勇奋战，不顾个人安危，这是因为他们追念先帝的特殊恩惠，想向陛下报答啊。陛下确实应当广泛听取意见，以发扬先帝遗留的美德，进一步振奋志士们的精神，不应该无缘无故看轻自己，用不恰当的借口去堵塞臣下进献忠谏的途径。皇宫和丞相府的臣僚是一个整体，赏罚褒贬，不应当标准不同。如果有作恶犯法和尽忠行善的，应该交付主管官吏研究奖惩，以显示陛下处理国事的公正严明。不应该有所偏袒，使宫内宫外有不同准则。侍中、侍郎郭攸之、费祎、董允等，这些都是善良诚实的人，心怀忠贞思想纯洁，所以先帝选拔出来遗留给陛下。我认为宫里的事，不论大小，应全都听取他们意见，然后施行，必定能减少缺漏，增强效果。将军向宠，性格温和善良，办事公正，通晓军事，以前试用过他，先帝称赞他“有才能”，所以大家讨论推举他为中部督。我认为军营中的事全都听取他的意见，必能使将士和睦，不同才能的人都各得其所。亲近贤臣疏远小人，这是前汉兴隆的原因；亲近小人疏远贤臣，这是后汉衰落的原因，先帝在世时，常和我议论这些事，没有一次不对桓、灵时的情况深感遗憾。侍中、尚书、长史、参军，这些都是忠贞善良宁死也要坚持原则的人，希望陛下亲近他们信任他们，这样，汉室的兴盛就不用许多日子了。

我本是平民百姓，在南阳亲身从事耕作，只想在乱世里勉强保全性命，并没想在诸侯间扬名做官。先帝不在乎我低贱鄙陋，他降低身份，三次到草屋中来看望我，征询我对当世的看法，我因而受到感动，就答应追随先帝奋斗。后来遭遇失败，在军事溃退中接受重任，在艰难危险时奉命出使，从那以来已经二十一个年头了。先帝知道我谨慎，所以临终把大事托付给我。接受托付以来，日夜忧虑，唯恐托付的事不能实现，伤了先帝知人之明。所以五月里渡涉泸水，深入荒凉地带。现在南方已经平定，兵力已经充足，应该鼓舞、率领三军，北进平定中原。希望能竭尽我平庸的才能，扫除奸邪恶人，兴复汉朝，返回旧都，这是我报答先帝和效忠陛下的职责啊。

至于斟酌内政，除弊兴利，尽忠劝谏，那是攸之、祎、允的职责。希望陛下把消灭贼寇兴复汉朝的成效托付给我，不见成效，就治我的罪，报告先帝在天之灵。责备攸之、祎、允的怠慢，公布他们的过错。陛下也应当自己多加考虑，访询安邦治国的好办法，考察接纳正确意见，深入追念先帝遗诏。我承受大恩无限感激，现在就要远离陛下了，面对这份表章，不禁落泪，不知自己说了什么。

于是率军出发，屯驻于沔阳。

六年春，扬声由斜谷道取郿，使赵云、邓芝为疑军，据箕谷，魏大将军曹真举众拒之。亮身率诸军攻祁山，戎陈整齐，赏罚肃而号令明，南安、天水、安定三郡叛魏应亮，关中响震。魏明帝西镇长安，命张郃拒亮，亮使马谡督诸军在前，与郃战于街亭。谡违亮节度，举动失宜，大为郃所破。亮拔西县千余家，还于汉中。戮谡以谢众，上疏曰："臣以弱才，叨窃非据，亲秉旄钺以厉三军，不能训章明法，临事而惧，至有街亭违命之阙，箕谷不戒之失，咎皆在臣，授任无方。臣明不知人，恤事多暗，《春秋》责帅，臣职是当。请自贬三等，以督厥咎。"于是以亮为右将军，行丞相事，所总统如前。

冬，亮复出散关，围陈仓，曹真拒之，亮粮尽而还。魏将王双率骑追亮，亮与战，破之，斩双。七年，亮遣陈式攻武都、阴平。魏雍州刺史郭淮率众欲击式，亮自出至建威，淮退还，遂平二郡。诏策亮曰："街亭之役，咎由马谡，而君引愆，深自贬抑，重违君意，听顺所守。前年耀师，馘斩王双，今岁爰征，郭淮遁走，降集氐、羌，兴复二郡，威镇凶暴，功勋显然。方今天下骚扰，元恶未枭，君受大任，干国之重，而久自挹损，非所以光扬洪烈矣。今复君丞相，君其勿辞。"

**【译文】**

六年春，扬言经由斜谷道进攻郿县，派赵云、邓芝作为疑兵，占据箕谷，魏大将军曹真带兵抵挡赵云、邓芝。诸葛亮亲领各路兵马攻祁山，队伍整齐，赏罚严明，号令分明，南安、天水、安定三郡反叛魏国响应诸葛亮，整个关中震动。魏明帝西行坐镇长安，派张郃抵挡诸葛亮，诸葛亮派马谡督领各路大军前行，和张郃战于街亭。马谡违背诸葛亮部署，行动失当，被张郃打得大败。诸葛亮迁徙西县居民一千多家回到汉中。杀掉马谡，以向将士承认错误。上疏说："我以微薄才能，占据了不应占有的高位，亲任统帅，整训三军，没能讲清制度，严明法规，没能临事警惕慎思，所以出现街亭违背部署的错误，箕谷戒备不周的过失，错误都在于我任人不当。我缺乏知人之明，考虑事情多有糊涂之处。《春秋》有追究主帅责任的原则，根据我的职务，应当承当责任，请允许我自己降职三级，以惩罚我的罪过。"于是以诸葛亮为右将军，代行丞相职务，所管辖事务和以前一样。

冬季，诸葛亮又从散关出击，包围陈仓，曹真率军抵挡。诸葛亮军粮用尽，只好后撤，魏将王双率骑兵追击，诸葛亮与他交战，打败了他，并斩杀了他。七年，诸葛亮派陈式攻武都、阴平，魏国雍州刺史郭淮率兵想进击陈式，诸葛亮亲自进到建威，郭淮退回，于是平定了武都、阴平两郡。后主给诸葛亮下诏书说："街亭战役，罪在马谡，而您把罪责加在自己身上，深深贬低压抑自己。我不便违背您的心意，听从了您的要求。前年出兵，斩了王双，今年出征，郭淮遁逃，招降氐、羌，收复两郡，威镇残暴敌人，功勋卓著。现在天下还不安定，首恶尚未铲除，您肩负重任，主持国家大事，却长久自我贬低压制，这不是光大弘扬兴复大业的办法，现在恢复您的丞相官职，希望您不要推辞。"

九年，亮复出祁山，以木牛运，粮尽退军，与魏将张郃交战，射杀郃。十二年春，亮悉大众由斜谷出，以流马运，据武功五丈原，与司马宣王对于渭南。亮每患粮不继，使己志不伸，是以分兵屯田，为久驻之基，耕者杂于渭滨居民之间，而百姓安堵，军无私焉。相持百余日。其年八月，亮疾病，卒于军，时年五十四。及军退，宣王案行其营垒处所，曰："天下奇才也！"

亮遗命葬汉中定军山，因山为坟，冢足容棺，敛以时服，不须器物。

诏策曰："惟君体资文武，明睿笃诚，受遗托孤，匡辅朕躬，继绝兴微，志存靖乱；爰整六师，无岁不征，神武赫然，威镇八荒，将建殊功于季汉，参伊、周之巨勋。如何不吊，事临垂克，遘疾陨丧！朕用伤悼，肝心若裂。夫崇德序功，纪行命谥，所以光昭将来，刊载不朽。今使使持节左中郎将杜琼，赠君丞相武乡侯印绶，谥君为忠武侯。魂而有灵，嘉兹宠荣。呜呼哀哉！呜呼哀哉！"

**【译文】**

九年，诸葛亮又取道祁山出击，以木牛运输，军粮用尽只好退兵。和魏将张郃交战，射死张郃。十二年春，诸葛亮统率全部大军由斜谷出兵，用流马运输，占据武功的五丈原和司马宣王对峙于渭水南岸。诸葛亮常担忧军粮供应不上，使自己大志不能实现，所以就分出军队就地屯田耕种，作为长久驻扎的基础，屯田士兵散住在渭水沿岸居民之间，而百姓安居，军队不扰民自利。相持一百多天，当年八月，诸葛亮患重病，在军营中逝世。年龄是五十四岁。军队撤退以后，宣王巡察诸葛亮的营垒故址，说："真是天下奇才啊！"

诸葛亮临终时嘱咐，把他葬在汉中定军山，依山造坟，墓坑仅能放下棺柩，就以当时的服装入殓，不用殉葬品。后主下诏书说："您兼具文武才能，明智、忠厚、诚实。接受托孤遗诏，匡正辅佐朕，接续中断的汉朝，兴复衰落的皇室，志在平定大乱。于是您整顿军队，没有一年不出兵征讨，英武神奇，威镇八方。即将为第三次崛起的汉朝建立特殊功勋，建立可与伊尹、周公媲美的功勋，老天为什么不施仁慈，事情接近完成，却患病去逝！我为此非常伤心，心肝像碎裂一样难受。尊崇美德，评定功勋，条列事迹，议定谥号，为的是让您的光辉照耀后世，让您青史留名永垂不朽。现在派遣使持节左中郎将杜琼，赠您丞相武乡侯印绶，谥您为忠武侯，魂如果有灵，您将因获得这份荣誉而高兴。唉，伤心啊！唉，伤心啊！"

初，亮自表后主曰："成都有桑八百株，薄田十五顷，子弟衣食，自有余饶。至于臣在外任，无别调度，随身衣食，悉仰于官，不别治生，以长尺寸。若臣死之日，不使内有余帛，外有赢财，以负陛下。”及卒，如其所言。

亮性长于巧思，损益连弩，木牛流马，皆出其意；推演兵法，作八阵图，咸得其要云。亮言教书奏多可观，别为一集。

景耀六年春，诏为亮立庙于沔阳。秋，魏镇西将军钟会征蜀，至汉川，祭亮之庙，令军士不得于亮墓所左右刍牧樵采。亮弟均，官至长水校尉。亮子瞻，嗣爵。

**【译文】**

当初，诸葛亮自己上表给后主说：“成都我家有桑树八百棵，薄田十五顷，我后代的穿衣吃饭，会有富余。至于我在外任官，没有别的开支，随身衣食，全由官府供给。我不再另外经营产业，增加少许财富。到我死的时候，不让家中、任上有多余的财物，而辜负陛下的恩德。”到他死时，情况像他所说的一样。

诸葛亮天性善长于巧思，改进连弩，制造木牛流马，都出于他的设计。研究运用兵法，设计八阵图，都掌握住了要害。诸葛亮言论、教令、书信、奏议大多值得阅读，另编为一集。

景耀六年春天，后主下诏在沔阳为诸葛亮建庙。当年秋天，魏国镇西将军钟会征蜀，抵达汉川，祭祀诸葛亮的庙，下令军士不许在诸葛亮墓地左右放牧打柴。诸葛亮弟弟诸葛均，官做到长水校尉。诸葛亮儿子诸葛瞻，继承了诸葛亮的封爵。

诸葛氏集目录

开府作牧第一　权制第二

南征第三　北出第四

计算第五　训厉第六

综核上第七　综核下第八

杂言上第九　杂言下第十

贵和第十一　兵要第十二

传运第十三　与孙权书第十四

与诸葛瑾书第十五

与孟达书第十六

【译文】

诸葛氏集目录：

开府作牧第一

权制第二

南征第三

北出第四

计算第五

训厉第六

综核上第七

综核下第八

杂言上第九

杂言下第十

贵和第十一

兵要第十二

传运第十三

与孙权书第十四

与诸葛瑾书第十五

与孟达书第十六

废李平第十七 法检上第十八

法检下第十九 科令上第二十

科令下第二十一

军令上第二十二

军令中第二十三

军令下第二十四

右二十四篇，凡十万四千一百一十二字。

臣寿等言：臣前在著作郎，侍中领中书监济北侯臣荀勖、中书令关内侯臣和峤奏，使臣定故蜀丞相诸葛亮故事。亮毗佐危国，负阻不宾，然犹存录其言，耻善有遗，诚是大晋光明至德，泽被无疆，自古以来，未之有伦也。辄删除复重，随类相从，凡为二十四篇，篇名如右。

**【译文】**

废李平第十七
法检上第十八
法检下第十九
科令上第二十
科令下第二十一
军令上第二十二
军令中第二十三
军令下第二十四
右二十四篇，共十万四千一百一十二字。

臣陈寿等奏报陛下：我以前任著作郎时，侍中领中书监济北侯臣荀勖、中书令关内侯臣和峤上奏，建议让我编定故蜀丞相诸葛亮故事。诸葛亮辅佐垂危的国家，凭借险要地势不肯降服，但现在仍然记录保存他的言论，以遗漏美好言行不加记载为羞耻，这真是大晋朝光辉崇高美德，恩泽广施无边的具体表现。自古以来，没有谁能与大晋朝相比。所以我就删除重复内容，分类编辑，共为二十四篇，篇名如右所列。

亮少有逸群之才，英霸之器，身长八尺，容貌甚伟，时人异焉。遭汉末扰乱，随叔父玄避难荆州，躬耕于野，不求闻达。时左将军刘备以亮有殊量，乃三顾亮于草庐之中；亮深谓备雄姿杰出，遂解带写诚，厚相结纳。及魏武帝南征荆州，刘琮举州委质，而备失势众寡，无立锥之地。亮时年二十七，乃建奇策，身使孙权，求援吴会。权既宿服仰备，又睹亮奇雅，甚敬重之，即遣兵三万人以助备。备得用与武帝交战，大破其军，乘胜克捷，江南悉平。后备又西取益州。益州既定，以亮为军师将军。备称尊号，拜亮为丞相，录尚书事。及备殂没，嗣子幼弱，事无巨细，亮皆专之。于是外连东吴，内平南越，立法施度，整理戎旅，工械技巧，物究其极，科教严明，赏罚必信，无恶不惩，无善不显，至于吏不容奸，人怀自厉，道不拾遗，强不侵弱，风化肃然也。

当此之时，亮之素志，进欲龙骧虎视，苞括四海，退欲跨陵边疆，震荡宇内。又自以为无身之日，则未有能蹈涉中原，抗衡上国者，是以用兵不戢，屡耀其武。然亮才，于治戎为长，奇谋为短，理民之干，优于将略。而所与对敌，或值人杰，加众寡不侔，攻守异体，故虽连年动众，未能有克。昔萧何荐韩信，管仲举王子城父，皆忖己之长，未能兼有故也。亮之器能政理，抑亦管、萧之亚匹也，而时之名将无城父、韩信，故使功业陵迟，大义不及邪？盖天命有归，不可以智力争也。

**【译文】**

诸葛亮年轻时就有超群的才能，出众的气概，身高八尺，相貌堂堂，当时人们都对他另眼相看。遭逢汉末的混乱，跟随叔父诸葛玄到荆州避难，亲身从事田野耕作，不求出名做官。当时左将军刘备认为诸葛亮有特殊才能，就三次去诸葛亮草屋拜访他，诸葛亮也深深感到刘备抱负宏伟才智杰出，于是彼此坦诚交谈，缔结深交。等到魏武帝南征荆州，刘琮献荆州投降，刘备失去依靠，兵力又单薄，没有立锥之地。诸葛亮当时二十七岁，就献出奇计，亲自出使孙权，向吴求援。孙权早就佩服敬仰刘备，又看到诸葛亮见识出众，谈吐高雅，很敬重他，就派兵三万兵马协助刘备，刘备借助这支力量与魏武帝交战，大破武帝军队。又乘胜进军，江南全部平定。后来刘备又西取益州。益州平定后，以诸葛亮为军师将军。刘备称皇帝，任命诸葛亮为丞相，录尚书事。等到刘备去世，后主年纪轻才能弱，事情不管大小，诸葛亮都全权决定。于是向外联络东吴，对内平定南越。制定法令，颁布制度，整顿军队，极力改进机械工艺。法禁、教化严明，该赏必赏，该罚必罚，没有一件罪恶不受惩处，没有一件好事不受表彰，直到官吏中再也藏不住奸邪，社会上人人想着上进，路上没有人拾取别人遗失的财物，没有恃强凌弱，社会风气严肃清新。

在这时侯，诸葛亮的一贯想法是，最好能长驱直入统一全国，退一步也要能夺占边疆，威胁中原。又考虑到身死之后，怕没人能接替他进兵中原抗击魏国。所以他就用兵不止，屡次出击。但诸葛亮善长组织训练军队，而缺乏指挥战争的奇谋，政治才能超过军事才能，而与他对敌的有的恰是人中豪杰，加上众寡悬殊，攻守形势不同，所以虽然连年用兵也没能取胜。过去，萧何推荐韩信，管仲推荐王子城父，都是考虑到自己的擅长，不能兼有各个方面。诸葛亮的政治才能，可以和管、萧匹敌，但当时没有城父、韩信那样的名将，所以才使他功业日衰，统一大志不能实现吧？这大概是天命注定，不可凭个人智力去争的啊。

青龙二年春，亮帅众出武功，分兵屯田，为久驻之基。其秋病卒。黎庶追思，以为口实。至今梁、益之民，咨述亮者，言犹在耳，虽《甘棠》之咏召公，郑人之歌子产，无以远譬也。孟轲有云："以逸道使民，虽劳不怨；以生道杀人，虽死不忿。"信矣！论者或怪亮文采不艳，而过于丁宁周至。臣愚以为咎繇大贤也，周公圣人也，考之《尚书》，咎繇之谟略而雅，周公之诰烦而悉。何则？咎繇与舜、禹共谈，周公与群下矢誓故也。亮所与言，尽众人凡士，故其文指不得及远也。然其声教遗言，皆经事综物，公诚之心，形于文墨，足以知其人之意理，而有补于当世。

伏惟陛下迈踪古圣，荡然无忌，故虽敌国诽谤之言，咸肆其辞而无所革讳，所以明大通之道也。谨录写上诣著作。臣寿诚惶诚恐，顿首顿首，死罪死罪。泰始十年二月一日癸巳，平阳侯相臣陈寿上。

【译文】

青龙二年春，诸葛亮率兵进驻武功，分兵屯田，建设长期驻守的基地。当年秋天病死，百姓追念他，把他作为日常话题，至今梁州、益州百姓关于诸葛亮的讲述，仍然可以听到。即使《甘棠》歌颂召公，郑国人歌颂子产，也不会超过这种程度吧。孟轲有句话说："为人民的安逸而使用民力，即使劳苦，人民也不抱怨；为了人民的生存而让人民做出牺牲，即使丢去生命，人民也无忿恨。"真是如此啊。有人嫌诸葛亮文章的文采不足，而过于具体周到。我认为，咎繇是大贤人，周公是圣人，考察《尚书》可见，咎繇陈述计谋的话语简略而典雅，周公的诰语烦琐而详细，为什么呢？因为咎繇是和舜、禹对谈，而周公是和众多的下属共立誓言啊。诸葛亮所与对话的，都是平凡众人，所以文章意旨不能深奥啊。但他的训教遗言，都是关于实际事物的分析或处理，他的公正诚实思想，洋溢于字句之间，从中可了解他的志趣、观点，对当代也具有启发意义。

陛下效法古代圣王，胸怀坦荡，不存忌讳，所以虽是敌国的诽谤言论，也都让它保留全文，而不予删削，为的是阐明古今通用的道理啊。我恭敬地抄写诸葛亮的故事上交著作郎。臣陈寿诚惶诚恐，顿首顿首，死罪死罪。泰始十年二月一日癸巳，平阳侯相臣陈寿上。

乔字伯松，亮兄瑾之第二子也。本字仲慎。与兄元逊俱有名于时，论者以为乔才不及兄，而性业过之。初，亮未有子，求乔为嗣。瑾启孙权遣乔来西，亮以乔为己适子，故易其字焉。拜为驸马都尉，随亮至汉中。年二十五，建兴六年卒。子攀，官至行护军翊武将军，亦早卒。诸葛恪见诛于吴，子孙皆尽，而亮自有胄裔，故攀还复为瑾后。

瞻字思远。建兴十二年，亮出武功，与兄瑾书曰："瞻今已八岁，聪慧可爱，嫌其早成，恐不为重器耳。"年十七，尚公主，拜骑都尉。其明年为羽林中郎将，屡迁射声校尉、侍中、尚书仆射，加军师将军。瞻工书画，强识念。蜀人追思亮，咸爱其才敏。每朝廷有一善政佳事，虽非瞻所建倡，百姓皆传相告曰："葛侯之所为也。"是以美声溢誉，有过其实。景耀四年，为行都护卫将军，与辅国大将军南乡侯董厥并平尚书事。六年冬，魏征西将军邓艾伐蜀，自阴平由景谷道旁入。瞻督诸军至涪停住，前锋破，退还，住绵竹。艾遣书诱瞻曰："若降者必表为琅邪王。"瞻怒，斩艾使。遂战，大败，临陈死，时年三十七。众皆离散。艾长驱至成都，瞻长子尚，与瞻俱没。次子京及攀子显等，咸熙元年内移河东。

董厥者，丞相亮时为府令史，亮称之曰："董令史，良士也。吾每与之言，思慎宜适。"徙为主薄。亮卒后，稍迁至尚书仆射，代陈祗为尚书令，迁大将军平台事，而义阳樊建代焉。延熙十四年，以校尉使吴，值孙权病笃，不自见建。权问诸葛恪曰："樊建何如宗预也？"恪对曰："才识不及预，而雅性过之。"后为侍中，守尚书令。自瞻、厥、建统事，姜维常征伐在外，宦人黄皓窃弄机柄，咸共将护，无能匡矫，然建特不与皓和好往来。蜀破之明年春，厥、建俱诣京都，同为相国参军，其秋并兼散骑常侍，使蜀慰劳。

【译文】

诸葛乔字伯松，诸葛亮哥哥诸葛瑾的第二个儿子。本来字仲慎，和哥哥元逊在当时都有名气。评论的人认为，诸葛乔的才干不如哥哥，而性格、学业则超过哥哥。起初，诸葛亮没有儿子，请求把诸葛乔过继给自己。诸葛瑾请示孙权后把诸葛乔送来西边。诸葛亮以诸葛乔为自己嫡子，所以改了他的字。诸葛乔被任命为驸马都尉，随诸葛亮到汉中。活到二十五岁，建兴六年就死了。他儿子诸葛攀官做到护军翊武将军，也死得早。诸葛恪在吴国被杀，子孙全被杀光，而诸葛亮自己有了后代，所以诸葛攀回过去又做诸葛瑾的后代。

诸葛瞻字思远，建兴十二年，诸葛亮出兵武功，给哥哥诸葛瑾写信说："瞻今已八岁，聪明可爱，我嫌他早熟，怕成不了大器。"十七岁时和公主结婚，被任命为骑都尉。第二年，为羽林中郎将。先后升为射声校尉、侍中、尚书仆射、加军师将军。诸葛瞻擅长书画，记忆力强。蜀人追念诸葛亮，都爱诸葛瞻的才能和聪敏。每逢朝廷有一件好政策好事情，即使不是诸葛瞻建议倡导的，百姓也都相互转告："这是葛侯办的。"所以好名声超过了实际情况。景耀四年，为行都护卫将军，和辅国大将军南乡侯董厥一起平尚书事。六年冬，魏征西将军邓艾伐蜀，从阴平经由景谷道旁进入蜀境，诸葛瞻督领各路军队集中涪县驻扎，前锋被邓艾打败，就后撤到绵竹驻扎。邓艾写信给诸葛瞻诱降："如果投降，一定请求封你为琅邪王。"诸葛瞻大怒，斩了邓艾使者，于是交战，大败，阵亡了。当时是三十七岁。军队全部溃散，邓艾长驱进入成都。诸葛瞻长子诸葛尚和诸葛瞻一起阵亡。次子诸葛京和诸葛攀儿子诸葛显等在咸熙元年，被迁到内地，安置在河东。

董厥，在诸葛亮做丞相时担任丞相府令史，诸葛亮称赞说："董令史是优秀的人才啊，我常和他交谈，他思虑谨慎，举措适宜。"调为主薄。诸葛亮死后，逐渐升到尚书仆射，代替陈祗为尚书令。延熙十四年，樊建以校尉身份出使吴国，碰上孙权病重，不亲自接见樊建。孙权问诸葛恪："樊建和宗预比怎么样？"诸葛恪说："才干见识不如宗预，而品性、高雅超过宗预。"后来任侍中，守尚书令。自从诸葛瞻、董厥、樊建主持政事，姜维经常在外作战，宦人黄皓就趁机窃夺大权，诸葛瞻等容忍迁就，不能纠正，但樊建独不和黄皓和好往来。蜀国灭亡的第二年春天，董厥、樊建一起到京都，同被任命为相国参军。当年秋天，又同都兼任散骑常侍，被派到蜀地去慰劳。

# 〔晋书〕

## 宣帝传

宣皇帝讳懿，字仲达，河内温县孝敬里人，姓司马氏。其先出自帝高阳之子重黎，为夏官祝融。历唐、虞、夏、商，世序其职。及周，以夏官为司马。其后程伯休父，周宣王时，以世官克平徐方，锡以官族，因而为氏。楚汉间，司马卬为赵将，与诸侯伐秦。秦亡，立为殷王，都河内。汉以其地为郡，子孙遂家焉。自卬八世，生征西将军钧，字叔平。钧生豫章太守量，字公度。量生颍川太守儁，字元异。儁生京兆尹防，字建公。帝即防之第二子也。少有奇节，聪明多大略，博学洽闻，伏膺儒教。汉末大乱，常慨然有忧天下心。南阳太守同郡杨俊名知人，见帝，未弱冠，以为非常之器。尚书清河崔琰与帝兄朗善，亦谓朗曰："君弟聪亮明允，刚断英特，非子所及也。"

汉建安六年，郡举上计掾。魏武帝为司空，闻而辟之。帝知汉运方微，不欲屈节曹氏，辞以风痹，不能起居。魏武使人夜往密刺之，帝坚卧不动。及魏武为丞相，又辟为文学掾，敕行者曰："若复盘桓，便收之。"帝惧而就职。于是使与太子游处，迁黄门侍郎，转议郎、丞相东曹属，寻转主簿。

**【译文】**

宣皇帝，名懿，字仲达，是河内郡温县孝敬里人，姓司马。司马氏的始祖系出自帝高阳之子重黎，任夏官祝融。历经唐尧、虞舜、夏朝、商朝，世代为夏官祝融。到周朝，改夏官为司马。其后代程伯休父，在周宣王时以世袭司马之职平定了徐方，周天子赐他以官为氏，因此以司马为姓氏。楚汉争雄之时，司马卬为赵国将领，同各路诸侯攻伐秦国。秦亡以后，司马卬被立为殷王，国都在河内。汉代改殷国为河内郡，司马卬的子孙就定居在河内郡。司马卬的八代孙，其子为司马钧，字叔平。司马钧生豫章太守司马量，字公度。司马量生颍川太守司马俊，字元异。司马俊生京兆尹司马防，字建公。宣帝司马懿即司马防的二儿子。司马懿小时候即聪明有才略，博学多闻，笃信儒家学说。东汉末年，天下大乱，司马懿即怀有以天下为己任之志。他的同乡南阳太守杨俊，善于鉴别人才，他看到未满二十岁的司马懿，便认为是非常的人才。尚书清河人崔琰与司马懿的哥哥司马朗是好朋友，崔琰对司马朗说："你的弟弟聪明通达，决断而英明，非你所能及。"

东汉献帝建安六年，各郡官员向朝廷汇报本地人才、钱粮等事。当时魏武曹操任司空，得知司马懿是个人才，便荐举他为官。司马懿清楚汉室政权即将终结，不愿意屈己侍奉曹氏，便以患中风，不能起居来推辞。曹操派人夜里往司马懿的住处刺探他的动静，司马懿坚持卧床不起。曹操升为汉丞相，又任司马懿为文学掾，曹操派人去征召司马懿，对派去的官员说："司马懿如果再装病不起，就把他抓起来。"司马懿怕被抓，不得已就职。于是派他陪伴汉献帝的太子。后来升为黄门侍郎，转升议郎、丞相东曹的属官，不久又转升为主簿。

从讨张鲁，言于魏武曰："刘备以诈力虏刘璋，蜀人未附而远争江陵，此机不可失也。今若曜威汉中，益州震动，进兵临之，势必瓦解。因此之势，易为功力。圣人不能违时，亦不失时矣。"魏武曰："人苦无足，即得陇右，复欲得蜀！"言竟不从。既而从讨孙权，破之。军还，权遣使乞降，上表称臣，陈说天命。魏武帝曰："此儿欲踞吾著炉炭上邪！"答曰："汉运垂终，殿下十分天下而有其九，以服事之。权之称臣，天人之意也。虞、夏、殷、周不以谦让者，畏天知命也。"

魏国既建，迁太子中庶子。每与大谋，辄有奇策，为太子所信重，与陈群、吴质、朱铄号曰四友。

迁为军司马，言于魏武曰："昔箕子陈谋，以食为首。今天下不耕者盖二十余万，非经国远筹也。虽戎甲未卷，自宜且耕且守。"魏武纳之，于是务农积谷，国用丰赡。帝又言荆州刺史胡修粗暴，南乡太守傅方骄奢，并不可居边。魏武不之察。及蜀将关羽围曹仁于樊，于禁等七军皆没，修、方果降羽，而仁围甚急焉。

【译文】

跟随曹操讨伐张鲁，司马懿为曹操献计说：“刘备用诈力虏获刘璋，四川人还未归服，便远道去争江陵，这是我们进攻四川的大好时机，机不可失。如果我方陈兵扬威于汉中，益州必然震惊，再进兵逼近，蜀国势力必然瓦解。利用这样的形势，很容易成功。圣人也不能违背时机，但圣人的高明在于不失时机。”曹操说：“人就怕贪得无厌，既得到陇右，又想得到巴蜀！”不用司马懿的计策。后来又跟随曹操征伐孙权，大破孙权军。曹操班师，孙权派遣使者乞求投降，上表向曹操称臣，并说天命该曹操当皇帝。曹操说道：“孙权这小子想把我放在炭火炉上吗！”使者回答说：“汉朝的命运将终结，殿下您拥有天下的十分之九，所以向您称臣。孙权对您臣服，是顺天随人。虞、夏、商、周之所以不谦让而取得政权，是怕违背上天的意志。”

汉献帝封曹操为魏王，建立魏国，司马懿升为太子中庶子。每有朝廷大事，司马懿都参与其事，往往有奇策妙计，因此被太子信任倚重，他与陈群、吴质、朱铄，号称“四友”。

司马懿又升为军司马，他向曹操献策说：“古代箕子向周武王陈献九策，以粮食为第一要义。现在天下士兵不耕而食者将近二十余万人，这不是治理国家的长久之计。现在虽然兵事不断，应令士兵边屯种边守戍。”曹操采纳了他的建议，于是士兵务农，积蓄粮食，国家的经费也富裕了。司马懿又反映，荆州刺史胡修为政粗暴，南乡太守傅方骄奢淫逸，都不应在边地为官。对司马懿的建议，曹操没有理睬。后来蜀将关羽把曹仁围困在樊城，于禁等七军覆没，胡修、傅方果然投降了关羽，曹仁被围困，形势更为危急。

是时汉帝都许昌，魏武以为近贼，欲徙河北。帝谏曰：“禁等为水所没，非战守之所失，于国家大计未有所损，而便迁都，既示敌以弱，又淮沔之人大不安矣。孙权、刘备，外亲内疏，羽之得意，权所不愿也。可喻权所，令掎其后，则樊围自解。”魏武从之。权果遣将吕蒙西袭公安，拔之，羽遂为蒙所获。

魏武以荆州遗黎及屯田在颍川者逼近南寇，皆欲徙之。帝曰："荆楚轻脱，易动难安。关羽新破，诸为恶者藏窜观望。今徙其善者，既伤其意，将令去者不敢复还。"从之。其后诸亡者悉复业。

及魏武薨于洛阳，朝野危惧。帝纲纪丧事，内外肃然。乃奉梓宫还邺。

**【译文】**

这时汉献帝以许昌为国都，曹操认为许昌太接近敌境，想迁都黄河以北。司马懿劝阻说："于禁等军是被大水淹没，并不是在战守之策上有什么失计，况且对国家大计也没有什么影响，如果轻易迁都，不但在敌人面前显示软弱，而且淮河、沔水一带的百姓，也会出现人心不安的局面。刘备和孙权，表面亲近，内心疏远，关羽战胜，并非孙权的心愿。我方可以暗示孙权一方，让他们在关羽后面加以牵制，那么樊城的围困自然解除。"曹操采纳了他的意见。孙权果然派将军吕蒙向西袭击公安。攻下县城，于是关羽被吕蒙擒获。

曹操以为，荆州遗民以及士兵屯田于颍川者，与南方的敌人相距太近，打算全部迁走。司马懿建议说："荆楚这地方很不安稳，容易动乱，很难安宁。关羽最近被打败，那些在地方上为非作歹的家伙藏匿起来，伺机而动。现在如果把善良百姓迁往他处，既违背他们的意愿，又将使逃亡他乡的人不敢回乡。"曹操听从了他的意见。后来逃亡在外的人都陆续回乡成家立业。

曹操病死于洛阳，朝廷内外都满怀危惧。司马懿一手经营丧事，朝野安然无事。于是把曹操的灵柩送还邺城安葬。

魏文帝即位，封河津亭侯，转丞相长史。会孙权帅兵西过，朝议以樊、襄阳无谷。不可以御寇。时曹仁镇襄阳，请召仁还宛。帝曰："孙权新破关羽，此其欲自结之时也，必不敢为患。襄阳水陆之冲，御寇要害，不可弃也。"言竟不从。仁遂焚弃二城，权果不为寇，魏文悔之。

及魏受汉禅，以帝为尚书。顷之，转督军、御史中丞，封安国乡侯。

黄初二年，督军官罢，迁侍中、尚书右仆射。

【译文】

魏文帝曹丕即魏王位，司马懿被封为河津亭侯，转升丞相长史。当孙权率兵西进的时候，朝中大臣以为樊城、襄阳没有粮食，所以不可在此抵抗。当时曹仁镇守襄阳，大臣请把曹仁调往宛城。司马懿力排众议，说道："孙权刚刚打败关羽，这时正是他结好邻邦的时候，必不敢这时来挑衅。襄阳居水陆要冲，是御敌的战略要地，不能放弃。"他的建议竟不被采纳。于是曹仁一把火烧掉樊、襄二城，丢弃而去。正如司马懿所料，孙权果然没来挑衅，曹丕后悔当初没有采纳司马懿的建议。

曹魏代汉，任司马懿为尚书。过了不久，转升为督军、御史中丞，封为安国乡侯。

魏文帝黄初二年，罢去督军官，司马懿升为侍中、尚书右仆射。

五年，天子南巡，观兵吴疆。帝留镇许昌，改封向乡侯，转抚军、假节，领兵五千，加给事中、录尚书事。帝固辞。天子曰："吾于庶事，以夜继昼，无须臾宁息。此非以为荣，乃分忧耳。"

六年，天子复大兴舟师征吴，复命帝居守，内镇百姓，外供军资。临行，诏曰："吾深以后事为念，故以委卿。曹参虽有战功，而萧何为重。使吾无西顾之忧，不亦可乎！"天子自广陵还洛阳，诏帝曰："吾东，抚军当总西事；吾西，抚军当总东事。"于是帝留镇许昌。

及天子疾笃，帝与曹真、陈群等见于崇华殿之南堂，并受顾命辅政。诏太子曰："有间此三公者，慎勿疑之。"明帝即位，改封舞阳侯。

及孙权围江夏，遣其将诸葛瑾、张霸并攻襄阳，帝督诸军讨权，走之。进击，败瑾，斩霸，并首级千余。迁骠骑将军。

太和元年六月，天子诏帝屯于宛，加督荆、豫二州诸军事。

【译文】

黄初五年，魏文帝到南方巡视，考察魏、吴交界处的军事形势。司马懿留守，坐镇许昌，改封他为向乡侯，转升抚军、假节，领兵五千，并加给事中、录尚书事官衔。司马懿坚持推辞，魏文帝对他说："我应付各种事务，夜以继日，没有一刻安静。给你升官，并不只是荣耀，而是让你分担我的忧劳罢了。”

黄初六年，魏文帝大量调动水军征伐吴国，又让司马懿留守，对内镇压百姓，对外供应军需物资。魏文帝临行时，命令他：“我深为后方供给之事而忧虑，所以才让你担当留守之任。楚汉相争之时，曹参虽然有战功，但终以在后方供应军需的萧何为第一功。这样，使我免后顾之忧，不是很好吗！”魏文帝自广陵回到洛阳，对司马懿说：“如果我东征，抚军你总管西方的事务；如我西伐，抚军你总管东方的事务。”于是司马懿仍留守许昌。

魏文帝病重，司马懿和曹真、陈群等人在崇华殿的南堂晋见魏文帝，他们受遗命辅佐太子，处理政务。魏文帝对太子说：“如果有人离间这三位老臣，切不要生疑心。”魏明帝即皇帝位，改封司马懿为舞阳侯。

孙权围困江夏的时候，同时派大将诸葛瑾、张霸进攻襄阳。司马懿统率各路军马征讨孙权，把吴军击退。乘胜追击，大败诸葛瑾，杀掉张霸，并获首级千余颗。司马懿升为骠骑将军。

魏明帝太和元年六月，明帝命司马懿屯兵于宛城，加官都督荆、豫二州诸军事。

初，蜀将孟达之降也，魏朝遇之甚厚。帝以达言行倾巧不可任，骤谏不见听，乃以达领新城太守，封侯，假节。达于是连吴固蜀，潜图中国。蜀相诸葛亮恶其反覆，又虑其为患。达与魏兴太守申仪有隙，亮欲促其事，乃遣郭模诈降，过仪，因漏泄其谋。达闻其谋漏泄，将举兵。帝恐达速发，以书喻之曰：“将军昔弃刘备，托身国家，国家委将军以疆埸之任，任将军以图蜀之事，可谓心贯向日。蜀人愚智，莫不切齿于将军。诸葛亮欲相破，惟苦无路耳。模之所言，非小事也，亮岂轻之而令宣露，此殆易知耳。”达得书大喜，犹与不决。帝乃潜军进讨。诸将言达与二贼交构，宜观望而后动。帝曰：“达无信义，此其相疑之时也，当及其未定促决之。”乃倍道兼行，八日到其城下。吴蜀各遣其将向西城安桥、木阑塞以救达，帝分诸将以距之。

初，达与亮书曰：“宛去洛八百里，去吾一千二百里，闻吾举事，当表上天子，比相反覆，一月间也，则吾城已固，诸军足办。则吾所在深险，司马公必不自来；诸将来，吾无患矣。”及兵到，达又告亮曰：“吾举事八日，而兵至城下，何其神速也！”上庸城三面阻水，达于城外为木栅以自固。帝渡水，破其栅，直造城下。八道攻之，旬有六日，达甥邓贤、将李辅等开门出降。斩达，传首京师。俘获万余人，振旅还于宛。乃劝农桑，禁浮费，南土悦附焉。

【译文】

当初蜀将孟达投降魏国的时候，魏国待他很好。司马懿认为孟达言行诡诈不可信任，向皇帝建议，也不被采纳，于是任孟达为新城太守，并封侯假节。孟达便乘机联络吴国并向蜀国表示誓死为蜀臣，来谋图魏国。蜀国丞相诸葛亮讨厌他反反复复，又担心他捣乱。孟达与魏国的魏兴太守申仪有矛盾，诸葛亮想把孟达的阴谋揭发出来，便派郭模诈降魏国，郭模在和申仪的过从中，把孟达的阴谋泄露出来。孟达听到他的阴谋泄露，就要举兵反叛。司马懿担心孟达快速起事，便写信给孟达说：“将军你以前背弃刘备，托身魏国，魏国委任你为边疆大吏，让你谋图蜀国，对你可说是坦诚之至。因此，蜀国的上上下下，不管是愚人还是智者，都对你恨得咬牙切齿。诸葛亮想搞掉你，只是他没有办法。郭模所透露出的事情，那是军机大事，诸葛亮岂肯轻易让他泄露出来？这是很清楚的事。”孟达接到书信，非常高兴，但是举兵不举兵，又犹豫不决了。司马懿乘机悄悄发兵进讨。魏国诸将说：“孟达和蜀、吴二国勾结，应观察二国的动静，然后发兵。”司马懿说：“孟达这个人无信无义，这时正是他们之间互相猜疑的时候，应该在他们还没有拿定主意时搞掉它！”于是兼程前进，只用了八天就到新城城下。这时吴国和蜀国各自派兵向西城安桥、木阑塞，来援救孟达，司马懿则分派诸将阻挡蜀、吴援军。

在此之前，孟达给诸葛亮写信说：“宛城距洛阳八百里，距我守的新城则一千二百里，魏国得知我起兵，必然向魏国皇帝汇报，这样书信往还，需要一个月的时间。在此期间，我可以把城防工事修筑坚固，附近的魏军来攻，足可以抵抗。我所在的新城，地势险要，司马懿必不肯自己领兵前来；派其他将军来，我就没有什么可以担心的了。”这时司马懿率兵已到，孟达又写信给诸葛亮：“我起兵才八天，魏国大兵已至城下，怎么如此神速呢！”上庸城三面环水，孟达在城外树立木栅栏，以此固守。司马懿率兵渡过环城河水，破坏栅栏，直逼城下。八路齐攻，十六天之后，孟达的外甥邓贤、将军李辅等人开城投降。司马懿军杀死孟达，把首级传送京城。俘获了万余名敌兵，重兵驻于宛城。于是鼓励农业生产，严禁浪费，南方的士民很乐意归服。

初，申仪久在魏兴，专威疆埸，辄承制刻印，多所假授。达既诛，有自疑心。时诸郡守以帝新克捷，奉礼求贺，皆听之。帝使人讽仪，仪至，问承制状，执之，归于京师。又徙孟达余众七千余家于幽州。蜀将姚静、郑他等帅其属七千余人来降。

时边郡新附，多无户名，魏朝欲加隐实。属帝朝于京师，天子访之于帝。帝对曰：“贼以密网束下，故下弃之。宜弘以大纲，则自然安乐。”又问二虏宜讨，何者为先？对曰：“吴以中国不习水战，故敢散居东关。凡攻敌，必扼其喉而播其心。夏口、东关，贼之心喉。若为陆军以向皖城，引权东下，为水战军向夏口，乘其虚而击之，此神兵从天而堕，破之必矣。”天子并然之，复命帝屯于宛。

四年，迁大将军，加大都督、假黄钺，与曹真伐蜀。帝自西城斫山开道，水陆并进，溯沔而上，至于朐䏰，拔其新丰县。军次丹口，遇雨，班师。

**【译文】**

当初申仪长久驻守魏兴，边疆大事，专权独断，往往假传圣旨私刻印信，乱封官员。孟达被杀，申仪不免心虚自疑。这时各地郡守因司马懿大胜，纷纷带着礼物来祝贺，司马懿都收下了。司马懿派人去暗示申仪，也应去祝贺，申仪来到帐前，司马懿责问他假传圣旨的事情，把他逮捕，送回京城。司马懿又把孟达手下的七千多家迁到幽州。于是蜀国将领姚静、郑他等人率部七千多人来投降。

当时边地郡县刚刚归服，大多民户没有户口，魏国想加以隐瞒。这时司马懿进京朝见天子，天子问起这件事，司马懿回答说：“敌人以严政约束部下百姓，所以百姓不合作，不上户口。现在应以宽大为怀，只抓主要纲领，老百姓自然安居乐业。”天子又问起蜀、吴二国应加讨伐，该先讨伐谁，司马懿回答说：“吴国以为中原士兵不习水战，所以它敢于散驻在东关。大凡进攻敌人，一定要扼住它的咽喉，打击它的心脏部位。夏口和东关，是敌人的咽喉。我们佯装陆战，军队向皖城进发，引诱孙权东下，这时水军直向夏口，乘敌空虚进击，如神兵从天而降，一定能大败敌人。”天子对司马懿的计策很欣赏，仍命他屯驻在宛城。

太和四年，司马懿升任大将军，加大都督衔，假黄钺，和曹真一道征伐蜀国。司马懿自西城开山修路，水陆齐进，溯沔水而上，到达朐䏰，攻下新丰县。大军驻扎在丹口，因天降大雨，便班师回魏国。

明年，诸葛亮寇天水，围将军贾嗣、魏平于祁山。天子曰：“西方有事，非君莫可付者。”乃使帝西屯长安，都督雍、梁二州诸军事，统车骑将军张郃、后将军费曜、征蜀护军戴凌、雍州刺史郭淮等讨亮。张郃劝帝分军住雍、郿为后镇，帝曰：“料前军独能当之者，将军言是也。若不能当，而分为前后，此楚之三军所以为黥布禽也。”遂进军隃麋。亮闻大军且至，乃自帅众将芟上邽之麦。诸将皆惧，帝曰：“亮虑多决少，必安营自固，然后芟麦，吾得二日兼行足矣。”于是卷甲晨夜赴之，亮望尘而遁。帝曰：“吾倍道疲劳，此晓兵者之所贪也。亮不敢据渭水，此易与耳。”进次汉阳，与亮相遇，帝列阵以待之。使将牛金轻骑饵之，兵才接而亮退，追至祁山。亮屯卤城，据南北二山，断水为重围。帝攻拔其围，亮宵遁，追击破之，俘斩万计。天子使使者劳军，增封邑。

时军师杜袭、督军薛悌皆言明年麦熟，亮必为寇，陇右无谷，宜及冬豫运。帝曰：“亮再出祁山，一攻陈仓，挫衄而反。纵其后出，不复攻城，当求野战，必在陇东，不在西也。亮每以粮少为恨，归必积谷，以吾料之，非三稔不能动矣。”于是表徙冀州农夫佃上邽，兴京兆、天水、南安监冶。

青龙元年，穿成国渠，筑临晋陂，溉田数千顷，国以充实焉。

【译文】

第二年，诸葛亮率军进攻天水，把魏国的将军贾嗣、魏平围困在祁山。魏明帝对司马懿说："西边出了事，非你莫属。"于是派他西进，屯驻于长安，并加都督雍、梁二州诸事衔，率车骑将军张郃、后将军费曜、征蜀护军戴凌、雍州刺史郭淮等人征伐诸葛亮。张郃劝司马懿分兵驻扎在雍州、郿州，作为后续部队，司马懿说："如果前锋部队的力量能够抵挡敌军，将军你的意见是对的；如果前锋部队不能抵挡敌军，而分为前军后军，这正像项羽分为三军被黥布所擒一样！"于是进军隃麋。诸葛亮得知魏国大军将到，亲自率领诸将抢收上邦的小麦。魏国诸将有些担心，司马懿说："诸葛亮考虑很多，决断很少，一定是巩固了营地，然后抢收小麦，我军用两天时间急行军就可以了。"于是倾巢出动，日夜兼行，诸葛亮望见魏军尘烟而逃走。司马懿判断说："我军兼程前进，已很疲劳，在通晓兵法的人看来是难得的机会。但诸葛亮不敢据渭水抵抗，这就很容易对付了。"于是进驻汉阳，与诸葛亮的军队相遇，司马懿列开阵势，准备交战。又派将军牛金用小股部队引诱敌军。两军刚刚接火，诸葛亮即败退而去，魏军追至祁山。诸葛亮屯军于卤城，占据南北二山，拦住河水，形成水防工事。司马懿攻破重围，诸葛亮夜间逃走。司马懿纵兵追击，俘斩敌军万余人。魏明帝派遣使者慰劳司马懿统率之军，并给司马懿增加封地。

当时军师杜袭、督军薛悌都认为，到明年麦熟之时，诸葛亮必定再来进攻，陇右没有军食，应该在冬天预先运输。司马懿说："诸葛亮两出祁山，一攻陈仓，都大败而回。纵然他再出，必然不去攻城，而求野战，战场必在陇东，不在陇西。诸葛亮吃尽了粮少的苦头，这次败回，必然积蓄粮食。依我的预料，除非有三个丰收的年头，否则他不会动兵！"于是他向皇帝上奏，请将冀州的农民迁至上邦种田，再把京兆、天水、南安等地的冶铸业恢复起来。

魏明帝青龙元年，开凿成国渠，修筑临晋陂，灌溉良田数千顷，因此国用充实。

二年，亮又率众十余万出斜谷，垒于郿之渭水南原。天子忧之，遣征蜀护军秦朗督步骑二万，受帝节度。诸将欲往渭北以待之，帝曰："百姓皆在渭南，此必争之地也。"遂引军而济，背水为垒。因谓诸将曰："亮若勇者，当出武功，依山而东。若西上五丈原，则诸军无事矣。”亮果上原，将北渡渭，帝遣将军周当屯阳遂以饵之。数日，亮不动。帝曰：“亮欲争原而不向阳遂，此意可知也。”遣将军胡遵、雍州刺史郭积聚淮共备阳遂，与亮会于积石。临原而战，亮不得进，还于五丈原。会有长星坠亮之垒，帝知其必败，遣奇兵掎亮之后，暂五百余级，获生口千余，降者六百余人。

时朝廷以亮侨军远寇，利在急战，每命帝持重，以候其变。亮数挑战，帝不出，因遗帝巾帼妇人之饰。帝怒，表请决战，天子不许，乃遣骨鲠臣卫尉辛毗杖节为军师以制之。后亮复来挑战，帝将出兵以应之，毗杖节立军门，帝乃止。初，蜀将姜维闻毗来，谓亮曰：“辛毗杖节而至，贼不复出矣。”亮曰：“彼本无战心，所以固请者，以示武予其众耳。将在军，君命有所不受，苟能制吾，岂千里而请战邪！”

**【译文】**

青龙二年，诸葛亮又率兵十余万出斜谷，在郿州的渭水南原修筑营垒。魏明帝很是忧虑，派遣征蜀护军秦朗率两万步兵骑兵，归司马懿指挥。诸将想驻扎在渭水北岸，以待蜀军来攻，司马懿说：“百姓和各种物资都在渭水以南，那是必争之地。”于是率军渡过渭水，背水扎营。司马懿对诸将说：“诸葛亮如果富于勇气，应该兵出武功，沿山东进；如果他西上五丈原，则我各路人马就不会有战事。”诸葛亮果然西上五丈原，将要北渡渭水。司马懿派将军周当屯驻阳遂，引诱蜀军。一连几天，诸葛亮都按兵不动。司马懿说：“诸葛亮想争夺渭水南原，但他不向阳遂进兵，意图很清楚。”于是派将军胡遵、雍州刺史郭淮共同守备阳遂，自己率兵和诸葛亮会战于积石。在渭水南原外围大战，诸葛亮军不能前进，又回军于五丈原。这时有一颗流星坠落在诸葛亮的营垒，司马懿判断他必吃败仗，派奇袭部队袭击诸葛亮的背后，斩敌百余人，俘获千余人，有六百余人投降。

当时魏国朝廷认为，诸葛亮远道而来长途行军，利在速战速决，所以朝廷命令司马懿重守不急战，静观形势的变化。诸葛亮多次挑战，司马懿按兵不动。诸葛亮派人给司马懿送去女人用的首饰，以激怒司马懿。司马懿果然大怒，上表请求决战，朝廷不允许，并派遣强硬臣子卫尉辛毗带着符节充当军师，以监督司马懿。后来诸葛亮又来挑战，司马懿忍无可忍，要出兵应战，辛毗带着符节站立在军帐外，司马懿才没有出兵。当初，蜀国将领姜维听说辛毗前来，便对诸葛亮说："辛毗带着符节而来，敌军不会出战了。"诸葛亮说："他本无心应战，之所以上表请战，那是向他的部下表示他勇于战斗。常言道：将在外，君命有所不受。如果他能战胜我，哪里用得着千里之外去请战呢！"

帝弟孚书问军事，帝复书曰："亮志大而不见机，多谋而少决，好兵而无权，虽提卒十万，已堕吾画中，破之必矣。"与之对垒百余日，会亮病卒，诸将烧营遁走，百姓奔告，帝出兵追之。亮长史杨仪反旗鸣鼓，若将距帝者。帝以穷寇不之逼，于是杨仪结阵而去。经日，乃行其营垒，观其遗事，获其图书、粮谷甚众。帝审其必死，曰："天下奇才也。"辛毗以为尚未可知。帝曰："军家所重，军书密计、兵马粮谷，今皆弃之，岂有人捐其五藏而可以生乎？宜急追之。"关中多蒺藜，帝使军士二千人著软材平底木屐前行，蒺藜悉著屐，然后马步俱进。追到赤岸，乃知亮死审问。时百姓为之谚曰："死诸葛走生仲达。"帝闻而笑曰："吾便料生，不便料死故也。"

先是，亮使至，帝问曰："诸葛公起居何如，食可几米？"对曰："三四升。"次问政事，曰："二十罚已上皆自省览。"帝既而告人曰："诸葛孔明其能久乎！"竟如其言。亮部将杨仪、魏延争权，仪斩延，并其众。帝欲乘隙而进，有诏不许。

【**译文**】

司马懿的弟弟司马孚写信问军事情况如何，司马懿回信说："诸葛亮志大而不善抓时机，谋虑很多，而决断很少，好用兵而缺乏随机应变的才能，虽然他领兵十万，却已经进入我的圈套，我一定能打败他。"双方对峙了百余天，诸葛亮病重逝世。他的部将烧掉营房逃走。老百姓来告诉蜀军已逃走，司马懿才派兵追击。诸葛亮的长史杨仪指挥军旗回头，鼓钟大鸣，好像要回兵相拒。司马懿认为穷寇不可追，于是杨仪整顿好部队阵容严整地离去。过了一两天，司马懿才到蜀军弃去的营垒，察看蜀军驻扎的情形，收缴了不少图籍和粮食。这时，司马懿才相信诸葛亮确实是死了，感叹说："真是天下的奇才啊！"辛毗则以为，诸葛亮的生死，还不能断定。司马懿说："兵家重视的是军事文件、军事计划和兵马粮食，现在这些东西都扔掉了，哪有人去掉五脏还可活着的道理！应该尽快追击。"关中的道路长着很多蒺藜，司马懿让两千军人穿上软质木屐在前面开路，蒺藜都刺在木屐上，然后步兵、骑兵跟随前进。追兵来到赤岸，才得到诸葛亮确实死亡的消息。当时老百姓编了一流顺口溜说："死诸葛亮吓走活司马懿。"司马懿听到后，自我解嘲地说："这是我只怕其生不怕其死的缘故啊！"

在此之前，诸葛亮的使者来到司马懿军前，司马懿问道："诸葛先生身体可好？每天能吃多少饭？"使者回答说："每天能吃三、四升米。"又问及多少政事归他处理，回答说："二十杖以上的罪犯都归他亲自处理。"司马懿事后对人说："看诸葛亮还能活多久！"诸葛亮之死，被他说中了。诸葛亮的部将杨仪、魏延争权夺利，杨仪杀掉魏延，吞并了他的部队。司马懿打算乘敌人内讧而进击，朝廷不允许。

三年，迁太尉，累增封邑。蜀将马岱入寇，帝遣将军牛金击走之，斩千余级。

武都氐王苻双、强端帅其属六千余人来降。

关东饥，帝运长安粟五百万斛输于京师。

四年，获白鹿，献之。天子曰："昔周公旦辅成王，有素雉之贡。今君受陕西之任，有白鹿之献，岂非忠诚协符，千载同契，俾义邦家，以永厥休邪！"

及辽东太守公孙文懿反，征帝诣京师。天子曰："此不足以劳君，事欲必克，故以相烦耳。君度其作何计？对曰："弃城预走，上计也。据辽水以距大军，次计也。坐守襄平，此成擒耳。"天子曰："其计将安出？"对曰："惟明者能深度彼己，豫有所弃，此非其所及也。今悬军远征，将谓不能持久，必先距辽水而后守，此中下计也。"天子曰："往还几时？"对曰："往百日，还百曰，攻百日，以六十日为休息，一年足矣。”

【译文】

青龙三年，司马懿升为太尉，增加了封地。蜀国将领马岱入侵边境，司马懿派将军牛金把他击退，斩敌首千余级。

武都氐王苻双、强端率领六千余人来投诚。

关东灾荒，司马懿从长安运来五百万斛粮食输送到京师。

青龙四年，民间获得白鹿，司马懿贡献给天子。魏明帝对他说：“古代周公辅佐周成王，向天子贡献白野鸡。现在你戍守陕西，向朝廷贡献白鹿，这不是忠心感天，千古同心，保安国家，永垂史册吗！”

辽东太守公孙文懿反叛，魏明帝把司马懿召至京师。魏明帝对他说：“按说这事并不值得让你去征伐，只是因为我想出师必胜，所以才麻烦你出征。你估计公孙文懿将采取什么策略？”司马懿回答说：“如果他放弃城池，预先逃走，对他来说，这是上策；如果他据守辽水，和大军对抗，这是次等的策略；如果他坐守襄平城，就只有被活捉。”魏明帝问道：“你估计他选择哪一条路？”司马懿回答：“只有精明的人，才能知己知彼，事先有所放弃，这一点他是做不到的。现在朝廷大军远征，他会认为不能旷日持久，所以他必定先占据辽水而后死守，这当然是中、下之策。”魏明帝又问：“你估计来回需要多长时间？”司马懿回答：“去需要一百天，回来也需一百天，进攻需一百天，加上六十天休整，这样一年的时间就足够了。”

是时大修宫室，加之以军旅，百姓饥弊。帝将即戎，乃谏曰：“昔周公营洛邑，萧何造未央，今宫室未备，臣之责也。然自河以北，百姓困穷，外内有役，势不并兴，宜假绝内务，以救时急。”

景初二年，帅牛金、胡遵等步骑四万，发自京都。车驾送出西明门，诏弟孚、子师送过温，赐以谷帛牛酒，敕郡守典农以下皆往会焉。见父老故旧，晏饮累日。帝叹息，怅然有感，为歌曰：“天地开辟，日月重光。遭遇际会，毕力遐方。将扫群秽，还过故乡。肃清万里，总齐八荒。告成归老，待罪舞阳。”遂进师，经孤竹，越碣石，次于辽水。文懿果遣步骑数万，阻辽隧，坚壁而守，南北六七十里，以距帝。帝盛兵多张旗帜出其南，贼尽锐赴之。乃泛舟潜济以出其北，与贼营相逼，沈舟焚梁，傍辽水作长围，弃贼而向襄平。诸将言曰："不攻贼而作围，非所以示众也。"帝曰："贼坚营高垒，欲以老吾兵也。攻之，正入其计，此王邑所以耻过昆阳也。古人曰，敌虽高垒，不得不与我战者，攻其所必救也。贼大众在此，则巢窟虚矣。我直指襄平，则人怀内惧，惧而求战，破之必矣。"遂整阵而过。贼见兵出其后，果邀之。帝谓诸将曰："所以不攻其营，正欲致此，不可失也。"乃纵兵逆击，大破之，三战皆捷。贼保襄平，进军围之。

初，文懿闻魏师之出也，请救于孙权。权亦出兵遥为之声援，遗文懿书曰："司马公善用兵，变化若神，所向无前，深为弟忧之。"

【译文】

这时朝廷大兴土木，修建宫殿，加上军事劳役，弄得百姓饥饿疲敝。司马懿出征之前，劝说魏明帝："古时周公营建洛阳，萧何建造未央宫，现在我朝宫殿尚不完备，这是我做臣子的责任。但是现在，自黄河以北，老百姓都穷困已极，这样内有劳役，外有兵役，势必不能兼顾，应该暂停内部的劳役，以救燃眉之急。"

魏明帝景初二年，司马懿率领牛金、胡遵等步兵骑兵四万余人，从京师出发。魏明帝亲自送到西明门外，并命令司马懿的弟弟司马孚、儿子司马师送过故乡温县，赏赐司马懿大量粮食、丝帛、牛肉、美酒。命令河内郡守、典农以下的官员都到温县迎接。司马懿见到故乡的父老乡亲，连日宴请。司马懿面对此景此情，深为感叹，于是赋诗一首："自从盘古开天地，此时日月也重光。风云际会英雄出，尽力朝廷去远方。将去远方扫叛逆，征途顺路还故乡。扫清万里清宇宙，八方进献来朝王。功成告老全名节，逍遥度日在舞阳。"于是从温县出发，经过孤竹，越过碣石山，驻扎在辽水之滨。公孙文懿果然派遣步兵骑兵数万，驻扎在辽隧，构筑了坚固的工事，南北长六七十里，形成一道防线，抵抗司马懿所率的军队。司马懿调兵大张旗鼓地进击公孙文懿的南侧，敌人的精锐部队全部向南线转移。司马懿又调动军队从北线乘船渡过辽水，逼近敌军的大营。然后凿沉船只，烧毁桥梁，依辽水把敌营团团围困起来。又调集主要兵力向襄平城进攻。他对手下的将领们说道："不进攻敌人。只是围困，好像我们的兵力不足一样。"司马懿说："敌人坚守不出，是想把我军拖垮，如果急于进攻，正中了他的奸计，这正像秦将王邑在昆阳被拖垮一样。古人说，敌人虽然打算坚守不出，但他不得不出战，是因为我们攻了他的老窝，他不得不救援。敌人主力兵力在这里，他的老窝空虚，我军直捣襄平，他的兵士们有后顾之忧，这样他必然要战，就一定能打败他们。"于是整齐军阵，绕敌而过。敌人见大军绕向它的后方，果然出兵拦击。司马懿对诸将说："我所以不进攻它的大营，就是想把他们调出来，现在正是败敌的好机会，不可错过！"于是挥兵迎击。大败敌军，三次战斗，都获全胜。敌人退保襄平，司马懿率兵把襄平城团团围困。

在此之前，公孙文懿得知朝廷大军出征，向孙权求救，孙权则出兵在魏军后方牵制，孙权给公孙文懿写信说："司马先生善于用兵，变化如神，所向无敌，我深深为老弟担心。"

会霖潦，大水平地数尺，三军恐，欲移营。帝令军中敢有言徙者斩。都督令史张静犯令，斩之，军中乃定。贼恃水，樵牧自若。诸将欲取之，皆不听。司马陈硅曰："昔攻上庸，八部并进，昼夜不息，故能一旬之半，拔坚城，斩孟达。今者远来而更安缓，愚窃惑焉。"帝曰："孟达众少而食支一年，吾将士四倍于达而粮不淹月，以一月图一年，安可不速？以四击一，正令半解，犹当为之。是以不计死伤，与粮竞也。今贼众我寡，贼饥我饱，水雨乃尔，功力不设，虽当促之，亦何所为。自发京师，不忧贼攻，但恐贼走。今贼粮垂尽，而围落未合，掠其牛马，抄其樵采，此故驱之走也。夫兵者诡道，善因事变。贼凭众恃雨，故虽饥困，未肯束手，当示无能以安之。取小利以惊之，非计也。"朝廷闻师遇雨，咸请召还。天子曰："司马公临危制变，计日擒之矣。"既而雨止，遂合围。起土山地道，楯橹钩橦，发矢石雨下，昼夜攻之。

时有长星，色白，有芒鬣，自襄平城西南流于东北，坠于梁水，城中震慑。文懿大惧，乃使其所署相国王建、御史大夫柳甫乞降，请解围面缚。不许，执建等，皆斩之。檄告文懿曰："昔楚郑列国，而郑伯犹肉袒牵羊而迎之。孤为王人，位则上公，而建等欲孤解围退舍，岂楚郑之谓邪！二人老耄，必传言失旨，已相为斩之。若意有未已，可更遣年少有明决者来。”文懿复遣侍中卫演乞克日送任。帝谓演曰：“军事大要有五，能战当战，不能战当守，不能守当走，余二事惟有降与死耳。汝不肯面缚，此为决就死也，不须送任。”文懿攻南围突出，帝纵兵击败之，斩于梁水之上星坠之所。既入城，立两标以别新旧焉。男子年十五已上七千余人皆杀之，以为京观。伪公卿已下皆伏诛，戮其将军毕盛等二千余人。收户四万，口三十余万。

【译文】

当时正是阴雨天气，平地大水数尺，诸兵将非常担心，打算把营地移往高处。司马懿下令说，谁敢提议移营就杀头。都督令史张静违犯这一军令，立即被杀掉了，军队才平静下来。敌人凭借大水环绕，照常出城打柴放牧。诸将想把他们抓来，司马懿不允许。司马陈硅对司马懿说：“当年进攻上庸，八路并进，日夜不停，所以能在十天半月之内，攻下坚城，杀掉孟达。现在我们远道而来，迟迟不进攻，我真想不通！”司马懿对他说：“孟达的兵少粮多，粮食可支持一年，而我军四倍于敌人，粮食仅够一月食用，一个月对一年，哪能不速战速决？四人打一人，即使是两人打一人，也是应当进攻的。所以当时不怕伤亡，是军粮支持的时间有限。现在是敌众我寡，敌饥我饱，又遇上这样的洪水，条件不具备，虽然想早点结束战斗，但无能为力。自从京城出发，我不怕敌人进攻，只担心敌人逃走。现在敌人粮食快吃光了，我们的包围圈还没有形成，如果抢夺他的牛马，抓获他的打柴兵士，这不是赶他逃走吗？战争是变幻莫测的，但要善于抓住变化的机会。敌人依仗人多，又有雨水阻隔，虽然肚皮填不饱，还不肯束手就擒，我们应表示毫无办法，把敌人安顿住。如果占点小小的便宜把敌人惊走，那是失策。”朝廷听说大军被洪水阻隔，大臣请求把军队召回，魏明帝说：“司马先生善于在危险的环境中出奇制胜，过不了几天就会把敌首抓获。”过了不久，雨过天晴，包围圈已经形成，又堆起土山，挖掘地道，兵器也准备齐全，于是发动总攻，飞箭石块，如雨而下，昼夜不停。

这时天上出现一颗流星，颜色雪白，好像长着芒刺，自襄平城西南向东北飞去，坠落在梁水河中，襄平城中的敌人惴惴不安。公孙文懿更是魂不守舍，于是派他的代理相国王建、御史大夫柳甫前来求降，请求解除包围，束手投降。司马懿不答应。把王建等人抓起来斩首。又向公孙文懿发出最后通牒："春秋时楚国和郑国都是诸侯国，郑国战败，郑伯还肉袒牵羊迎接楚君。我是朝廷的大臣，爵为上公，王建等人想要我解除重围，退兵三舍，昔日楚郑关系是这样吗？这两个人大概是老糊涂，传错了你的话，我已经把他们杀了。如果你还有未尽之意，可派年轻明事理的人来。"公孙文懿派遣侍中卫演请求约定日期送公孙文懿的儿子来当人质。司马懿对卫演说："战争结局的选择，大致有五种途径，能战当战，不能战当守，不能守当走，剩下的两条路只有投降和被杀了。你不肯自缚请罪，这就表明你选择了死路，不需要送人质了！"公孙文懿突破南面的重围逃走，司马懿挥兵追击，把敌军杀得落花流水，公孙文懿也在梁水河边流星坠落的地方被杀。大军入城，树立两个标志，跟朝廷的人在一边，公孙文懿的人为一边，把公孙文懿部下十五岁以上的七千余人全都杀死，用尸体垒成大高台。公孙文懿的公卿以下的官员都被斩，杀掉他的部将毕盛等两千余人。归服的民户有四万多，人口三十多万。

初，文懿篡其叔父恭位而囚之。及将反，将军纶直、贾范等苦谏，文懿皆杀之。帝乃释恭之囚，封直等之墓，显其遗嗣。令曰："古之伐国，诛其鲸鲵而已，诸为文懿所诖误者，皆原之。中国人欲还旧乡，恣听之。"

时有兵士寒冻，乞襦，帝弗之与。或曰："幸多故襦，可以赐之。"帝曰："襦者官物，人臣无私施也。"乃奏军人年六十已上者罢遣千余人，将吏从军死亡者致丧还家。遂班师。天子遣使者劳军于蓟，增封食昆阳，并前二县。

初，帝至襄平，梦天子枕其膝，曰："视吾面。"俛视有异于常，心恶之。先是，诏帝便道镇关中；及次白屋，有诏召帝，三日之间，诏书五至。手诏曰："间侧息望到，到便直排閤入，视吾面。"帝大遽，乃乘追锋车昼夜兼行，自白屋四百余里，一宿而至。引入嘉福殿卧内，升御床。

帝流涕问疾，天子执帝手，目齐王曰："以后事相托。死乃复可忍，吾忍死待君，得相见，无所复恨矣。"与大将军曹爽并受遗诏辅少主。

**【译文】**

当初，公孙文懿篡夺他叔父公孙恭的官位，把他叔父囚禁起来。在反叛之前，他的部将纶直、贾范等人苦苦相劝，公孙文懿把他们全都杀死。这时，司马懿把公孙恭释放，为纶直等人建造坟墓，提拔他们的子孙。于是发布命令："古代征伐敌国，只诛杀为首的头目，一般跟着公孙文懿跑的，都在宽大之列。中原人愿意回故乡的，听从自便。"

当时有的被俘士兵因没衣服穿，冻得难熬，乞求发给衣服，司马懿不给。有人说："正好我们有不少旧衣服，可以赏给他们。"司马懿说："衣服是官家的东西，作为臣子，不敢私自施舍。"司马懿又向朝廷上奏，军人年岁在六十以上的，复员千余人，军官阵亡的，用棺材送回故乡。于是班师回朝。魏明帝派使者到蓟州慰劳，把昆阳作为司马懿的封地，加上以前的二县。

当初，司马懿到达襄平之前，梦见魏明帝的头枕在他的膝盖上，对他说："你看看我的脸。"司马懿低头看去，与平常的面孔不一样，觉得很厌恶。在班师之前，魏明帝命令司马懿回军之后，镇守关中。司马懿率军来到白屋，皇帝又召司马懿回京，三日之内，连接五道圣旨。皇帝亲笔写道："我时刻盼你来到，你来到京城，可排门而入，与我见一面。"司马懿感到有些恐惧，于是乘快车日夜兼行，从白屋至京城四百余里，一夜便赶到，司马懿被引入嘉福殿卧室，来到床前，泪流满面，问候明帝的病情，明帝拉住他的手，眼睛看着齐王曹芳，对司马懿说："我把后事托付给你。死亡前的痛苦令人难以忍受，我所以忍受痛苦不死，是等见你一面，现在见了面，我没有遗憾了。"司马懿和大将军曹爽接受遗嘱，辅佐少年主子。

及齐王即帝位，迁侍中、持节、都督中外诸军、录尚书事，与爽各统兵三千人，共执朝政，更直殿中，乘舆入殿。爽欲使尚书奏事先由已，乃言于天子，徙帝为大司马。朝议以为前后大司马累薨于位，乃以帝为太傅，入殿不趋，赞拜不名，剑履上殿，如汉萧何故事。嫁娶丧葬取给于官，以世子师为散骑常侍，子弟三人为列侯，四人为骑都尉。帝固让子弟官不受。

正始元年春正月，东倭重译纳贡，焉耆、危须诸国，弱水以南，鲜卑名王，皆遣使来献。天子归美宰辅，又增帝封邑。

初，魏明帝好修宫室，制度靡丽，百姓苦之。帝自辽东还，役者犹万余人，雕玩之物动以千计。至是皆奏罢之，节用务农，天下欣赖焉。

**【译文】**

齐王曹芳登上帝位，升司马懿为侍中、持节、都督中外诸军事、录尚书事，与曹爽各自统领三千人，共同处理朝廷政事，轮流在殿中值班，乘车出入。曹爽企图大权独揽，让尚书的奏章先交给自己，再由他向天子汇报，于是把司马懿改任为大司马。朝臣认为，以前几任大司马都死在任上，很不吉利，便任司马懿为太傅，上殿不必屈身小步，拜见天子可以不报姓名，可以带剑上殿，和西汉萧何的待遇一样。丧葬嫁娶的费用都由朝廷拨给，任他的儿子司马师为散骑常侍，子弟三人封为列侯，四人为骑都尉。司马懿坚持推辞子弟的官爵。

正始元年春正月，东倭国遣使远道来向朝廷进贡，西域的焉耆、危须等国，弱水以南的鲜卑等王，都派遣使者来进贡。皇帝以为这是辅佐大臣的治国之功，又给司马懿增加了封地。

当初，魏明帝喜好修建宫殿，且都设计豪华，弄得老百姓苦不堪言。司马懿征辽东回来时，还有一万多人在修建宫殿，各种雕饰物件，动不动就达数千件。这时，司马懿请求停止修建，节省费用，发展农业，天下百姓莫不欣然悦服。

二年夏五月，吴将全琮寇芍陂，朱然、孙伦围樊城，诸葛瑾、步骘掠柤中，帝请自讨之。议者咸言，贼远来围樊，不可卒拔。挫于坚城之下，有自破之势，宜长策以御之。帝曰："边城受敌而安坐庙堂，疆埸骚动，众心疑惑，是社稷之大忧也。"

六月，乃督诸军南征，车驾送出津阳门。帝以南方暑湿，不宜持久，使轻骑挑之，然不敢动。于是休战士，简精锐，募先登，申号令，示必攻之势。吴军夜遁走，追至三州口，斩获万余人，收其舟船军资而还。天子遣侍中常侍劳军于宛。

秋七月，增封食郾、临颍，并前四县，邑万户，子弟十一人皆为列侯。帝勋德日盛，而谦恭愈甚。以太常常林乡邑旧齿，见之每拜。恒戒子弟曰："盛满者道家之所忌，四时犹有推移，吾何德以堪之。损之又损之，庶可以免乎！"

【译文】

正始二年夏天五月，吴国将领全琮进攻芍陂，朱然、孙伦围困樊城，诸葛瑾、步骘骚扰柤中，司马懿请求率兵征伐。朝廷的官员们认为，敌人远道而来围困樊城，短时间攻不下。敌人攻城受挫，自然瓦解，所以应该用这种策略对付来犯的敌人。司马懿驳斥说："边境的城池被敌人围困，大臣安坐在朝廷上无所作为，这样边境地区政局会不稳，边民会对朝廷产生怀疑，这是国家的一大忧患。"

这年六月，司马懿统率诸军南征，皇帝亲自送出津阳门外。司马懿鉴于南方又热又潮湿，不宜打持久战，便派出轻骑兵向敌人挑战，吴将朱然不敢贸然出击。于是，司马懿下令诸军休整，挑选精锐兵将，选拔登城先锋，严肃军令，做出强攻的态势。吴军连夜逃走，司马懿率兵追至三州口，杀死、俘获敌军万余人，缴获了敌人的舟船及其他军用物资，然后班师回朝。皇帝派侍中常侍到宛城进行慰劳。

秋天七月，朝廷给司马懿增加郾师、临颍为封地，加上以前四县，计有民户四万。他的子弟十一人都封为列侯。司马懿功勋越来越大，却更加谦虚谨慎。因为太常官常林是他的乡里有声望的长者，司马懿每次见到常林，必然施礼下拜。他经常告诫子弟们："事物太盛，是当权者的大忌，天地四时尚且有转换，我有什么大德能配这样的荣耀！所以一再自我贬损，这样也许会免于祸患。"

三年春，天子追封谥皇考京兆尹为舞阳成侯。

三月，奏穿广漕渠，引河入汴，溉东南诸陂，始大佃于淮北。

先是，吴遣将诸葛恪屯皖，边鄙苦之，帝欲自击恪。议者多以贼据坚城，积谷，欲引致官兵。今悬军远攻，其救必至，进退不易，未见其便。帝曰："贼之所长者水也，今攻其城，以观其变。若用其所表，弃城奔走，此为庙胜也。若敢固守，湖水冬浅，船不得行，势必弃水相救，由其所短，亦吾利也。"

四年秋九月，帝督诸军击诸葛恪，车驾送出津阳门。军次于舒，恪焚烧积聚，弃城而遁。

帝以灭贼之要，在于积谷，乃大兴屯守，广开淮阳、百尺二渠，又修诸陂于颍之南北，万余顷。自是淮北仓庾相望，寿阳至于京师，农官屯兵连属焉。

**【译文】**

正始三年春天，皇帝下令追封司马懿的亡父京兆尹司马防为舞阳侯。

这年三月，司马懿奏请开凿广漕渠，引黄河入汴水，灌溉东南各地，开始大规模开发淮北农田。

在此之前，吴国派将领诸葛恪屯驻皖地，魏国的边境常受骚扰之苦，司马懿打算率兵进击诸葛恪，朝廷大臣中很多人认为，敌人据守，城防坚固，又积蓄粮食，是想引诱我军。如果孤军远攻，敌人的救兵必来，这样我军进退两难，可见远征不是上策。司马懿反驳道："敌人长于水战，现在我军攻城，看敌人采取什么策略。如果它想发挥它的长处，弃城而走，这是它的胜算；如果它敢于固守，湖水到冬天变浅，不能行船，势必由陆路救援，这是它的短处，对我军则十分有利。"

正始四年秋天九月，司马懿统率诸军进击诸葛恪，皇帝亲自送至津阳门外。大军驻扎在舒城，诸葛恪焚烧积蓄，弃城逃走。

司马懿认为，战胜敌人，主要在于积蓄粮食。于是大兴军屯，开拓淮阳、百尺两道水渠，又整理了颍水南北的一万余顷的灌溉系统。从此，淮北各地，谷仓相连，从寿阳到京城，管理农业的官署和屯田的守军连续不断。

五年春正月，帝至自淮南，天子使持节劳军。

尚书邓飏、李胜等欲令曹爽建立功名，劝使伐蜀。帝止之，不可，爽果无功而还。

六年秋八月，曹爽毁中垒中坚营，以兵属其弟中领军羲。帝以先帝旧制禁之，不可。

冬十二月，天子诏帝朝会乘舆升殿。

七年春正月，吴寇柤中，夷夏万余家避寇北渡沔。帝以沔南近贼，若百姓奔还，必复致寇，宜权留之。曹爽曰："今不能修守沔南而留百姓，非长策也。"帝曰："不然。凡物致之安地则安，危地则危。故兵书曰'成败，形也；安危，势也'。形势，御众之要，不可以不审。设令贼以二万人断沔水，三万人与沔南诸军相持，万人陆梁柤中，将何以救之？"爽不从，卒令还南。贼果袭破柤中，所失万计。

**【译文】**

正始五年春正月，司马懿从淮南至京，皇帝派使者慰劳军队。

尚书邓飏、李胜想让曹爽建立功勋，劝曹爽率兵征伐蜀国。司马懿力加劝阻，不听，曹爽果然无功而回。

正始六年秋天八月，曹爽撤销了中垒中坚营，撤下来的士兵归他弟弟中领军曹羲指挥。司马懿认为，中垒中坚营是魏明帝旧有的建制，劝说不要撤销，但不被采纳。

这年冬天十二月，皇帝授命司马懿，朝会时可以乘轿上殿。

正始七年春天正月，吴国派兵骚扰柤中，各族百姓一万多家逃避，北渡沔水。司马懿认为，沔水以南的百姓，接近敌境，如果北来的百姓再到沔南，敌人必然再来骚扰，应该暂且收留他们。曹爽说道："如果不能守住沔水以南的地盘，收留百姓，这可不是上策。"司马懿反驳说："不对。任何事物都是这样：你把他放在安稳的地方，自然平安无事，如果把他放在危险的地方，自然就会产生危急。所以兵书上说：'成功和失败，是当时的形势决定的，安危也是如此。'所以说，形势是治理百姓首先要考虑的问题，对此不能不头脑清醒。如果敌人派兵两万断绝沔水的交通，三万人在沔南与我军对峙，一万人在柤中捣乱，我们用什么办法救援呢？"曹爽不听从司马懿的意见，把百姓遣返沔南。敌人果然攻破柤中城，损失数以万计。

八年夏四月，夫人张氏薨。

曹爽用何晏、邓飏、丁谧之谋，迁太后于永宁宫，专擅朝政，兄弟并典禁兵，多树亲党，屡改制度。帝不能禁，于是与爽有隙。

五月，帝称疾不与政事。时人为之谣曰："何、邓、丁，乱京城。"

九年春三月，黄门张当私出掖庭才人石英等十一人，与曹爽为伎人。爽、晏谓帝疾笃，遂有无君之心，与当密谋，图危社稷，期有日矣。帝亦潜为之备，爽之徒属亦颇疑帝。会河南尹李胜将莅荆州，来候帝。帝诈疾笃，使两婢侍，持衣衣落，指口言渴，婢进粥，帝不持杯饮，粥皆流出沾胸。胜曰："众情谓明公旧风发动，何意尊体乃尔！"帝使声气才属，说"年老枕疾，死在旦夕。君当屈并州，并州近胡，善为之备。恐不复相见，以子师、昭兄弟为托"。胜曰："当还忝本州，非并州。"帝乃错乱其辞曰："君方到并州。"胜复曰："当忝荆州。"帝曰："年老意荒，不解君言。今还为本州，盛德壮烈，好建功勋！"胜退告爽曰："司马公尸居余气，形神已离，不足虑矣。"他日，又言曰："太傅不可复济，令人怆然。"故爽等不复设备。

【译文】

正始八年夏四月，司马懿的夫人张氏逝世。

曹爽用何晏、邓飏、丁谧等人的计谋，把太后迁往永宁宫，垂帘听政，曹爽等专擅政事，曹爽的兄弟统领卫戍部队，利用亲族，结党营私，变乱法度。司马懿没法禁止，于是和曹爽产生了矛盾。

这年五月，司马懿称病，不再过问政事。当时京城的人编了一句顺口溜："何、邓、丁，乱京城。"

正始九年春三月，管理后宫的黄门张当，私自把后宫宫女石英等十一人送给曹爽，充当乐妓。曹爽、何晏以为皇帝病情日重，于是产生篡位的野心，他们和张当密谋策划，篡夺政权，并且定好了起事的日期。司马懿也暗中准备，曹爽的党羽也怀疑司马懿将有什么举动。这时河南尹李胜将要赴荆州上任，来问候司马懿。司马懿装作病重，让两个侍女搀扶，穿衣时，手中的衣服落地，用手指着自己的嘴，表示口渴，奴仆把粥送到他嘴边，他的手连杯子也拿不住，低头便喝，米粥顺嘴往下流，沾了满胸。李胜见此情况，说道："别人都说您又焕发了当年的勇气，哪想到您的身体竟是这样！"司马懿装作上气不接下气地样子说："岁数大了，又长期卧病，没有几天活头了。你现在要到并州上任，并州接近少数民族，应该好好地防备。我们恐怕是见最后一面了，我的儿子司马师、司马昭就托付给你了。"李胜说道："我是到本乡荆州上任，不是并州。"司马懿故意胡言乱语："你是说刚到并州？"李胜又说："是赴任荆州。"司马懿说："年老精神不集中，没听懂你的话。现在回本州上任，又有雄心壮志，好好地建立功勋吧！"李胜告辞出来，对曹爽说："司马先生已经是形尸走肉，不省人事，不必担心了。"过了几天，李胜又对曹爽说："太傅司马先生再也恢复不了健康，真让人悲伤。"因此曹爽对司马懿也就不再戒备了。

嘉平元年春正月甲午，天子谒高平陵，爽兄弟皆从。是日，太白袭月。帝于是奏永宁太后废爽兄弟。时景帝为中护军，将兵屯司马门。帝列阵阙下，经爽门。爽帐下督严世上楼，引弩将射帝，孙谦止之曰："事未可知。"三注三止，皆引其肘不得发。大司农桓范出赴爽，蒋济言于帝曰："智囊往矣。"帝曰："爽与范内疏而智不及，驽马恋短豆，必不能用也。"于是假司徒高柔节，行大将军事，领爽营，谓柔曰："君为周勃矣。"命太仆王观行中领军，摄羲营。帝亲帅太尉蒋济等勒兵出迎天子，屯于洛水浮桥，上奏曰："先帝诏陛下、秦王及臣升于御床，握臣臂曰'深以后事为念'。今大将军爽背弃顾命，败乱国典，内则僭拟，外专威权。群官要职，皆置所亲；宿卫旧人，并见斥黜。根据桀互，纵恣日甚。又以黄门张当为都监，专共交关，伺候神器。天下汹汹，人怀危惧。陛下便为寄坐，岂得久安？此非先帝诏陛下及臣升御床之本意也。臣虽朽迈，敢忘前言。昔赵高极意，秦是以亡；吕霍早断，汉祚永延。此乃陛下之殷鉴，臣授命之秋也。公卿群臣皆以爽有无君之心，兄弟不宜典兵宿卫；奏皇太后，皇太后敕如奏施行。臣辄敕主者及黄门令罢爽、羲、训吏兵，各以本官侯就第。若稽留车驾，以军法从事。臣辄力疾将兵诣洛水浮桥，伺察非常。”爽不通奏，留车驾宿伊水南，伐树为鹿角，发屯兵数千人以守。桓范果劝爽奉天子幸许昌，移檄征天下兵。爽不能用，而夜遣侍中许允、尚书陈泰诣帝，观望风旨。帝数其过失，事止免官。泰还以报爽，劝之通奏。帝又遣爽所信殿中校尉尹大目谕爽，指洛水为誓，爽意信之。桓范等援引古今，谏说万端。终不能从，乃曰："司马公正当欲夺吾权耳。吾得以侯还第，不失为富家翁。"范拊膺曰："坐卿，灭吾族矣！"遂通帝奏。既而有司劾黄门张当，并发爽与何晏等反事，乃收爽兄弟及其党与何晏、丁谧、邓飏、毕轨、李胜、桓范等诛之。蒋济曰："曹真之勋，不可以不祀。"帝不听。

初，爽司马鲁芝、主簿杨综斩关奔爽。及爽之将归罪也，芝、综泣谏曰："公居伊周之任，挟天子，杖天威，孰敢不从？舍此而欲就东市，岂不痛哉！"有司奏收芝、综科罪，帝赦之，曰："以劝事君者。"

【译文】

嘉平元年春正月甲午，皇帝拜谒高平祖陵，曹爽兄弟跟随。这一天夜里太白星向月亮滑去，司马懿便奏准永宁太后，下令把曹爽兄弟废黜。当时晋景帝为中护军，领兵屯驻司马门。司马懿率兵列阵于宫外，经过曹爽的府门。曹爽的帐下督严世登上门楼，拿起弓箭要射司马懿，孙谦把他拉住，说："将来的局面还不知是怎么样呢！"三次要射，都被孙拉住他的胳膊，射不出去。大司农桓范投奔曹爽，蒋济对司马懿说："智囊人物去了。"司马懿说："曹爽与桓范，内心不和，曹爽的智力不及桓范，但老马贪恋几口草料，桓范必不被重用。"于是司马懿把大将军的权力交给司徒高柔，行使大将军的权力，统率曹爽原来的兵众，并对高柔说："你就是西汉周勃那样的人物。"又令太仆王观代理中领军，统领曹羲原来的兵众。司马懿亲自率领太尉蒋济等人，带兵去迎接皇帝，屯军于洛水浮桥之旁，向皇帝上奏："先帝在病重的时候，把陛下您、秦王和我召到床前，拉着我的手说：'我深深为身后的安排顾虑。'现在大将军曹爽违背先帝遗嘱，变乱国法，在朝廷内部越格行事，在朝廷外部，专权独裁。重要官职，都安排他的亲信，原来保卫皇帝的可靠将领，都被他罢斥。在朝廷形成盘根错节的势力网，借此胡作非为，越来越不像话。又任用黄门张当为都监，打通内外关系，伺机夺取政权。因此天下人心汹汹，人人惴惴不安。他把陛下您当作傀儡，这样的局面怎能维持长久？这也根本违背了先帝在病床前遗嘱的本意。我虽然老朽，哪里敢忘掉先帝的遗言？秦国的赵高得意，秦国因此灭亡；西汉时的吕氏、霍光专权，幸亏早被消灭，汉朝的天下才得以长期延续。这是陛下您的前车之鉴，也正是我臣子的效命之时。公卿大臣都认为曹爽有篡权野心，他的弟兄都不应领兵和负责保卫皇帝。我奏请皇太后，皇太后批准，按奏本行事。于是我命令主管官员及黄门令，收回曹爽、曹羲、曹训的兵权，让他们以本来的官爵回到家中。如敢劫持天子，以军法从事。于是我拖着病体带兵至洛水浮桥，以应付非常的情况。”曹爽把司马懿的奏本扣住不发，并劫持皇帝在伊水之南，砍伐树木，阻挡道路，派兵数千人守在周围。这时桓范果然劝曹爽把天子劫持到许昌，然后发布文书，征召天下的兵员。曹爽不理睬他的建议，而连夜派侍中许允、尚书陈泰来到皇帝身边，观察动静。皇帝对二人数说曹爽的错误，看样子只不过是免官了事。陈泰等向曹爽回报，劝曹爽把司马懿的奏本交给皇帝。皇帝又派遣曹爽所信任的殿中校尉尹大目告诫曹爽，让他指洛水发誓，绝不篡权，曹爽相信皇帝不会害他。桓范等人列举古今事例，千方百计劝曹爽废帝自立。曹爽最终还是不听，并说：“司马懿正想夺掉我的兵权，我还可以以列侯的身份回家，至少还能当个富家翁。”桓范捶胸顿足地说：“为了你，会灭我全族！”于是曹爽把司马懿的奏本送上。过了不久。有关官员弹劾黄门张当，并责令曹爽、何晏等人坦白交待，于是把曹爽弟兄和他的党羽何晏、丁谧、邓飏、毕轨、李胜、桓范等人逮捕杀掉。蒋济对司马懿说：“曹真有功劳，给他留条根吧！”司马懿不听。

在此之前，曹爽的司马鲁芝、主簿杨综从外地一路千辛万苦来投奔他。在曹爽准备妥协之时，鲁芝、杨综流着眼泪苦劝他：“您现在所处的是伊尹、周公的位置，操纵皇帝，凭借皇威，谁敢不服从！但你却要放弃这种权力而被押上断头台，真令人痛心！”曹爽被杀，鲁芝、杨综也被逮捕，准备按罪处治，司马懿赦免了他们，说道：“这也是对忠心侍君的人的一种鼓励。”

二月，天子以帝为丞相，增封颍川之繁昌、鄢陵、新汲、父城，并前八县，邑二万户，奏事不名。固让丞相。

冬十二月，加九锡之礼，朝会不拜。固让九锡。

二年春正月，天子命帝立庙于洛阳，置左右长史，增掾属、舍人满十人，岁举掾属任御史、秀才各一人，增官骑百人，鼓吹十四人，封子肜平乐亭侯，伦安乐亭侯。帝以久疾不任朝请，每有大事，天子亲幸第以谘访焉。

兖州刺史令狐愚、太尉王凌贰于帝，谋立楚王彪。

三年春正月，王凌诈言吴人塞涂水，请发兵以讨之。帝潜知其计，不听。

夏四月，帝自帅中军，泛舟沿流，九日而到甘城。凌计无所出，乃迎于武丘，面缚水次，曰："凌若有罪，公当折简召凌，何苦自来邪！"帝曰："以君非折简之客故耳。"即以凌归于京师。道经贾逵庙，凌呼曰："贾梁道！王凌是大魏之忠臣，惟尔有神知之。"至项，仰鸩而死。收其余党，皆夷三族，并杀彪。悉录魏诸王公置于邺，命有司监察，不得交关。

**【译文】**

这年二月，皇帝任命司马懿为丞相，增加颍川郡的繁昌、鄢陵、新汲、父城等县为他的封地，加上以前的八县，归他奴役的民户有两万余家，向皇帝奏事时不自报家门。司马懿坚持不任丞相之职。

冬天十二月，皇帝又赐给司马懿作为臣子的最高礼遇，上朝时可以不参拜皇帝。司马懿辞去最高礼遇。

嘉平二年春天正月，皇帝批准司马懿在洛阳建立祖庙，并为他设置左右长史，手下增加工作人员四人，每年可推荐他的属官一人任御史、一人为秀才，增加仪仗骑兵一百人，仪仗乐手十四人，封他的儿子司马肜为平乐亭侯、司马伦为安乐亭侯。司马懿声称身体久病，不能上朝，所以每有朝政大事，皇帝亲自到他家里征求意见。

兖州刺史令狐愚、太尉王凌和司马懿分道扬镳，密谋立楚王曹彪为皇帝。

嘉平三年春天正月，王凌假称吴国派人拦断了涂水，请求朝廷发兵征讨。司马懿暗中得知这是个圈套，所以不准发兵。

夏天四月，司马懿亲自率主力部队，乘船自黄河顺流而下，九天便到达甘城。王凌无计可施，才不得不到武丘去迎接，自上绑绳，来到黄河边上，对司马懿说："我王凌如果有罪，您写个便条把我叫去，何必您亲自来呢！"司马懿不无嘲讽地说："那是因为你不是用便条可以请去的客人啊！"随即把王凌押解回京城。中途路过贾逵庙，王凌对庙喊道："贾先生！我王凌是大魏国的忠臣，你有神灵，一定了解我。"来到项城，王凌喝毒药而死。司马懿逮捕了他的党羽，都灭门三族，把曹彪也杀掉。并把魏国的宗室诸王都囚禁在邺城，派人严加看守，互相不许接触。

天子遣侍中韦诞持节劳军于五池。帝至自甘城，天子又使兼大鸿胪、太仆庾嶷持节，策命帝为相国，封安平郡公，孙及兄子各一人为列侯，前后食邑五万户，侯者十九人。固让相国、郡公不受。

六月，帝寝疾，梦贾逵、王凌为祟，甚恶之。秋八月戊寅，崩于京师，时年七十三。天子素服临吊，丧葬威仪依汉霍光故事，追赠相国、郡公。弟孚表陈先志，辞郡公及辒辌车。

九月庚申，葬于河阴，谥曰文，后改谥宣文。先是，预作终制，于首阳山为土藏，不坟不树；作《顾命》三篇，敛以时服，不设明器，后终者不得合葬。一如遗命。晋国初建，追尊曰宣王。武帝受禅，上尊号曰宣皇帝，陵曰高原，庙称高祖。

帝内忌而外宽，猜忌多权变。魏武察帝有雄豪志，闻有狼顾相，欲验之。乃召使前行，令反顾，面正向后而身不动。又尝梦三马同食一槽，甚恶焉。因谓太子丕曰："司马懿非人臣也，必预汝家事。"太子素与帝善，每相全佑，故免。帝于是勤于吏职，夜以忘寝，至于刍牧之间，悉皆临履，由是魏武意遂安。及平公孙文懿，大行杀戮。诛曹爽之际，支党皆夷及三族，男女无少长，姑姊妹女子之适人者皆杀之，既而竟迁魏鼎云。

**【译文】**

皇帝派侍中韦诞带着符节去五池慰劳司马懿统率之军。司马懿从甘城回到京师，皇帝又派兼任大鸿胪、太仆庾嶷带着符节，任命司马懿为相国，封为安平郡公，他的孙子和侄儿各一人封为列侯，前后的封地加起来，共有五万户，亲属封列侯的有十九人。司马懿谦虚推让，不接受相国和郡公的封赠。

这年六月，司马懿病重，梦见贾逵、王凌来索命，心里非常厌恶。秋季八月戊寅这一天，司马懿病死在京城洛阳，活了七十三岁。皇帝身穿孝服来吊唁，丧葬的仪礼规格按照汉朝霍光的成例，追赠他为相国、郡公。他的弟弟司马孚上书称，应尊重他在世时的意愿，辞去郡公和丧葬用的车。

九月庚申这一天，把司马懿埋葬在河阴，赠谥号为“文”，后来改谥“宣文”。司马懿在临死之前，预先对后事做了安排，在首阳山上土葬，不起坟头，不立碑；作了《顾命》三篇；寿衣按当时的习俗置办，不随葬礼器，后死的遗孀不得与他合葬。一切都按他的遗嘱办事。晋朝建立之初，追尊他为“宣王”。晋武帝夺取魏政权，加尊号称他为“宣皇帝”，他的陵墓称为高原，庙号为高祖。

司马懿为人心胸狭隘，表面上却装出宽和的样子，实则性情猜忌多变。魏武帝曹操觉察到他有称雄图霸的野心，听说他猛一回头时呈现一副恶狼相，就打算看个究竟。于是把他叫来，让他在前边走，曹操在后面突然喊他，让他回头，司马懿回头时，面向后，身体却不转动。曹操又曾梦见三匹马在同一槽里吃草，心里十分厌恶。于是曹操对太子曹丕说：“司马懿可不是甘居人下的人，他一定会干预你的家事（达到自己的目的）。”曹丕与司马懿平时关系很好，常常保护他，所以没有遭到厄运。从此，司马懿更加兢兢业业，尽职尽责，常常连夜不睡，即使是养牛喂马这样的琐事，都要亲自过问，因此曹操也就放心了。在平定公孙文懿的时候，大肆屠杀。除掉曹爽，把曹爽的党羽中的次要分子也灭了三族，全族男女老少，就连姑姑姊妹的女儿已经出嫁的也不放过。所以后来竟然篡夺了曹家政权。

明帝时，王导侍坐。帝问前世所以得天下，导乃陈帝创业之始，及文帝末高贵乡公事。明帝以面覆床曰：“若如公言，晋祚复安得长远！”迹其猜忍，盖有符于狼顾也。

制曰：夫天地之大，黎元为本；邦国之贵，元首为先。治乱无常，兴亡有运。是故五帝之上，居万乘以为忧；三王已来，处其忧而为乐。竞智力，争利害，大小相吞，强弱相袭。逮乎魏室，三方鼎峙，干戈不息，氛雾交飞。宣皇以天挺之姿，应期佐命，文以缵治，武以棱威。用人如在己，求贤若不及；情深阻而莫测，性宽绰而能容。和光同尘，与时舒卷，戢鳞潜翼，思属风云。饰忠于已诈之心，延安于将危之命。观其雄略内断，英猷外决，殄公孙于百日，擒孟达于盈旬，自以兵动若神，谋无再计矣。既而拥众西举，与诸葛相持。抑其甲兵，本无斗志，遗其巾帼，方发愤心。杖节当门，雄图顿屈，请战千里，诈欲示威。且秦蜀之人，勇懦非敌，夷险之路，劳逸不同，以此争功，其利可见。而返闭军固垒，莫敢争锋，生怯实而未前，死疑虚而犹遁，良将之道，失在斯乎！文帝之世，辅翼权重，许昌同萧何之委，崇华甚霍光之寄。当谓竭诚尽节，伊傅可齐。及明帝将终，栋梁是属，受遗二主，佐命三朝，既承忍死之托，曾无殉生之报。天子在外，内起甲兵，陵土未乾，遽相诛戮，贞臣之体，宁若此乎！尽善之方，以斯为惑。夫征讨之策，岂东智而西愚？辅佐之心，何前忠则后乱？故晋明掩面，耻欺伪以成功；石勒肆言，笑奸回以定业。古人有云，“积善三年，知之者少；为恶一日，闻于天下”，可不谓然乎！虽自隐过当年，而终见嗤后代。亦犹窃钟掩耳，以众人为不闻；锐意盗金，谓市中为莫睹。故知贪于近者则遗远，溺于利者则伤名；若不损己以益人，则当祸人而福己。顺理而举易为力，背时而动难为功。况以未成之晋基，逼有余之魏祚？虽复道格区宇，德被苍生，而天未启时，宝位犹阻，非可以智竞，不可以力争，虽则庆流后昆，而身终于北面矣。

【译文】

晋明帝司马统在位时，有一次王导陪着皇帝，晋明帝问王导司马氏如何得到的天下，王导详细叙述司马懿创业的艰险和魏文帝末年高贵乡公曹髦被司马昭所杀等经过。晋明帝听后，脸贴在床上，叹道：“如像你说得那样，晋国的天下又哪能长久呢！”考察司马懿的猜忌残忍的性格，实在符合恶狼顾后的情形。

唐太宗李世民评论说：天地虽然广大，但以百姓为根本；国家的安危取决于帝王的好坏。太平和战乱，没有一定之规，兴盛和衰亡，是由运数来决定的。所以，五帝以前的时代，坐上天子的宝座，常常是忧愁满面，夏、商、周以后，做天子的处于忧虑的地位却感到无比快乐。于是竞施计谋，争利避害，大国吞并小国，强国侵凌弱国。到曹魏时代，三国鼎立，干戈不断，战争的阴云笼罩大地。司马懿凭借他的天资聪明，顺应时代的要求，辅佐魏国，文能治理国家，武能扬威于敌人。用人能推心置腹，求得贤人，常恐失去机会。城府很深，很难猜测，性情宽和而能容人。与同时人相处，当屈则屈，当伸则伸，藏器待时，伺机而起。外表上装得忠心耿耿，以掩盖诡诈的内心，处境危险，却能泰然自若。你看他胸怀雄才大略，成熟果断，英明果敢，在百日之内消灭了公孙文懿，擒获孟达也不过用了十几天，自以为用兵如神，谋略无双。不久又挥兵西上，与诸葛亮两军对峙。他抑制求战心切的官兵，因为他自己本来就不想交战，只因为诸葛亮给他送去妇女的首饰，才激怒他要决战。但有朝廷的使节压制，才使他雄图难伸。于是千里之外请战，只不过是表现自己的勇武罢了。再说秦蜀之兵，并非司马懿所率之军的对手，再者诸葛亮远道而来，司马懿可以以逸待劳，如抓住时机争取主动，有利的条件显而易见。但是司马懿回军闭营，不敢战斗，诸葛亮活着，他不敢前进寸步，诸葛亮死后，他还以为情报不实而逃走，作为战将司马懿，他的弱点恐怕在这方面吧！魏文帝在位之时，司马懿的权势已经很重，魏文帝出征，把首都许昌委托给他，这同楚汉时刘邦把汉中委托给萧何一样，委托司马懿照顾崇华宫太后，比汉朝时对霍光更为信任。这时如果他尽忠尽力，可和古代的伊尹、傅说比美。魏明帝临死之前，把他当作国家的栋梁，受遗命辅佐二位少主，要他成为三朝辅臣。他既然接受遗命，却不舍生忘死报答受顾命之恩。皇帝在外地，京城内动起刀枪，逝世的皇帝尸体未冷，便为争权夺利，互相屠杀，正直臣子的作为，难道是这样吗？这恐怕不是臣子尽忠之道吧！再说他的军事策略，为什么在东征时是那么英明智慧，西征时又是那么怯懦愚蠢？辅佐皇帝，前期是那么忠贞不二，后期又是那么好乱成性？因此，晋明帝得知司马懿的作为，伤心地以脸面贴床，为先辈的欺诈成功而羞耻；后赵皇帝石勒曾讥笑曹操、司马懿这样的奸臣贼子竟成就了帝业。古人曾说：“行善三年，却很少知名；一天做坏事，便名闻天下。”不正是如此吗？虽然当时隐瞒了罪恶行径，结果被后世人所唾骂。和掩耳盗铃一样，自以为别人听不见；财迷心窍，在众目睽睽之下偷取金钱，还以为别人看不见。由此得知，贪图眼前的利益，就失去远大的前程；嗜好财利，必然败坏名声。不是损己而利人，就是害人而为己。顺应天理人情，成事就比较容易；违背时代的要求，则很难成功。况且晋国的根基未稳，而去逼迫尚存生命力的魏国？虽然你的道德誉满天下，百姓受到感化，但时机不到，也难坐上皇帝的宝座，帝位是不可以用聪明才智去取得的，也不可以用力量来获取，虽然可以给他的后人留下福泽荣耀，但它本人却不免终身为人臣子。

# 阮籍传

阮籍字嗣宗，陈留尉氏人也。父瑀，魏丞相掾，知名於世。籍容貌瑰杰，志气宏放，傲然独得，任性不羁，而喜怒不形於色。或闭户视书，累月不出，或登临山水，经日忘归。博览群籍，尤好庄老。嗜酒能啸，善弹琴。当其得意，忽忘形骸。时人多谓之痴，惟族兄文业每叹服之，以为胜己，由是咸共称异。

**【译文】**

阮籍，字嗣宗，陈留尉氏人。父亲阮瑀，做过魏朝丞相曹操的僚属，在当时社会上颇有名气。阮籍的相貌奇特伟岸超越众人，志气宏达豪放，性格傲岸，做事凭借性格不受拘束，心里感到高兴或恼怒时，从来不在脸色上表露出来。有时闭门读书，几个月也不出家门；有时登山玩水，连续几天忘了归家。他博览群书，尤其喜爱《庄子》、《老子》。好饮酒，能长啸又善于弹琴。当他得意的时候，总感到飘飘悠悠而忘记了自己形体的存在。当时多数人说他癫狂，只有他堂兄阮文业常常赞叹佩服他，认为阮籍胜过自己，由于阮文业的赞扬，大家才都称颂阮籍的奇特。

籍尝随叔父至东郡，兖州刺史王昶请与相见，终日不开一言，自以不能测。太尉蒋济闻其有隽才而辟之，籍诣都亭奏记曰：“伏惟明公以含一之德，据上台之位，英豪翘首，俊贤抗足。开府之日，人人自以为掾属；辟书始下，而下走为首。昔子夏在於西河之上，而文侯拥彗；邹子处於黍谷之阴，而昭王陪乘。夫布衣韦带之士，孤居特立，王公大人所以礼下之者，为道存也。今籍无邹卜之道，而有其陋，猥见采择，无以称当。方将耕於东皋之阳，输黍稷之馀税。负薪疲病，足力不强，补吏之召，非所克堪。乞回谬恩，以光请举。”初，济恐籍不至，得记欣然。遣卒迎之，而籍已去，济大怒。於是乡亲共喻之，乃就吏。后谢病归。复为尚书郎，少时，又以病免。及曹爽辅政，召为参军。籍因以疾辞，屏於田里。岁馀而爽诛，时人服其远见。宣帝为太傅，命籍为从事中郎。及帝崩，复为景帝大司马从事中郎。高贵乡公即位，封关内侯，从散骑常侍。

【译文】

阮籍曾经跟随他叔父到东郡（今河南濮阳西南），兖州（今属山东）刺史王昶请求与阮籍会面，阮籍却整天不开口说一句话，王昶感到阮籍这个人令人难以琢磨。太尉蒋济听说阮籍才智出众而征召他，阮籍前往亭长府内给蒋济写一份奏章，说："卑下俯伏上言，贤明的太尉，您以纯净的涵养美德，处于辅助国君的高级地位，使英雄豪杰翘首，让后士贤人踮脚。正当成立官署选拔官吏之日，人人都想自己能充任您的僚属，您的征召文书刚刚下达，我这个卑下走卒竟名列前茅。过去，子夏住在西河（今黄河与北洛河之间），为请子夏到魏国做官，魏国国君文侯亲自抱扫帚为他清道；邹子住在黍谷（今河北密云西南），为请邹衍到燕国当导师，燕国国君昭王自己陪站在邹子车子的右厢。这些人衣带粗陋，深居简出，孤清独立，王公大人之师对他们礼贤下士，是因为他们身上存在着美德韬略。现在，阮籍并没有邹衍、子夏的美德韬略，有的是浅薄粗陋，卑下有辱您的选拔，实在难以担当。我刚要到高朗朝阳的田野去耕耘种作，以缴纳国家的钱粮税收。况且我身患疾病，足力不强，不能为您奔走效劳。任命我为官属的召令，是我所不能承受的。乞求您收回对我的错误恩赐，以便使这次明正的举荐选拔更闪耀光辉。"征召初时，蒋济唯恐阮籍不来，接到了阮籍的奏章，真是高兴，便派差役去迎接阮籍，但阮籍却已经离去，蒋济非常气恼。因此，乡亲都来劝告阮籍，阮籍接受官职。后来，阮籍又托病返乡。及后，阮籍又做了尚书郎。不久，又托病辞职。到了曹爽辅助朝政时，阮籍又被召为参军。阮籍还是以病推辞，而隐居于乡间。过了一年多，曹爽被杀，当时人们都钦佩阮籍有远见。宣帝司马懿做太傅时，阮籍被任命为从事中郎，到了司马懿驾崩后，阮籍又做了景帝司马师大将军的从事中郎。被封为高贵乡公的曹髦做皇帝时，阮籍被封为关内侯，后调任为散骑常侍。

籍本有济世志，属魏晋之际，天下多故，名士少有全者，籍由是不与世事，遂酣饮为常。文帝初欲为武帝求婚於籍，籍醉六十日，不得言而止。钟会数以时事问之，欲因其可否而致之罪，皆以酣醉获免。及文帝辅政，籍尝从容言於帝曰："籍平生曾游东平，乐其风土。"帝大悦，即拜东平相。籍乘驴到郡，坏府舍屏鄣，使内外相望，法令清简，旬日而还。帝引为大将军从事中郎。有司言有子杀母者，籍曰："嘻！杀父乃可，至杀母乎！"坐者怪其失言。帝曰："杀父，天下之极恶，而以为可乎？"籍曰："禽兽知母而不知父，杀父，禽兽之类也。杀母，禽兽之不若。"众乃悦服。

籍闻步兵厨营人善酿，有贮酒三百斛，乃求为步兵校尉。遗落世事，虽去佐职，恒游府内，朝宴必与焉。会帝让九锡，公卿将劝进，使籍为其辞。籍沈醉忘作，临诣府，使取之，见籍方据案醉眠。使者以告，籍便书案，使写之，无所改窜。辞甚清壮，为时所重。

**【译文】**

阮籍本来就有匡时救世的志向。但他处于魏晋交替之时，当时天下多事，凡知名之士很少有好结果，阮籍因而不干预世事，便时常开怀畅饮。文帝司马昭起初要为他的儿子武帝司马炎请求阮籍联结姻亲，而阮籍大醉六十日，使司马昭没能开口只好作罢。钟会数次问阮籍关于时事的问题，企图根据阮籍是赞成还是反对来加给阮籍罪名，但阮籍每次都饮得酩酊大醉，从而避免了遭受陷害。到了文帝司马昭辅助朝政时，阮籍曾经从容地对文帝说："我平时曾经游览过东平（今属山东），喜欢那里的风俗习惯和地理环境。"文帝非常高兴，马上任命阮籍为东平相。阮籍骑着驴子到了东平郡，拆毁了东平相府舍衙门的围墙和影壁，使内外可以相望，并且精简了法令，过了十天，他便回乡了。文帝司马昭又举荐阮籍为大将军的从事中郎。管事的官吏谈到有一个做儿子的杀死了母亲的事，阮籍说："唉！将父亲杀死还可，竟然到了弑母的程度！"在座的人都怪他失言。文帝问司马昭说："杀死父亲是天下的极端罪恶，怎么认为可以呢？"阮籍说："禽兽知道母亲而不知道父亲。人杀了父亲，类似禽兽，杀死母亲，就连禽兽都不如了。"于是，大家都心服口服。

阮籍听说步兵兵营的厨师善于酿酒，并存有三百斛酒，他便请求去当步兵校尉。他弃置事物不加管理，虽然辞去从事中郎，但还经常游乐于大将军的府内，每有朝堂宴会他也必定参加。文帝司马昭一再谦让帝王赐给他的九种器物，朝廷大臣劝司马昭进晋公位，接受赐予的九件器物，并指使阮籍为他们写劝进文。阮籍喝得大醉，忘记了写劝进文，大臣临到大将军府内时，才派使者去取劝进文，使者见到阮籍正靠着几案醉醺醺的，告诉阮籍来意后，阮籍便在几案上划字，让使者誊抄，文章竟没改动过一处。文辞很清丽豪壮，为当时人们所称赞。

籍虽不拘礼教，然发言玄远，口不臧否人物。性至孝，母终，正与人围棋，对者求止，籍留与决赌。既而饮酒二斗，举声一号，吐血数升。及将葬，食一蒸肫，饮二斗酒，然后临诀，直言穷矣，举声一号，因又吐血数升。毁瘠骨立，殆致灭性。裴楷往吊之，籍散发箕踞，醉而直视，楷吊唁毕便去。或问楷："凡吊者，主哭，客乃为礼。籍既不哭，君何为哭？"楷曰："阮籍既方外之士，故不崇礼典。我俗中之士，故以轨仪自居。"时人叹为两得。籍又能为青白眼，见礼俗之士，以白眼对之。及嵇喜来吊，籍作白眼，喜不怿而退。喜弟康闻之，乃赍酒挟琴造焉，籍大悦，乃见青眼。由是礼法之士疾之若仇，而帝每保护之。

籍嫂尝归宁，籍相见与别。或讥之，籍曰："礼岂为我设邪！"邻家少妇有美色，当垆沽酒。籍尝诣饮，醉，便卧其侧。籍既不自嫌，其夫察之，亦不疑也。兵家女有才色，未嫁而死。籍不识其父兄，径往哭之，尽哀而还。其外坦荡而内淳至，皆此类也。时率意独驾，不由径路，车迹所穷，辄恸哭而反。尝登广武，观楚汉战场，叹曰："时无英雄，使竖子成名！"登武牢山，望京邑而叹，於是赋《豪杰诗》。景元四年冬卒，时年五十四。

籍能属文，初不留思。作《咏怀诗》八十馀篇，为世所重。著《达庄论》，叙无为之贵。文多不录。

籍曾於苏门山遇孙登，与商略终古及栖神导气之术，登皆不应，籍因长啸而退。至半岭，闻有声若鸾凤之音，响乎岩谷，乃登之啸也。遂归著《大人先生传》，其略曰："世人所谓君子，惟法是修，惟礼是克。手执圭璧，足履绳墨。行欲为目前检，言欲为无穷则。少称乡党，长闻邻国。

上欲图三公，下不失九州牧。独不见群虱之处裤中，逃乎深缝，匿乎坏絮，自以为吉宅也。行不敢离缝际，动不敢出裤裆，自以为是绳墨也。然炎丘火流，焦邑灭都，群虱处於裤中而不能出也。君子之处域内，何异夫虱之处裤中乎！”此亦籍之胸怀志趣也。

子浑，字长成，有父风。少慕通达，不饰小节。籍谓曰：“仲容已豫吾此流，汝不得复尔！”太康中，为太子庶子。

**【译文】**

阮籍虽然不受礼教的拘束，但是言语玄妙、悠远，说话不轻意褒贬人家。他非常孝顺，母亲逝世时，他正和人家下围棋，对方要求停止，阮籍却留下来与对方决战，赌个输赢。继之便喝了两斗酒，放声大哭，还吐了好几升血。母亲将要下葬时，他又吃了一块蒸猪腿，喝了二斗酒，然后靠近棺木与母亲遗体告别，这时连说话的气力也没有了。他再次放声大哭，因此又吐了好几升血，他因悲哀而消瘦，显得瘦骨嶙峋，以致几乎要死去。裴楷前去吊唁，阮籍披散着头发，将两脚伸开，手按着膝盖坐下来，喝醉了直愣愣地看人，裴楷吊完唁便离去了。有的人问裴楷：“凡是吊唁，主人都得先哀哭，客人才因礼俗而哭拜。阮籍既然不哭，你为什么要哭呢？”裴楷说：“阮籍既然是超乎礼俗之外的人，当然不崇尚礼教法典；我是世俗中的人，所以自己要顺从礼仪之事。”当时的人都赞叹他们俩的做法都很合理。阮籍又会用黑眼珠或眼白看人，看到拘泥于礼俗的人，他用白眼对待。嵇喜前来吊唁时，阮籍翻白眼怒视，嵇喜很不高兴地走了。嵇喜的弟弟嵇康听说，便带酒挟琴来访，阮籍十分高兴，才露出黑眼珠来。因此，尊崇礼法的人都憎恨阮籍如同仇敌，可是文帝司马昭却每每保护阮籍。

阮籍的嫂子曾经回娘家省亲，阮籍和他嫂子见面并与她告别，有的人就讥笑阮籍，阮籍却说：“礼法难道是为我制定的吗？”邻居有一个颇具姿色的青年妇女，坐在酒垆旁边卖酒。阮籍曾经去买酒喝，喝醉了便躺在那个青年妇女旁边。阮籍自己不避嫌，那个青年妇女的丈夫审视阮籍，也没有怀疑。一户军人的家里有一个既有才学又有姿色的女子，还没出嫁就死了。阮籍并不认识这个女子的父兄，却径自去哭灵，尽了哀悼才返回。

阮籍外表坦荡而内心纯净，一向如此。阮籍时常随意驾车独行，他不顺着道路走，直到车子到了尽头无法走了，才痛哭而归。阮籍还曾经登临广武山，观览楚汉对峙时的战场，他感慨地说："那时，没有真正能称的上英雄的人，所以刘邦那小子成了名！"阮籍又登临武牢山，观望洛阳都城而发出感叹，于是写了《豪杰诗》。景元四年（263）冬天，阮籍去世，终年五十四岁。

阮籍善于写文章，下笔似乎一点也不经心，他写了《咏怀诗》八十多首，为世间所珍重。作《达庄论》，叙述顺应自然、不求有所作为的可贵。他的文章多半没有存录。

阮籍曾经在苏门山遇见隐士孙登，他和孙登商讨古代开天辟地之理和修身养性练气之术，孙登一概不应答，于是阮籍长啸一声离开了。走到半山腰，听到一种好像凤凰鸣叫的声音回响于山谷之中，原来是孙登长啸声。阮籍回来后就写了《大人先生传》，文章简要地写道："世上的人所说的君子，一心只奉行礼法，一心以礼制约束自己；手里拿着圭璧，脚顺着绳墨走路；行为要成为当今的榜样，言语要成为后世的准则。青年时要称誉于乡里，成长后要闻名于都城。向上谋图充当朝廷大臣，往下企望不失去州府的最高官衔。难道没有见过成群的虱子聚集于裤子里吗？它们逃钻于深缝里，躲藏于破绵絮中，还自以为那是吉利的住宅。爬行不敢离开缝隙，走动不敢离开裤裆，还自以为那是遵循行为准则哩！但是当热带的气浪灼热如火地袭来时，都市全被烤焦，成群的虱子只能处于裤子里头而出不来了。正人君子居于世间，与虱子藏匿于裤子里又有什么不同呢？"这也就是阮籍的胸襟志趣。

阮籍的儿子阮浑，字长成，有他父亲的作风。青少年时喜欢放荡旷达，不拘小节。阮籍却说："你堂兄仲容已经加入我们这一帮子了，你不能再这样了。"太康年间，阮浑当上了太子庶子。

# 嵇康传

嵇康字叔夜，谯国铚人也。其先姓奚，会稽上虞人，以避怨徙焉。铚有嵇山，家于其侧，因而命氏。兄喜，有当世才，历太仆、宗正。

康早孤，有奇才，远迈不群，身长七尺八寸，美词气，有风仪，而土木形骸，不自藻饰，人以为龙章凤姿，天质自然。恬静寡欲，含垢匿瑕，宽简有大量，学不师受，博览无不该通，长好《老》《庄》。与魏宗室婚，拜中散大夫，常修养性服食之事，弹琴咏诗，自足于怀。以为神仙禀之自然，非积学所得。至于导养得理，则安期彭祖之伦可及，乃著《养生论》。又以为君子无私，其论曰："夫称君子者，心不措乎是非而行不违乎道者也。何以言之？夫气静神虚者，心不存于矜尚；体亮心达者，情不系于所欲。矜尚不存乎心，故能越名教而自任自然；情不系于所欲，故能审贵贱而通物情，物情顺通，故大道无违，越名任心，故是非无措也。是故言君子则以无措为主，以通物为美；言小人则以匿情为非，以违道为阙。何者？匿情矜吝，小人之至恶；虚心无措，君子之笃行也。是以大道言及吾无身，吾又何患。无以生为贵者，是贤于贵生也。由斯而言，夫至人之用心固不存有措矣。故曰'君子行道，忘其为身'，斯言是矣。君子之行贤也，不察于有度而后行也，任心无邪，不议于善而后正也，显情无措，不论于是而后为也。是故傲然忘贤而贤与度会；忽然任心而心与善遇，傥然无措而事与是俱也。"其略如此。盖其胸怀所寄以高契难期，每思郢质，所与神交者惟陈留阮籍、河内山涛，豫其流者河内向秀、沛国刘伶、籍兄子咸、琅邪王戎，遂为竹林之游，世所谓'竹林七贤'也。戎自言与康居山阳二十年，未尝见其喜愠之色。

**【译文】**

嵇康字叔夜，是三国时魏国谯郡铚人。他的祖先姓奚，会稽的上虞人，因为躲避仇家，才搬迁到这里。铚地有座嵇山（今安徽宿县西南），他的家就在嵇山的山侧，因以嵇为姓。哥哥嵇喜，有做官的才干，历任太仆、宗正等官职。

嵇康早年是孤儿，有奇特的才能，孤高而不合群。他身高七尺八寸，谈吐和气质都很好，很有风度仪表，保持本来面目，不加修饰，人们认为他有龙的文采、凤的姿容，天生的资质出于自然。心境清静淡泊没有世俗的欲望，有宽宏的度量，待人宽厚心胸豁达。学问不是由老师传授，而博览群书不完备通晓，长大以后爱好读《老子》、《庄子》。嵇康和魏国的宗室成婚，被授官中散大夫。他常常研习道家涵养本性和服用丹药等事情，弹琴吟诗，胸怀中自我感觉满足。他认为神仙禀承于自然，不是因为长期的学习所能做到的，只要导引养生找到它的规律，那么像安期生、彭祖那样的长寿也可以达到，便撰写了《养生论》。又认为君子应该没有私心，他的主张说："被称为君子的，是指心里不掺杂是是非非，而行为不违背常道的人。这话怎样解释？凡是气静神虚的人，心里不在于夸大自己的操守；领悟透彻心里豁达的人，性情不为自己的欲念所连累干扰。心里没有夸大自己操守的想法，所以能够超越名声和教化而任其自然，性情不受自己欲念的连累干扰，所以能够明白贵贱而通晓物理人情。对物理人情顺意通晓，所以不会违背常理正道；超脱于名声放任自己的心情，所以不受是是非非的掺杂干扰。因此说君子以没有掺杂干扰为最重要，以通晓物理人情为善美；说小人隐匿真情为不对，违背常理正道为过错。这是为什么呢隐匿真情自我夸张，是小人最令人厌恶的行径；心里不带成见没掺杂干扰，是君子诚笃遵行的美德。所以常道正理说'及吾无身，吾又何患'。不以生命为贵的人，才能胜过看重生命的人。从这一点来说，修养达到最高境界者的本心，原来就不存在掺杂干扰。所以说，'君子行道，忘其为身'，这种说法很对。君子做好事，不是先衡量法度然后才去行动；听凭自己的本心便没有邪恶的想法，不是先谈论善良与否然后才去纠正；袒露自己的真情便无矫揉造作，不是先谈论正确与否然后才去修饰。因此能超然忘贤，而贤与法相符；忽然忘心，而心与善相合；潇洒而不造作，而事情正确密不可分。"他的大致意见就是如此。原来嵇康内心深藏的抱负，认为十分契合的人很难遇到，常常想能有《庄子》中所说的郢人那种气质的知己。和嵇康以道义相交、推心置腹的只有陈留的阮籍、河内的山涛，参预嵇康这一流派是河内的向秀、沛国的刘伶、阮籍的侄子阮咸、琅邪的王戎，他们经常一起在竹林中行游，被世人称为“竹林七贤”。王戎自称和嵇康在山阳一同居住了二十年，从未看到嵇康脸上流露出欢喜或恼怒的神色。

康尝采药游山泽，会其得意，忽焉忘反。时有樵苏者遇之，咸谓为神。至汲郡山中见孙登，康遂从之游。登沉默自守，无所言说。康临去，登曰：“君性烈而才杰，其能免乎？”康又遇王烈，共入山，烈尝得石髓如饴，即自服半，馀半与康，皆凝而为石。又于石室中见一卷素书，遽呼康往取，辄不复见。烈乃叹曰：“叔夜志趣非常而辄不遇，命也。”其神心所感，每遇幽逸如此。

山涛将去选官，举康自代。康乃与涛书告绝，曰：

闻足下欲以吾自代，虽事不行，知足下故不知之也。恐足下羞庖人之独割，引尸祝以自助，故为足下陈其可否。

老子、庄周，吾之师也，亲居贱职。柳下惠、东方朔达人也，安乎卑位。吾岂敢短之哉！又仲尼兼爱，不羞执鞭。子文无欲卿相而三为令尹，是乃君子思济物之意也。所谓达能兼善而不渝，穷则自得而无闷。以此观之，故知尧舜之居世，许由之岩栖，子房之佐汉，接舆之行歌，其揆一也。仰瞻数君，可谓能遂其志者也。故君子百行，殊涂同致，循性而动，各附所安。故有处朝廷而不出，入山林而不反之论。且延陵高子臧之风，长卿慕相如之节。意气所先，亦不可夺也。

**【译文】**

嵇康曾经因为采摘药材而遨游高山大泽，遇到如愿以偿满意而归的时候，忽然忘记回去。当时有些打柴割草的人遇见他，都以为他是神仙。他到汲郡的山里见到孙登，嵇康便跟随孙登一起行游玩乐。孙登为人沉默注意自己的操守，和嵇康没有交谈。嵇康临离开的时候，孙登说：“你的性情刚毅而才气俊秀，能够避免灾难吗？”嵇康又遇到王烈，一起到山里去，王烈曾经得到像饴糖般的石髓乳，自己吃了一半，余下的一半给嵇康时，却凝固成了石头。王烈又在石室中见到一卷兵书，急忙叫嵇康去取来，兵书立即就不见了。王烈便叹息说：“叔夜的志向情趣非同寻常而总是得不到机遇，这是命运啊！”他的精神和心灵所感应的，每次所遇到隐逸的机会却竟然这样。

山涛在离任尚书吏部郎时，推荐嵇康出来代替自己的官职。嵇康便写信给山涛表示和他绝交，信中说：

听说足下要推荐我出来代替自己的职务，这件事虽然没有成功，但因此知道足下原来并不了解我。恐怕是足下独自做这样的官害羞，要拉我给您当助手，就像厨师羞于一个人屠宰，想拉祭师去帮忙一样，让我手执屠刀，也沾上一身腥气，所以为足下陈述能不能这样做。

老子、庄周，是我的老师，身处卑下的职位；柳下惠、东方朔，是通达知命的人，安于低下的职位。我怎么敢妄加评论他们！孔子主张兼爱，为了道义，即使要他去执鞭赶车也不以为耻；子文没有当卿相的欲望，却三次登上令尹的高位，这就是君子想救世济人的心意。这就是所谓的“达则兼善天下”而始终不改变原先的志向，“穷则独善其身”而能恬然自得没有烦恼苦闷的人。从以上所谈的道理来看，所以知道唐尧、虞舜在位于世，许由的隐居不仕，张良辅佐刘邦建立汉朝，楚国隐士接舆唱歌劝孔子归隐，他们出处行为不同，而原则都是一样的。举目仰望唐尧、虞舜这些人，可以说他们是能够实现自己志向的人了。所以君子的各种行为表现，所走的道路虽然各不相同而终归到达同一地点，都是顺着本性而行动，各得其所，所以便有有人在朝廷做官而不肯离去，有人在山林隐逸而不肯返回尘世的说法。况且吴国的季札推崇曹国子臧的高风亮节，司马相如敬慕蔺相如的节操，他们都从中寄托了自己的志向，这是不能强加改变的。

吾每读《尚子平》《台孝威传》，慨然慕之，想其为人，加少孤露，母兄骄恣，不涉经学。又读《老》《庄》，重增其放。故使荣进之心日颓，任逸之情转笃。阮嗣宗口不论人过，吾每师之，而未能及。至性过人，与物无伤，惟饮酒过差耳。至为礼法之士所绳，疾之如仇雠，幸赖大将军保持之耳。吾以不如嗣宗之资而有慢弛之缺，又不识物情，暗于机宜，无万石之慎，而有好书之累，久与事接，疵衅日兴，虽欲无患，其可得乎？

又闻道士遗言，饵术黄精，令人久寿，意甚信之。游山泽，观鱼鸟，心甚乐之。一行作吏，此事便废，安能舍其所乐而从其所惧哉！

夫人之相知，贵识其天性，因而济之。禹不逼伯成子高，全其长也。仲尼不假盖于子夏，护其短也。近诸葛孔明不迫元直以入蜀，华子鱼不强幼安以卿相。此可谓能相终始，真相知者也。自卜已审，若道尽涂殚则已耳。足下无事冤之令转于沟壑也。

吾新失母兄之欢，意常凄切。女年十三，男年八岁，未及成人，况复多疾，顾此悢悢，如何可言？今但欲守陋巷，教养子孙，时时与亲旧叙离阔，陈说平生，浊酒一杯，弹琴一曲，志意毕矣。岂可见黄门而称贞哉！若趣欲共登王涂，期于相致，时为欢益，一旦迫之，必发狂疾。自非重雠，不至此也。既以解足下，并以为别。

此书既行，知其不可羁屈也。

**【译文】**

我每次读到《尚子平》、《台孝威传》时均赞叹仰慕，可以想像到他们的为人。加以我少年时孤苦而且羸弱，母亲和兄长都很骄宠我，所以不去读那些修身做官的经书，又读了《老子》、《庄子》，更助长了我的举止随便懒散，所以使我对做官求荣的进取心一天天减弱，而放纵任性的情意却越加强烈。阮籍口里不谈论别人的过错，我常常想学习他这一长处，但没有能做到。阮籍天性敦厚超过一般人，待人接物没有害人之心，只是有饮酒过度的毛病而已，以致遭到礼法之士的弹劾，对他恨得象仇敌那样，幸亏得到大将军司马昭的保护。我的天赋才资不如阮籍，反而有傲慢懒散的缺点；又不懂事理，不明白应当随时机的变化而变化；没有汉代万石那样的谨慎小心，而有尽情直言、不知道避忌的毛病；如果长期和人事接触，那么得罪人的事情每天都会发生，虽然想求得太平无事，这怎么能做得到呢！

又听到道士传言，服食术根、黄精等药草，可以使人长寿，心里很相信。游玩于山水之间，观赏鱼游鸟飞，心里感到非常快乐。一旦去做官，这些使我惬意的事便都失掉了，怎么能舍弃自己乐意的事而去做那些自己所怕做的事呢！

人们的相互了解，贵于认识彼此的天性，然后顺其天性加以帮助。禹不强迫伯成子高出来做官，是为了成就他的节操；孔子不向子夏借雨伞，是为了掩饰子夏爱财的短处。近来的诸葛亮不强迫徐庶跟随自己去四川，华歆不强迫管宁做卿相，禹、孔子、诸葛亮、华歆这些人才可以说是自始至终够朋友，是真正相知的人。我自己经过考虑并已经决定，如果我无路可走，那也就算了，可足下却要平白无故地使我受到冤屈，让我辗转于山沟河谷之间陷于绝境。

我刚死了母亲和兄长，失去了他们的欢爱，心中常常感到凄凉悲切。女儿才十三岁，儿子八岁，还没有长大成人，况且又多疾病，想到这些心里的悲伤，不知从何说起。现在我只愿过贫穷的生活，教育抚养子女，时时和亲朋故旧叙谈离别之情，谈论往事，浊酒一杯，弹琴一曲，志向情意就都满足了，怎么能见阉者而称赞他守贞呢！如果急于我共登仕途，想把我招去，和你共作欢乐，一旦来强迫我，那么我一定会发疯的。如果不是有深仇大恨，想来你不致于这样做的。写这封信，既是为了摆脱足下对我的推荐，并且也是用来告别的。

这封书信送到以后，山涛知道嵇康不会受羁绊屈服。

性绝巧而好锻。宅中有一柳树甚茂，乃激水环之，每夏月，居其下以锻。东平吕安服康高致，每一相思，辄千里命驾，康友而善之。后安为兄所枉诉，以事系狱，辞相证引，遂复收康。康性慎言行，一旦缧绁，乃作《幽愤诗》曰：

“嗟余薄祐，少遭不造。哀茕靡识，越在襁褓。母兄鞠育，有慈无威。恃爱肆好，不训不师。爰及冠带，凭宠自放。抗心希古，任其所尚。托好庄老，贱物贵身。志在宗朴，养素全真。

曰予不敏，好善暗人。子玉之败，屡增惟尘。大人含弘，藏垢怀耻。人之多僻，政不由己。惟此褊心，显明臧否。感悟思愆，怛若创痏。欲寡其过，谤议沸腾。性不伤物，频致怨憎。昔惭柳惠，今愧孙登。内负宿心，外恧育朋。仰慕严郑，乐道闲居，与世无营，神气晏如。

咨予不淑，婴累多虞。匪降自天，实由顽疏理弊患结，卒致囹圄。对答鄙讯，絷此幽阻。实耻讼冤，时不我与。虽曰义直，神辱志沮。澡身沧浪，曷云能补。雍雍鸣雁，厉翼北游，顺时而动，得意忘忧。嗟我愤叹，曾莫能畴。事与愿违，遘兹淹留，穷达有命，亦又何求。

【译文】

嵇康生性非常机巧而喜好打铁。住处有一株柳树长得很茂盛，便引水将树环绕起来，每当夏天，在树荫下锤打铁器。东平吕安很佩服嵇康的高卓情趣，每当想念他，便不远千里驾车来拜访，嵇康对他很友好。后来吕安被兄长诬告控诉，因为受事情的连累被投入监牢，供词经过相互验证援引，便又将嵇康逮捕。嵇康的性格说话和行动都很谨慎，一旦被捕入狱，便写了《幽愤诗》，说：

可叹我福分浅薄，少年时遭到父丧，悲伤和孤独都还不懂，由于当时年纪还很幼小。母亲和兄长对我抚养教育，只有慈爱没有威吓，自恃得到宠爱而肆意撒娇，缺少教育。到了成年之时，凭借骄纵而自负放任，坚守自己的本心希望追及古人，任凭所崇尚的做。寄托于爱好《庄子》、《老子》，轻视财物而重视身躯，志向在于节操淳朴，涵养自身的素性以保持本性。

我缺乏明智，却喜欢品评别人的善恶得失，子玉遭到身败名裂，屡屡使我增添脱离尘世的想法。德行高尚者有容忍人的器量，能承受耻辱。人们多怀有偏执，想达到纯正却身不由己。以为这种褊急的性情，才能表明自己的评品褒贬；等觉悟到自己的过失，悲痛得像受伤留下痕。想要减少过失，但诽谤非议沸沸扬扬，生性并不是要伤害别人，但频繁地招致怨恨憎恶。既有愧于古人柳下惠，又有愧于今人孙登，对内有违宿愿，对外辜负了自己的好友。仰慕古代隐士严光和郑谷，安贫乐道而隐居，与世无争，神气可以得到安然。

叹息我自己失德无行，遭遇到许多不幸的事。这不是上天降临的，实在是由于自己顽劣狂放所造成的，有悖于常理使得祸患联结，最终身陷牢狱。要答复我目前的审讯，只是身在拘禁之中，实在耻于诉讼申冤，我还有什么时间。虽说是道理正直，但是精神遭受凌辱志气已经沮丧，即便在清水中洗涤，还谈得上什么补救。天空的鸿雁鸣叫和谐，振翅向北方遨游，顺应时节而行动，得意自在而忘却忧愁。唉，我悲愤叹息，还能有什么筹划打算。事实和愿望互相违背，遭遇到目前的羁留，贫穷和显达都是命中注定的，还能有什么要求？

古人有言，善莫近名。奉时恭默，咎悔不生。万石周慎，安亲保荣。世务纷纭，只搅余情。安乐必诫，乃终利贞。煌煌灵芝，一年三秀。予独何为，有志不就。惩难思复，心焉内疚。庶勖将来，无馨无臭。采薇山阿，散发岩岫。永啸长吟，颐神养寿。

初康居贫，尝与向秀共锻于大树之下，以自赡给。颍川钟会，贵公子也。精练有才辩，故往造焉。康不为之礼，而不锻辍。良久会去，康谓曰："何所闻而来，何所见而去？"会曰："闻所闻而来，见所见而去。"会以此憾之。及是，言于文帝曰："嵇康卧龙也，不可起。公无忧天下，愿以康为虑耳。"因谮康欲助毋丘俭，赖山涛不听。昔齐戮华士，鲁诛少正卯，诚以害时乱教，故圣贤去之。康安等言论放荡，非毁典谟。帝王者所不宜容。因衅除之，以淳风俗。帝既昵听信会，遂并害之。

【译文】

古人曾经说过，做好事不要追求名声。顺乎时代虔恭而沉静不言，灾祸就不会发生。万石君周到谨慎，安抚亲属保持了荣耀。世上的事情纷纷扰扰，只能搅乱我的性情，安宁快乐必须铭诫于心，最终于会顺利吉祥。生命旺盛的灵芝草，一年中成熟三次，唯独我还能做什么，有志向而不能成功。以过去的祸难为鉴戒思考再三，心中觉得内疚，希望勉励自己今后能无声无息。在山坳里采野菜而食，在深山石窟中披散头发隐居，放声歌咏，颐养精神求得长寿。

当初，嵇康家居贫穷时，曾经和向秀一起在大树底下打铁，来养活自己。颍川的钟会，是富贵人家的公子，为人精干练达有才识能言善辩，所以去拜访嵇康。嵇康看见了他不施礼，仍旧打铁不止。等了很久钟会才离去，嵇康对钟会说："你听到什么而到这里来？又看到什么而离去？"钟会说："我听到所听到的而到这里来，看到所看到的而离去。"钟会因此感到遗憾。到这时，便告诉文帝司马昭说："嵇康，是隐居的杰出人物，无法让他出来做官。您不必为天下的事担忧，可虑的只是嵇康而已。"因而诬告说嵇康要帮助毋丘俭造反，幸好山涛劝告没有听从。从前齐国杀掉华士，鲁国诛杀少正卯，实在是由于他们有害时政扰乱教化，所以圣贤要把他们除掉。嵇康、吕安等人说话议论毫无顾忌，诽谤诋毁国家的典制法则，作为帝王不应当宽容这种行为，应当借助这个机会把他们除掉，使风气质朴敦厚。司马昭亲近钟会听信了他的话，便把嵇康、吕安一起杀害。

康将刑东市，太学生三千人请以为师，弗许。康顾视日影，索琴弹之曰："昔袁孝尼尝从吾学《广陵散》，吾每靳固之，《广陵散》于今绝矣。"时年四十，海内之士，莫不痛之。帝寻悟而恨焉。初康尝游于洛西，暮宿华阳亭，引琴而弹，夜分，忽有客诣之，称是古人，与康共谈音律，辞致清辩，因索琴弹之，而为《广陵散》。声调绝伦，遂以授康，仍誓不传人，亦不言其姓字。

康善谈理，又能属文，其高情远趣，率然玄远。撰上古以来高士为之传赞，欲友其人于千载也。又作《太师箴》，亦足以明帝王之道焉。复作《声无哀乐论》，甚有条理。

【译文】

嵇康将被押赴刑场行刑，三千名太学生请求将他赦免当太学的老师，没有得到准许。嵇康回头看看自己在太阳下的身影，向别人要了琴弹奏，说："从前袁孝尼曾经要跟我学习弹奏《广陵散》，我总是不肯教给他，到今天《广陵散》将成为绝响了！"当时他的年龄才四十岁，海内的士人，无不感到痛惜。司马昭不久后便省悟而感到悔恨。当初，嵇康曾经在洛阳西面游览，傍晚时留宿在华阳亭，取琴弹奏起来。半夜里，忽然有客人来，自称是古代人，和嵇康一起谈论音乐声律，谈吐清晰明辩，因此索取琴弹奏起来，这就是《广陵散》。琴声音调无与伦比，便把它教给嵇康，还发誓不再传给别人，也不肯说出自己的姓名。

嵇康善于谈论玄理，又很会写文章，高超的情怀和深远的旨趣，飘然高尚而又清远。撰写上古以来超世脱俗隐士的传记并加以评论，想和千年以前的这些人结交。嵇康又写了《太师箴》，也足以阐明帝王的治理之道。还写了《声无哀乐论》，说得很有条理。

# 向秀传

向秀字子期，河内怀人也。清悟有远识，少为山涛所知，雅好老庄之学。庄周著内外数十篇，历世才士虽有观者，莫适论其旨统也。秀乃为之隐解，发明奇趣，振起玄风，读之者超然心悟，莫不自足一时也。惠帝之世，郭象又述而广之，儒墨之迹见鄙，道家之言遂盛焉。始，秀欲注。嵇康曰："此书讵复须注？正是妨人作乐耳。"及成，示康曰："殊复胜不？"又与康论养生，辞难往复，盖欲发康高致也。

【译文】

向秀字子期，河内郡的怀人。他高洁聪悟有远见卓识，少年时就为山涛所知，素来喜好老子、庄子的学说。庄子著有《内篇》、《外篇》等几十篇，历代有才德的士人虽然有读过它的，但没有能够恰当论述它的思想体系。向秀便对《庄子》索隐阐解，启示其中的特异旨趣，振作起道家谈玄的风气，使读它的人有离世脱俗心领神悟之感，无不自己满足于一世。到晋惠帝时期，郭象又论述而加以推广，儒家、墨家的言论遭到轻视，道家的学说便兴盛起来。起初，向秀要注解《庄子》，嵇康说："这本书怎须再加以注解，正是阻止有人借此作典取乐。"向秀注解写成以后，给嵇康看，说："这比你所认为的是否要好得多？"他又和嵇康谈论养生之道，往来诘问辩论，大概是为了要激发嵇康高卓的情趣。

康善锻，秀为之佐，相对欣然，傍若无人。又共吕安灌园于山阳。康既被诛，秀应本郡计入洛。文帝问曰："闻有箕山之志，何以在此。"秀曰："以为巢许狷介之士，未达尧心，岂足多慕。"帝甚悦，秀乃自此役。作《思旧赋》云：

余与嵇康、吕安居止接近，其人并有不羁之才。嵇意远而疏，吕心旷而放，其后并以事见法。嵇博综伎艺，于丝竹特妙。临当就命，顾视日影，索琴而弹之。逝将西迈，经其旧庐，于时日薄虞泉，寒水凄然。邻人有吹笛者，发声寥亮。追想曩昔游宴之好，感音而叹，故作赋曰：

【译文】

嵇康擅长打铁，向秀为他做帮手，两个人相对时都觉得喜悦，态度从容旁若无人。他又和吕安一起在山阳灌溉园子。嵇康被杀以后，向秀接受本郡的郡举来到洛阳。文帝问他说："听说你有许由、巢父隐于箕山那样的志向，为什么却会来这里。"向秀回答说："我认为巢父、许由是拘谨自守的士子，没有能通达尧的心意，对他们不足以过分羡慕。"文帝很高兴，向秀便从此供职做官，写了《思旧赋》说：

我和嵇康、吕安的住处很近，他们都是有才能而不肯受拘束的人。嵇康志向高远而疏略于人事，吕安心性旷达而脱略人事，后来他们都由于犯罪而遭刑。嵇康的艺术才能是多方面的，尤其擅长演奏琴箫等弦管乐器，临刑之前，曾经顾望太阳的日影，索取琴弹奏了一曲《广陵散》。我以往远行来洛阳，经过他的故居，当时太阳已快落山，寒冽的冰水使人感到凄凉。嵇康的故邻有人吹笛，笛声清越高远，使自己追想起从前和嵇康、吕安的交游，被笛声感动而叹息，所以作赋说：

"将命适于远京兮，遂旋反以北徂。济黄河以泛舟兮，经山阳之旧居。瞻旷野之萧条兮，息余驾乎城隅。践二子之遗迹兮，历穷巷之空庐。叹《黍离》之愍周兮，悲《麦秀》于殷墟。惟追昔以怀今兮，心徘徊以踌躇。栋宇在而弗毁兮，形神逝其焉如。昔李斯之受罪兮，叹黄犬而长吟。悼嵇生之永辞兮，顾日影而弹琴。托运遇于领会兮，寄馀命于寸阴。听鸣笛之慷慨兮，妙声绝而复寻。伫驾言其将迈兮，故援翰以写心。"

后为散骑侍郎，转黄门侍郎，散骑常侍。在朝不任职，容迹而已，卒于位。二子：纯、悌。

【译文】

"奉命去京都洛阳啊，然后就转回来往北走。渡黄河乘船漂浮游荡啊，经过山阳的旧居。眺望旷野的萧条景象啊，把我的车驾停在城边。去探访嵇康、吕安生前的旧居啊，经过隐僻里巷的空房子。叹息《黍离》悲悯周室的颠覆啊，悲哀《麦秀》面对殷商故都的废墟。思念往昔的交游情景而怀念今天这样的生活不能复得啊，心中感慨很多而犹豫停步不前。嵇康的故居还在而没有毁坏啊，只是人不知到哪里去了。从前李斯被处斩的时候啊，对儿子感叹再也不能一起牵黄狗出猎。痛悼嵇生的与世长辞啊，顾望太阳的日影而弹琴。临刑时已经领悟到自己的命运啊，把自己的余生寄托于弹琴的片刻之间。听见悲凉慷慨的笛声啊，美妙的笛声断断续续地响着。停着的车子即将出发了啊，所以就用笔写下自己的心意。”

向秀后来任散骑侍郎，转为黄门侍郎、散骑常侍，在朝时不任实职，只是安身而已。在散骑常侍位上逝世。有两个儿子：向纯、向悌。

# 王羲之列传

王羲之字逸少，司徒导之从子也。祖正，尚书郎。父旷，淮南太守。元帝之过江也，旷首创其议。羲之幼讷于言，人未之奇。年十三，尝谒周顗，顗察而异之。时重牛心炙，坐客未啖，顗先割啖羲之，于是始知名。及长，辩赡，以骨鲠称，尤善隶书，为古今之冠，论者称其笔势，以为飘若浮云，矫若惊龙。深为从伯敦、导所器重。时陈留阮裕有重名，为敦主簿。敦尝谓羲之曰："汝是吾家佳子弟，当不减阮主簿。"裕亦目羲之与王承、王悦为王氏三少。时太尉郗鉴使门生求女婿于导，导令就东厢遍观子弟。门生归，谓鉴曰："王氏诸少并佳，然闻信至，咸自矜持。惟一人在东床坦腹食，独若不闻。"鉴曰："正此佳婿邪！"访之，乃羲之也，遂以女妻之。

起家秘书郎，征西将军庾亮请为参军，累迁长史。亮临薨，上疏称羲之清贵有鉴裁。迁宁远将军、江州刺史。羲之既少有美誉，朝廷公卿皆爱其才器，频召为侍中、吏部尚书，皆不就。复授护军将军，又推迁不拜。扬州刺史殷浩素雅重之，劝使应命，乃遗羲之书曰："悠悠者以足下出处足观政之隆替，如吾等亦谓为然。至如足下出处，正与隆替对，岂可以一世之存亡，必从足下从容之适？幸徐求众心。卿不时起，复可以求美政不？若豁然开怀，当知万物之情也。"羲之遂报书曰："吾素自无廊庙志，直王丞相时果欲内吾，誓不许之，手迹犹存，由来尚矣，不于足下参政而方进退。自儿娶女嫁，便怀尚子平之志，数与亲知言之，非一日也。若蒙驱使，关陇、巴蜀皆所不辞。吾虽无专对之能，直谨守时命，宣国家威德，固当不同于凡使，必令远近咸知朝廷留心于无外，此所益殊不同居护军也。汉末使太傅马日磾慰抚关东，若不以吾轻微，无所为疑，宜及初冬以行，吾惟恭以待命。"

【译文】

王羲之，字逸少，是司徒王导的堂侄子。祖父王正，官至尚书郎。父亲王旷，官至淮南太守。晋元帝过江南渡，就是王旷首先创议的。羲之年幼时语言迟钝，别人也不认为他有什么特别。十三岁时曾去拜见周顗，周顗仔细端详后很感惊异。当时的饮食风气很看重烤牛心，周顗宴客，别人尚未尝，就先切给羲之吃，从此羲之开始知名。成年后，富于才辩，以刚直著称。尤其善于隶书，为古今之冠，评论者称其笔势飘若浮云，矫若游龙，深受堂伯王敦、王导的器重。当时陈留人阮裕很知名，担任着王敦的属官主簿。王敦曾对羲之说："你是我家的好后代，应不次于阮主簿。"阮裕也认为羲之与王承、王悦为王氏"三少"。当时太尉郗鉴派门生找王导求选女婿，王导就让门生到东厢下遍观他的子侄。门生回去，对郗鉴说："王氏各位子侄都很好，他们听到来人是选女婿的，个个神态矜持。只有一个人在东床上敞着怀吃饭，好像没有听到一般。"郗鉴说道："此人正是佳婿啊！"一打听，才知就是羲之，于是就将女儿嫁给他为妻。

初任官为秘书郎，又被征西将军庾亮聘为参军，累迁为长史。庾亮临终时，还上疏称赞羲之清贵有鉴识。又迁升宁远将军、江州刺史。羲之少年时就有很高的声誉，朝廷公卿都喜爱他的才干，屡次征召他为侍中、吏部尚书，但他都未就职。再授护军将军号，又拖延时间不受。扬州刺史殷浩一向很器重他，劝他应命受官，并写信给他道："众人都认为从足下的进退就可以看到政事的兴衰，像我们这些人也是这样认为的。至于说足下的进退恰与兴衰相对应，那怎么能让一代的存亡来服从自己的心意呢？希望您能慢慢体察众人的心情。您如果不顺应时机出任官职，那可以寻求到善政吗？假若能豁然想通，就会了解人们的真切心情了。"羲之于是回信道："我素来胸无大志，王丞相时就坚持要我入朝做官，我誓不答应，那时的书信手迹现在犹存，可见由来已久，不是因为足下参政才辞退的。自从儿子娶妻女儿出嫁，我便怀有同尚子平一样的志趣，这已多次向亲近的人谈过，已经不是一两天的事了。假若让我效力。关陇、巴蜀地区都在所不辞。我虽然没有在朝廷上专对的才能，但谨守我的职守，传布国家威德，应会不同于平凡的使臣，一定能使远近的人民都知道全在朝廷的关心之内，但任使职所起的作用同出任护军显著不同。汉代末年曾派太傅马日磾抚慰关东地区，如果不嫌我身份轻微，无所怀疑，应该到初冬成行，我唯有恭敬待命。"

羲之既拜护军，又苦求宣城郡，不许，乃以为右军将军、会稽内史。时殷浩与桓温不协，羲之以国家之安在于内外和，因以与浩书以戒之，浩不从。及浩将北伐，羲之以为必败，以书止之，言甚切至。浩遂行，果为姚襄所败。复图再举，又遗浩书曰：

“知安西败丧，公私惋怛，不能须臾去怀。以区区江左，所营综如此，天下寒心，固以久矣，而加之败丧，此可熟念。往事岂复可追，愿思弘将来，令天下寄命有所，自隆中兴之业。政以道胜宽和为本，力争武功，作非所当，因循所长，以固大业，想识其由来也。

自寇乱以来，处内外之任者，未有深谋远虑，括囊至计，而疲竭根本，各从所志，竟无一功可论，一事可记，忠言嘉谋弃而莫用，遂令天下将有土崩之势，何能不痛心悲慨也。任其事者，岂得辞四海之责！追咎往事，亦何所复及，宜更虚己求贤，当与有识共之，不可复令忠允之言常屈于当权。今军破于外，资竭于内，保淮之志非复所及，莫过还保长江，都督将各复旧镇，自长江以外，羁縻而已。任国钧者，引咎责躬，深自贬降以谢百姓，更与朝贤思布平政，除其烦苛，省其赋役，与百姓更始，庶可以允塞群望，救倒悬之急。

使君起于布衣，任天下之重，尚德之举，未能事事允称，当董统之任而败丧至此，恐阖朝群贤未有与人分其谤者。今亟修德补阙，广延群贤，与之分任，尚未知获济所期。若犹以前事为未工，故复求之于分外，宇宙虽广，自容何所！知言不必用，或取怨执政，然当情慨所在，正自不能不尽怀极言。若必亲征，未达此旨，果行者，愚智所不解也。愿复与众共之。

复被州符，增运千石，征役兼至，皆以军期，对之丧气，罔知所厝。自顷年割剥遗黎，刑徒竞路，殆同秦政，惟未加参夷之刑耳，恐胜广之忧，无复日矣。”

**【译文】**

羲之担任护军后，又苦求出任宣城郡太守，没有获得允许，就被委任为右军将军、会稽内史。这时殷浩与桓温之间不和，羲之认为国家的安定有赖于内外和睦，因此给殷浩写信予以告诫，殷浩不听。等到殷浩将要北伐，羲之认为必败，写信劝止，言辞非常恳切。殷浩最终还是出征了，果然为姚襄所败。殷浩又计划再次北伐，羲之又给他写信道：

“得知安西将军失败的消息，国家和我个人都感到痛惜，时刻都无法忘怀。以区区江左地区，经营到这种程度，使天下人寒心本来就已很久了，再加上这次失败，其结果应该仔细想想。往事岂可追回，只是希望多想想将来，使人民生命有所寄托，自己成就中兴之业。政事以道义取胜，宽和是根本，凭借暴力争得武功，做法并不恰当，通过发挥长处，用以巩固大业，想必您也知道其中道理。

自从战乱以来，握有朝政内外大权的人，没有深谋远虑，统筹妙计，而是疲敝空虚根本，各逞其志，竟无一功可论，一事可记，忠言良谋弃置不用，以致使天下呈现出将要土崩瓦解的趋势，这如何能不痛心悲叹呢？当事者怎能推卸天下混乱的责任？追咎往事，又能起什么作用，应该转而虚心求贤，与有识之士共同商量，不可再使忠允之言总是屈服于当政者。现在军队失利于外，资财耗竭于内，保卫淮河一线的想法已无法做到，不如退师还保长江，都督将领各归旧镇，长江以北维系而已。担当国家重任的人，引咎自责，诚恳地自动降职，向人民认错，重新与朝臣贤人谋划施行安定的政治，除去烦乱的苛政，减轻人民的田赋和徭役，与人民重新开始，这样差不多才可以满足人们的希望，解救困苦和危机。

你出身平民，担当国家重任，崇尚德化的举措，没有做到事事妥当，担当统帅之任而又失败如此，恐怕朝内所有的贤人没有来分担这个责任的。现在赶快修德补缺，广泛延揽群贤，让他们分别负起责任，还不知能否达到期望的那样。假若你还认为以前所做的不够，所以又向职分以外去追求，宇宙虽然广大，那你自身容于何地！我也知道所说的肯定不会被接受，或许还会被当政者所怨恨，然而我的感慨集中在这一点上，也就不能不尽怀极言。如果一定要亲征，不明白这一点而突然行动，这是愚笨的人和聪明的人都不能理解的，希望与众人再一起计议计议。

又接到州府下达的命令，增运一千石粮食，征赋和劳役同时兼至，都规定了军期。我面对这些命令就意气颓丧，不知所措。自近年以来，剥削百姓，刑徒满路，几乎与秦朝的虐政相同，只不过还没有实行灭三族的刑罚罢了。我担心陈胜、吴广那样的忧患不久就会发生。”

又与会稽王笺陈浩不宜北伐，并论时事曰：

“古人耻其君不为尧舜，北面之道，岂不愿尊其所事，比隆往代，况遇千载一时之运？顾智力屈于当年，何得不权轻重而处之也。今虽有可欣之会，内求诸已，而所忧乃重于所欣。《传》云，‘自非圣人，外宁必有内忧’。今外不宁，内忧已深。古之弘大业者，或不谋于众，倾国以济一时功者，亦往往而有之。诚独运之明足以迈众，暂劳之弊终获永逸者可也。求之于今，可得拟议乎！

夫庙算决胜，必宜审量彼我，万全而后动。功就之日，便当因其众而即其实。今功未可期，而遗黎歼尽，万不余一。且千里馈粮，自古为难，况今转运供继，西输许洛，北入黄河。虽秦政之弊，未至于此，而十室之忧，便以交至。今运无还期，征求日重，以区区吴越经纬天下十分之九，不亡何待！而不度德量力，不弊不已，此封内所痛心叹悼而莫敢吐诚。

**【译文】**

又给会稽王上笺，陈述殷浩不宜北伐的意见，同时兼论时事，称：

“古人以其君没有成为尧舜那样的君主而感到可耻，做臣子的人，哪有不愿意尊崇所侍奉的君主呢？哪有不想使国势比前代更隆盛，何况是遇到了难得的时运呢？但是现今朝臣的智慧和力量都比不上当年，怎么能不权衡轻重而妥善处理呢？现在虽然有可欣慰的机会，但是反躬自问，所忧虑的就重于所欣慰的了。《传》云：‘若不是圣人，做到了外部安宁，内部必然产生忧虑。’如今是外部也不安宁，内忧却更加深了。古代开创大业的人，有的也不谋于众人，倾尽国力完成一时大功，这也往往有之。个人的聪明才智足以超过众人，暂时的劳弊最终能获得永远的安逸，这当然是可以的，但于现在再寻求这样的人，能够和古人相比吗？

要想朝廷决策必胜，必须审度衡量敌我，有了万全之策后才能行动。功成之日，便应利用它的民众和原有实力。现在成功不可以预期，而国民却死亡殆尽，一万人还剩不下一个。并且千里运粮，自古都是难事，何况现在转运供给，要西送到许、洛，北进入黄河。即使秦朝的弊政，也没有达到这种程度。而十室九空的忧虑，就会接踵而至。现在外出运粮的人没有回还的日期，各种征求日益加重，单凭区区吴、越之地图谋天下十分之九的地盘，不灭亡又能有什么结局呢？不度德量力，不失败就不停止，这是国人痛心叹息而又不敢说的事实。

往者不可谏，来者犹可追，愿殿下更垂三思，解而更张，令殷浩、荀羡还据合肥、广陵，许昌、谯郡、梁、彭城诸军皆还保淮，为不可胜之基，须根立势举，谋之未晚，此实当今策之上者。若不行此，社稷之忧可计日而待。安危之机，易于反掌，考之虚实，著于目前，愿运独断之明，定之于一朝也。

地浅而言深，岂不知其未易。然古人处闾阎行阵之间，尚或干时谋国，评裁者不以为讥，况厕大臣末行，岂可默而不言哉！存亡所系，决在行之，不可复持疑后机，不定之于此，后欲悔之，亦无及也。

殿下德冠宇内，以公室辅朝，最可直道行之，致隆当年，而未允物望，受殊遇者所以寤寐长叹，实为殿下惜之。国家之虑深矣，常恐伍员之忧不独在昔，麋鹿之游将不止林薮而已。愿殿下暂废虚远之怀，以救倒悬之急，可谓以亡为存，转祸为福，则宗庙之庆，四海有赖矣。”

**【译文】**

过去的事不可以再谏止了，未来的还可以追及。希望殿下能再三思考，改弦更张，命令殷浩、荀羡还师据守合肥、广陵，许昌、谯郡、梁、彭城方面的各军还师扼守淮河，先建立敌人不能战胜的根基，等到根基建立势力形成，再做北进的谋划也不算晚。这实在是当今最好的计策了。如果不实行这个策略，国家的忧患就会计日而至。安危的变化，易如反掌，考察形势的虚实，明显地摆在眼前。希望您能运用独断的英明，决定于一时。

地位低而谈论重要的事情，我不知道这样不容易。然而古人处于民间或士兵之间，尚且有人为国家出谋划策，而论者并不对此讥笑，何况我跻身于大臣之列的末行，怎么能沉默不言呢？关系到存亡的时候，要做出决断，不能再迟疑不决延误时机，不决断于此时，以后后悔也来不及了。

殿下道德冠于海内，凭借皇室的身份辅助朝廷，最适宜实行正直之道，达到像往年一样的兴隆。但是您未获得众望，这便是我日夜长叹的原因，实在为殿下感到可惜。国家的忧患很深重，常常担心伍员的忧虑不只是发生在过去，恐怕麋鹿的踪迹也将不仅仅限于林薮之中。希望殿下暂且放下清虚玄远的心怀，以解救困苦的危急，可以说是败亡为戒，奋发图存，转祸为福了。这样做是国家的幸运，四海也有了依赖。”

时东土饥荒，羲之辄开仓振贷。然朝廷赋役繁重，吴会尤甚，羲之每上疏争之，事多见从。又遗尚书仆射谢安书曰：

“顷所陈论，每蒙允纳，所以令下小得苏息，各安其业。若不耳，此一郡久以蹈东海矣。

今事之大者未布，漕运是也。吾意望朝廷可申下定期，委之所司，勿复催下，但当岁终考其殿最。长吏尤殿，命槛车送诣天台。三县不举，二千石必免，或可左降，令在疆塞极难之地。

又自吾到此，从事常有四五，兼以台司及都水御史行台文符如雨，倒错违背，不复可知。吾又瞑目循常推前，取重者及纲纪，轻者在五曹。主者莅事，未尝得十日，吏民趋走，功费万计。卿方任其重，可徐寻所言。江左平日，扬州一良刺史便足统之，况以群才而更不理，正由为法不一，牵制者众，思简而易从，便足以保守成业。

**【译文】**

当时江东地区发生饥荒，羲之往往开仓赈济灾民。然而朝廷的田赋和徭役很繁重，吴、会一带尤其严重，羲之往往上疏谏诤，许多意见被接受。又给尚书仆射谢安写信道：

“近来陈述的意见，常常被您采纳，所以使得下层的人民稍微得到了些休养生息，可以各安其业。如果不是这样，这一郡的人早就跳东海了。

现在大事中没有安排的，漕运是一个。我的意见是希望朝廷下达规定的期限，委托给主管部门，不要再催逼下层，只到了年末考核政绩的上下等级就行了。主要官吏的政绩考核是最后一名的，就命令用囚车送往朝廷。如果有三个县不合格，郡守就一定要免职，有的也可以降级，把他放在边地极其艰苦的地方。

从我来到此地后，从事常常有四五个，加上台司以及都水御史行台的文件就像雨点一样多，颠倒错误和互相抵触的，不知有多少。我又闭起眼来例行公事往下推，把重要的交给主簿，一般的交给五曹。主管人办事，不曾得到过十天的时间，官吏和百姓来回奔走，费用可以用万来计算。您现在正担当重任，可以慢慢遇到我所说的这种情况。江左地区平定之后，扬州用一个有能力的刺史便足以统治，现在使用一群有才能的人反而没有治理好，这正是由于制定法令不统一，各方牵制众多，只要考虑简化并易于遵从，就足以保守已经成就的大业。

仓督监耗盗官米，动以万计，吾谓诛翦一人，其后便断，而时意不同。近检校诸县，无不皆尔。余姚近十万斛，重敛以资奸吏，令国用空乏，良可叹也。

自军兴以来，征役及充运死亡叛散不反者众，虚耗至此，而补代循常，所在凋困，莫知所出。上命所差，上道多叛，则吏及叛者席卷同去。又有常制，辄令其家及同伍课捕。课捕不擒，家及同伍寻复亡叛。百姓流亡，户口日减，其源在此。又有百工医寺，死亡绝没，家户空尽，差代无所，上命不绝，事起或十年、十五年，弹举获罪无懈息，而无益实事，何以堪之！谓自今诸死罪原轻者及五岁刑，可以充此，其减死者，可长充兵役，五岁者，可充杂工医寺，皆令移其家以实都邑。都邑既实，是政之本，又可绝其亡叛。不移其家，逃亡之患复如初耳。今除罪而充杂役，尽移其家，小人愚迷，或以为重于杀戮，可以绝奸。刑名虽轻，惩肃实重，岂非适时之宜邪！”

羲之雅好服食养性，不乐在京师，初渡浙江，便有终焉之志。会稽有佳山水，名士多居之，谢安未仕时亦居焉。孙绰、李充、许询、支遁等皆以文义冠世，并筑室东土，与羲之同好。尝与同志宴集于会稽山阴之兰亭，羲之自为之序以申其志，曰：

**【译文】**

仓督监耗费、盗窃官仓的稻米往往数以万斛计，我认为诛杀一个，这种情况以后就会断绝，而多数意见却不同意。近来检查了各县，无不如此，余姚县将近十万斛。向百姓过度收敛的财富却供给了奸吏，使国家财政亏空，真是可叹啊！

自从战争发生以来，服兵役以及充任运输的人中，死亡、逃亡、叛降、离散而没有返回的很多，虚弱损耗到这种程度，而补充损耗却仍按常规办法进行，到处都是凋敝困苦，对此没能想出办法补救。被朝廷差遣的人，上路后叛逃的很多，于是带队的官吏与叛逃者全部一起跑了。还有，按照一般规定，往往令叛逃者家属及邻里负责追捕。结果叛逃的还未捕获，负责追捕的家属和邻里又叛逃了。百姓的流亡和户口的日益减少，其根源就在这里。还有，各种工匠和医生，因死亡或逃亡、绝户、沦没而空无一人，无从替代差役，上面仍按照原来人户加派，这种积累或十年、十五年，尽管弹劾治罪接连不断，而对实际情况毫无益处，这样，百姓何以承受！我认为自今以后各种死罪减轻的犯人和五年徒刑的犯人，可以补充逃亡人户之缺，减免死罪的犯人可以长期充任兵役，判五年徒刑的犯人可以充任各类工匠、医生，都让他们迁家充实都邑。都市的充实，是治政的根本，又可以禁绝他们的逃亡叛乱。不迁移他们的家，逃亡的忧患又会恢复到原来的状态。现在免除罪刑而充任杂役，全部迁移他们的家口，小人们愚蠢迷惘，有的认为这比杀头的刑罚还重，因而这样做可以根绝邪恶。刑罚的名称虽然轻微，惩罚的性质实际上很重，这难道不是适应现时需要的措施吗？”

羲之平素喜欢服食丹药，涵养情性，不愿意住在京师，第一次渡过浙江，便有在那里定居的意愿。会稽有秀山丽水，很多名士都居住在这里，谢安做官前也居住在这里。孙绰、李充、许询、支遁等都以文章超凡出众而闻名，都安家于吴郡、会稽一带，与羲之有相同的爱好。他曾与具有同一志向的人宴集于会稽郡山阴县的兰亭，羲之亲自撰序，表达了自己的志向。序文说：

“永和九年，岁在癸丑，暮春之初，会于会稽山阴之兰亭，修禊事也。群贤毕至，少长咸集。此地有崇山峻岭，茂林修竹，又有清流激湍，映带左右，引以为流觞曲水，列坐其次。虽无丝竹管弦之盛，一觞一咏，亦足以畅叙幽情。

是日也，天朗气清，惠风和畅，仰观宇宙之大，俯察品类之盛，所以游目骋怀，足以极视听之娱，信可乐也。

夫人之相与，俯仰一世，或取诸怀抱，悟言一室之内，或因寄所托，放浪形骸之外。虽趣舍万殊，静躁不同，当其欣于所遇，暂得于己，快然自足，不知老之将至。及其所之既倦，情随事迁，感慨系之矣。向之所欣，俯仰之间，已为陈迹，犹不能不以之兴怀。况修短随化，终期于尽。古人云，死生亦大矣，岂不痛哉！

每览昔人兴感之由，若合一契，未尝不临文嗟悼，不能喻之于怀。固知一死生为虚诞，齐彭殇为妄作，后之视今，亦犹今之视昔，悲夫！故列叙时人，录其所述，虽世殊事异，所以兴怀，其致一也。后之览者，亦将有感于斯文。”或以潘岳《金谷诗序》方其文，羲之比于石崇，闻而甚喜。

**【译文】**

“永和九年，正值癸丑之年，暮春三月的月初，我们聚会在会稽山阴的兰亭，进行修禊之事。众多的贤能之士都来到了，老老少少集聚在一起。这个地方有高山峻岭，茂密的森林，修长的竹子；还有清澈的流水，急泻的湍流，萦回如带，映照两岸。大家利用这弯曲的溪流做成流觞曲水，人们并列坐在岸边。虽然没有音乐交响的热闹，但吟酒咏诗，也完全可以尽兴地抒发幽雅的情趣。

这一天，天气晴朗，空气清新，和风微拂，使人感到温暖舒畅。仰头观看宇宙的广大，俯首细察万物的繁盛，纵目观览，舒展胸怀，足以尽情享受耳目的乐趣，的确是很快乐啊！

人们生活在一起，很快就度过了一生。有些人喜欢各抒情怀，聚集在一室之内促膝畅谈；有的人寄情于物，放浪旷达而忘掉了形迹。虽然采取的方式千差万别，性格的恬静或浮躁各有不同，但当他们为自己的境遇而欣然于怀，一时间怡然自得，竟忘记了老年即将来到。等到对所向往的事情已经厌倦，情趣随着事物变化而转移，感慨便会随之而来。从前感到欣喜的事，顷刻之间，就成为了往事，尚且不能不因此而生感慨。何况人的寿命长短听凭大自然来左右，最终都归于完结。古人说：‘生与死，也是大事啊！’这怎能不叫人悲伤啊！

每当我考察古人兴发感慨的原因，便会发现都是那样不谋而合，读他们的文章未尝不叹息感伤，而内心又不明白为什么。因此知道所谓生死如一、寿夭等同的说法，是虚假荒诞的。后世的人看今天的人和事，也好像今天的人看过去的人和事，多么悲伤啊！因此我才逐一记下与会人士的姓名，录下他们所咏的诗歌。虽然时代不同，人事各异，但使人感慨的原因却是一致的。后世的读者，也将对我这篇文章有所感慨。”有人用潘岳的《金谷诗序》来比方此序，把羲之比方于石崇，羲之听说后很高兴。

性爱鹅，会稽有孤居姥养一鹅，善鸣，求市未能得，遂携亲友命驾就观。姥闻羲之将至，烹以待之，羲之叹惜弥日。又山阴有一道士，养好鹅，羲之往观焉，意甚悦，固求市之。道士云：“为写《道德经》，当举群相赠耳。”羲之欣然写毕，笼鹅而归，甚以为乐。其任率如此。尝诣门生家，见棐几滑净，因书之，真草相半。后为其父误刮去之，门生惊懊者累日。又尝在蕺山见一老姥，持六角竹扇卖之。羲之书其扇，各为五字。姥初有愠色。因谓姥曰：“但言是王右军书，以求百钱邪。”姥如其言，人竞买之。他日，姥又持扇来，羲之笑而不答。其书为世所重，皆此类也。每自称：“我书比钟繇，当抗行；比张芝草，犹当雁行也。”曾与人书云：“张芝临池学书，池水尽黑，使人耽之若是，未必后之也。”羲之书初不胜庾翼、郗愔，及其暮年方妙。尝以章草答庾亮，而翼深叹伏，因与羲之书云：“吾昔有伯英章草十纸，过江颠狈，遂乃亡失，常叹妙迹永绝。忽见足下答家兄书，焕若神明，顿还旧观。”

时骠骑将军王述少有名誉，与羲之齐名，而羲之甚轻之，由是情好不协。述先为会稽，以母丧居郡境，羲之代述，止一吊，遂不重诣。述每闻角声，谓羲之当候己，辄洒扫而待之。如此者累年，而羲之竟不顾，述深以为恨。及述为扬州刺史，将就征，周行郡界，而不过羲之，临发，一别而去。先是，羲之常谓宾友曰：“怀祖正当作尚书耳，投老可得仆射。更求会稽，便自邈然。”及述蒙显授，羲之耻为之下，遣使诣朝廷，求分会稽为越州。行人失辞，大为时贤所笑。既而内怀愧叹，谓其诸子曰：“吾不减怀祖，而位遇悬邈，当由汝等不及坦之故邪！”述后检察会稽郡，辩其刑政，主者疲于简对。羲之深耻之，遂称病去郡，于父母墓前自誓曰：“维永和十一年三月癸卯朔，九日辛亥，小子羲之敢告二尊之灵。羲之不天，夙遭闵凶，不蒙过庭之训。母兄鞠育，得渐庶几，遂因人乏，蒙国宠荣。进无忠孝之节，退违推贤之义，每仰咏老氏、周任之诫，常恐死亡无日，忧及宗祀，岂在微身而已！是用寤寐永叹，若坠深谷。止足之分，定之于今。谨以今月吉辰肆筵设席，稽颡归诚，告誓先灵。自今之后，敢渝此心，贪冒苟进，是有无尊之心而不子也。子而不子，天地所不覆载，名教所不得容。信誓之诚，有如皦日！”

**【译文】**

生性喜爱鹅，会稽有个孤居的老妇养有一只鹅，鸣叫声很好听，羲之想买过来，未能办到，于是就同亲友驾车前往观赏。老妇听说羲之要来，就宰了鹅，烹调好，用以招待羲之，羲之叹惜了一整天。又听说山阴有一个道士，养有上等好鹅，羲之前往观赏，心里很高兴，执意要买这些鹅。道士说：“给我写一篇《道德经》，我就以这群鹅相赠。”羲之很高兴地就写完了，然后带了一笼子鹅回家，非常快乐。羲之就是这样的坦率任性。曾到门生家，看见棐几的表面平滑干净，就在上面写起字来，真草各占一半。这些字后被门生的父亲误刮去，门生连续懊丧了好几天。又曾在蕺山见到一个老妇，拿着六角竹扇正在卖。羲之就在扇上写字，每把各写五个字。老妇起初面有恼怒之色。羲之就对她说：“只要说是王右军书写的字，价钱可以要到一百钱。”老妇照着他的话说了，人们竞相购买。又一天，老妇又拿着扇子来，要求题字，羲之笑而不答。他的书法为世人所重，都类似于此。他经常自称：“我的书法同钟繇相比，当可以抗衡；同张芝草书相比，应是仅在其次。”曾给别人写信说：“张芝临池学习书法，池水全变成了黑色，假使学习书法的人都入迷到这种程度，未必就落后于他。”羲之的书法起初不如庾翼、郗愔，到了晚年才达到如此精妙的程度。曾以章草回信给庾亮，而庾翼看到后对此深为叹服，就给羲之写信说：“我过去有伯英的章草十幅，过江南渡时颠沛流离，狼狈不堪，于是就遗失了，为此经常感叹妙迹永绝了。忽见足下回复家兄的信，焕若神明，顿时就像找回了往日的妙迹。”

当时骠骑将军王述自少年起就有名气，与羲之齐名，但羲之很看不起他，因此交情不深。王述先前在会稽任官，因母亲逝世居丧于郡境内，羲之接替他的职务，只去吊唁了一次，就没有再去过第二次。王述每次听到吹角的声音，就说应是羲之来探望自己，便洒水扫地等待他，像这样连续多年，而羲之到最后也没有再去看望，王述为此很是怨恨。等到王述任扬州刺史，将要去就职，就在郡内转了一圈，却不去见羲之，临走的时候，才道别了一下就走了。先前，羲之常对宾客朋友讲："怀祖（王述字）就当个尚书罢了，到老可得个仆射的官。另外求到了会稽内史的官，便自己飘飘然。"及至王述受到重用，羲之耻居其下，就派使者到朝廷，要求分出会稽郡另置为越州。派去的使者言辞欠妥，深为当时的贤达所耻笑。羲之过后内心很惭愧感慨，对儿子们讲："我不比怀祖差，而地位待遇与他相差悬殊，应是由于你们不如坦之（王述子）的缘故啊！"王述后来检查会稽郡政务，考核刑政时提了不少问题，主管人被弄得狼狈不堪，好多问题回答不上来。羲之对此深感羞耻，于是称病离开会稽郡，到父母墓前发誓道："永和十一年三月癸卯初一，九日辛亥，小子羲之敢告二位尊亲在天之灵。羲之不幸，从小就失去父亲，未受到父亲的教诲。靠着母亲和哥哥的抚养，才得以渐渐长大，又趁着人才缺乏，受到国家的宠荣。可是我若继续仕进就无忠孝的风节，退让又违反推荐贤人的道义，每次仰咏老子、周任的告诫，就常常害怕死亡的临近，担心危及祖先，岂仅仅是自身而已！因此日夜长叹，好像坠入深谷一样。知足知止的本分，就决定于现在。谨以本月良辰吉日摆列筵席，俯首诚心，向祖先在天之灵发誓：从今以后，如果胆敢改变此心，贪冒苟进，就是无视父母之心的不孝之子。作为儿子而不孝，天地所不能存，名教所不能容。誓言的诚恳，就如白日一般！"

羲之既去官，与东土人士尽山水之游，弋钓为娱。又与道士许迈共修服食，采药石不远千里，遍游东中诸郡，穷诸名山，泛沧海，叹曰："我卒当以乐死。"谢安尝谓羲之曰："中年以来，伤于哀乐，与亲友别，辄作数日恶。"羲之曰："年在桑榆，自然至此。顷正赖丝竹陶写，恒恐儿辈觉，损其欢乐之趣。"朝廷以其誓苦，亦不复征之。

时刘惔为丹杨尹，许询尝就惔宿，床帷新丽，饮食丰甘。询曰："若此保全，殊胜东山。"惔曰："卿若知吉凶由人，吾安得保此。"羲之在坐，曰："令巢许遇稷契，当无此言。"二人并有愧色。

初，羲之既优游无事，与吏部郎谢万书曰：

**【译文】**

羲之辞官后，与吴郡、会稽一带人士尽游山水，打鸟钓鱼取乐。又与道士许迈共同研究服食丹药，不远千里采集药石，游遍了东部各郡，并遍访名山，泛舟沧海。他感叹说："我最后会因极乐而死。"谢安曾对羲之说："我中年以来，因喜怒哀乐受到损伤，每与亲友告别，就会几天心情不好。"羲之说："人到了晚年，自然是这种情况。才说要借音乐陶冶性情排遣忧闷，又总是怕孩子们发觉，影响了他们的欢乐情趣。"朝廷因他发誓坚决，也就不再征召他任官。

当时刘惔任丹杨尹，许询曾到刘惔家投宿，床褥帷帐新鲜艳丽，饮食丰盛味道甘美。许询说："如能像这样保持下去，远远胜于东山。"刘惔说："你若知道吉凶由人，也应知道我哪能保证这样。"羲之也在座，就说："假使巢父、许由遇到后稷、契，应不会说这种话。"刘、许二人脸上都现出惭愧之色。

起初，羲之既优游无事，就给吏部郎谢万写信道：

"古之辞世者或被发阳狂，或污身秽迹，可谓艰矣。今仆坐而获逸，遂其宿心，其为庆幸，岂非天赐！违天不祥。

顷东游还，修植桑果，今盛敷荣，率诸子，抱弱孙，游观其间，有一味之甘，割而分之，以娱目前。虽植德无殊邈，犹欲教养子孙以敦厚退让。或以轻薄，庶令举策数马，仿佛万石之风。君谓此何如？

比当与安石东游山海，并行田视地利，颐养闲暇。衣食之余，欲与亲知时共欢宴，虽不能兴言高咏，衔杯引满，语田里所行，故以为抚掌之资，其为得意，可胜言邪！常依陆贾、班嗣、杨王孙之处世，甚欲希风数子，老夫志愿尽于此也。"

万后为豫州都督，又遗万书诫之曰："以君迈往不屑之韵，而俯同群辟，诚难为意也。然所谓通识，正自当随事行藏，乃为远耳。愿君每与士之下者同，则尽善矣。食不二味，居不重席，此复何有，而古人以为美谈。济否所由，实在积小以致高大，君其存之。”

万不能用，果败。

年五十九卒，赠金紫光禄大夫。诸子遵父先旨，固让不受。

**【译文】**

“古代隐居避世的人有的披头散发装疯，有的满身污秽行为丑陋，可以说是很难的。如今我通过隐世获得了安逸，顺遂了夙愿，实为庆幸，难道不是上天所赐！违拗上天就会不吉祥的。

前些时候东游归来，整修种植了桑树和果树，现在鲜花盛开，领着儿子们，抱着幼小的孙子，游览观赏其间，有了成熟的果实，就摘下分给孩子，以此为眼前的欢乐。我虽然涵养品德没有什么特殊之处，但还是想教育子孙做到敦厚谦让。如子孙中谁有轻薄举动，我就让他用马鞭子清点马数，效法汉代万石君的作风。你认为这样做如何?

近来将要和安石东游山海，并到农田中考察土地的收获，以此来作为闲暇时的涵养。衣食之外的余资，打算与亲友知心按时欢宴一顿，虽然不能吟诗作赋，但倒满酒杯饮酒，讲讲田里之行所见，作为拍手笑乐的谈资，那种得意能一言而尽吗?我常常依照陆贾、班嗣、杨王孙的处世方法来做，仰慕这几位君子的风度，老夫的志愿就全在这里了。”

谢万后任豫州都督，羲之又给谢万写信告诫说：“凭君超越古人不屑其余的神气，而混迹于一般公卿，实在难以想象。然而所谓智识通达的人，只不过是依随事理或出或处罢了，这才是远见啊！希望你能常常和士兵中最低贱的同甘共苦，那就尽善尽美了。吃饭不上两样菜，睡觉不放两层席，这又有什么，而古人却传为美谈。成功与否的原因，的确是在积小以成高大，请你记住这句话。”谢万未能采用，最后果然失败。

年龄五十九岁时逝世，朝廷追赠金紫光禄大夫的官职。儿子们遵照父亲的生前意愿。再三推让不接受。

有七子，知名者五人。玄之早卒。次凝之，亦工草隶，仕历江州刺史、左将军、会稽内史。王氏世事张氏五斗米道，凝之弥笃。孙恩之攻会稽，僚佐请为之备。凝之不从，方入靖室请祷，出语诸将佐曰：“吾已请大道，许鬼兵相助，贼自破矣。”既不设备，遂为孙恩所害。

徽之字子猷。性卓荦不羁，为大司马桓温参军，蓬首散带，不综府事。又为车骑桓冲骑兵参军，冲问：“卿署何曹？”对曰：“似是马曹。”又问：“管几马？”曰：“不知马，何由如数！”又问：“马比死多少？”曰：“未知生，焉知死！”尝从冲行，值暴雨，徽之因下马排入车中，谓曰：“公岂得独擅一车！”冲尝谓徽之曰：“卿在府日久，比当相料理。”徽之初不酬答，直高视，以手版柱颊云：“西山朝来致有爽气耳。”

时吴中一士大夫家有好竹，欲观之，便出坐舆造竹下，讽啸良久。主人洒扫请坐，徽之不顾。将出，主人乃闭门，徽之便以此赏之，尽欢而去。尝寄居空宅中，便令种竹。或问其故，徽之但啸咏，指竹曰：“何可一日无此君邪！”尝居山阴，夜雪初霁，月色清朗，四望皓然，独酌酒咏左思《招隐诗》，忽忆戴逵。逵时在剡，便夜乘小船诣之，经宿方至，造门不前而反。人问其故，徽之曰：“本乘兴而行，兴尽而反，何必见安道邪！”雅性放诞，好声色，尝夜与弟献之共读《高士传赞》，献之赏井丹高洁，徽之曰：“未若长卿慢世也。”其傲达若此。时人皆钦其才而秽其行。

**【译文】**

生有七个儿子，其中知名的有五人。玄之早年夭折。次子凝之，也擅于草书、隶书，做官历任江州刺史、左将军、会稽内史。王氏家族世世代代都信奉五斗米道，凝之尤其虔诚。孙恩进攻会稽时，僚佐们建议做好抵御孙恩的防备，凝之不听从，却在静室祈祷，出来告诉部属将佐们说：“我已祈请过天师，允许派鬼兵相助，贼军自会破灭的。”既没有设防抵御，于是被孙恩所害。

王徽之，字子猷。生性卓荦不群，放浪不羁。担任大司马桓温的参军，常常是头发散乱，衣带宽弛，不管府中事务。又担任车骑将军桓冲的骑曹参军，桓冲问他：“你管理哪个部门？”他对答：“好像是管马的。”又问：“管有多少马匹？”答称：“我不知道有关马的事，如何知道马数！”又问：“马匹近来死了多少？”又答：“不知道活马的事，哪里知道死马的事！”曾随桓冲出行，忽遇天降大雨，徽之就下马挤进桓冲乘坐的车子，对他说：“公岂能一人独占一辆车！”桓冲曾对徽之说过：“你在府中的时间很久了，也该帮我料理公务了。”徽之一直不予回答，只是直视前方，用手掌撑着脸颊说道：“西山潮气过来才有了些凉爽。”

当时吴中一士大夫家长有一片秀竹，他想去观赏，便离家乘坐轿子来到竹林边，吟诵了很长时间。主人洒扫庭院请他坐下，徽之头也不回就要走。快要出去的时候，主人就关住了门，徽之便因此回身入座，尽欢而散。曾寄居于一座空宅内，刚住下就令人种植竹子。有人询问其中缘故，徽之只是吟诵啸咏，指着竹子说：“怎么能一日无此君呢！”曾居住于山阴，一天，夜雪初停，月色清朗，四野一片皓白。徽之一边自酌自饮，一边吟咏左思的《招隐诗》，忽然间想起了戴逵。戴逵当时正在剡县，他便夜乘小船前往寻访，走了一夜才到，但到了戴逵家门前却不进去，又转身返回。别人询问其中缘故，徽之答称：“本是乘兴而来，兴尽自然而返。为什么一定要见安道（戴逵字）呢？”禀性极其放荡荒诞，喜好声色。曾于夜晚与弟弟王献之同读《高士传赞》，献之很赞赏井丹的高洁，徽之却说：“我看此人比不上长卿的慢世傲人。”他就是这样傲岸豁达。当时人们都钦佩他的才能而鄙视他的品行。

后为黄门侍郎，弃官东归，与献之俱病笃。时有术人云：“人命应终，而有生人乐代者，则死者可生。”徽之谓曰：“吾才位不如弟，请以余年代之。”术者曰：“代死者，以己年有余，得以足亡者耳。今君与弟算俱尽，何代也！”未几，献之卒，徽之奔丧不哭，直上灵床坐，取献之琴弹之，久而不调，叹曰：“呜呼子敬，人琴俱亡！”因顿绝。先有背疾，遂溃裂，月余亦卒。子桢之。

桢之字公干，历位侍中、大司马长史。桓玄为太尉，朝臣毕集，问桢之：“我何如君亡叔？”在坐咸为气咽。桢之曰：“亡叔一时之标，公是千载之英。”一坐皆悦。

【译文】

后来任黄门侍郎，辞官东归后，与献之同染重症。当时有术士讲："人命该终结的时候，如果有活人乐意替代，死者就可以活。"徽之对他说："我的才能和地位都不如弟弟，请用我的余年替代弟弟。"术士说："替代要死的人。是因为自己的寿命还有余，能够补足要死的人，如今你与弟弟的年数都已经到了尽头，如何替代！"时间不长，献之逝世，徽之奔丧而不哭泣，径直走上灵床坐下，拿起献之的琴就弹奏起来，时间一长，琴声变了调，于是叹道："唉！子敬（献之字）人琴俱亡！"说罢就昏厥过去。他以前背部就有疾病，这一来疮部随即溃裂，一个多月后也逝世了。儿子名叫桢之。

桢之字公干，历任侍中、大司马长史。桓玄任太尉时，朝臣齐集，他问桢之："我和你亡叔相比怎么样？"在座的人听了这话都屏息静气。桢之答道："亡叔是一时楷模，公是千载之英。"举座朝臣这才转忧为喜。

操之字子重，历侍中、尚书、豫章太守。

献之字子敬。少有盛名，而高迈不羁，虽闲居终日，容止不怠，风流为一时之冠。年数岁，尝观门生摴蒱，曰："南风不竞。"门生曰："此郎亦管中窥豹，时见一斑。"献之怒曰："远惭荀奉倩，近愧刘真长。"遂拂衣而去。尝与兄徽之、操之俱诣谢安，二兄多言俗事，献之寒温而已。既出，客问安王氏兄弟优劣，安曰："小者佳。"客问其故，安曰："吉人之辞寡，以其少言，故知之。"尝与徽之共在一室，忽然火发，徽之遽走，不遑取履。献之神色恬然，徐呼左右扶出。夜卧斋中，而有偷人入其室，盗物都尽。献之徐曰："偷儿，青毡我家旧物，可特置之。"群偷惊走。

工草隶，善丹青。七八岁时学书，羲之密从后掣其笔不得，叹曰："此儿后当复有大名。"尝书壁为方丈大字，羲之甚以为能，观者数百人。桓温尝使书扇，笔误落，因画作乌驳犉牛，甚妙。

【译文】

王操之，字子重，历任侍中、尚书、豫章太守。

王献之，字子敬。年少时即享有盛名，且洒脱不羁，即使在家闲居终日，神色举止也毫不懈怠，才气风流为一时之最。年龄只有几岁的时候，曾观看门生赌博，见有胜负，就说道："竞赛失利。"门生说："这个小主人竟也能管中窥豹，偶尔看见一斑。"献之生气地说："我的才能远的说只惭对荀奉倩，近的说只愧对刘真长。"于是拂袖而去。又曾与哥哥王徽之、王操之前往拜访谢安，两位哥哥言谈中讲了不少生活琐事，献之只是见面寒暄而已。他们走后，在座的客人请谢安评价王氏兄弟的优劣，谢安说道："小者为佳。"客人又问为什么，谢安答道："吉人言辞寡少，因为他说话少，所以知道。"又曾与徽之同居一室，突然失火，徽之惊慌地跑开，都顾不上穿鞋。献之则神色镇定自若，从容地喊来身边随从，将自己扶出去。有一次夜卧寝室，一伙小偷进屋来偷东西，几乎将所有东西偷光。献之最后才不紧不慢地喊道："小偷！那条青毡是我家祖先留下的物品，可特意留下。"这伙小偷闻声惊走。

擅长草书和隶书，也善于绘画。七八岁学习书法时，一次羲之趁他不注意从背后夺他的毛笔，未能夺下，就感慨地说："这个孩子日后还会有大名。"曾于墙上书写一丈见方的大字，羲之认为很有功力，当时围观者数百人。桓温还曾让他给扇子题字，不料一笔误落，他就势画成了黑色母牛，非常精妙。

起家州主簿、秘书郎，转丞，以选尚新安公主。尝经吴都，闻顾辟强有名园，先不相识，乘平肩舆径入。时辟强方集宾友，而献之游历既毕，旁若无人。辟强勃然数之曰："傲主人，非礼也。以贵骄士，非道也。失是二者，不足齿之伧耳。"便驱出门。献之傲如也，不以屑意。

谢安甚钦爱之，请为长史。安进号卫将军，复为长史。太元中，新起太极殿，安欲使献之题榜，以为万代宝，而难言之，试谓曰："魏时陵云殿榜未题，而匠者误钉之，不可下，乃使韦仲将悬橙书之。比讫，须鬓尽白，裁余气息。还语子弟，宜绝此法。"献之揣知其旨，正色曰："仲将，魏之大臣，宁有此事！使其若此，有以知魏德之不长。"安遂不之逼。安又问曰："君书何如君家尊？"答曰："故当不同。"安曰："外论不尔。"答曰："人那得知！"寻除建威将军、吴兴太守，征拜中书令。

【译文】

初任官是州主簿，后迁秘书郎，又转为秘书丞，因中选得娶新安公主。曾路经吴郡，听说顾辟强有一座名园，虽以前同顾并不相识，仍乘轿径直进入。当时辟强正会集宾友，而献之游赏之后却旁若无人地要离去。辟强勃然大怒，斥责道：“你傲慢主人，不合礼节；恃贵骄士，不合道义。犯了这两种过失，就是不足挂齿的粗人。”便把他赶出园门。献之傲慢依旧，并不介意。

谢安非常钦敬喜爱献之，就聘请他为长史。谢安进号卫将军，仍任他为长史。太元年间，皇宫中新建成太极殿，谢安想让献之题写榜匾，成为流传万代的墨宝，但又难以启齿，于是就试探道：“魏代时，陵云殿的榜匾还未题字就被工匠误钉上去了，无法弄下来，就让韦仲将站在悬椅上题写榜匾。等题写完毕，韦仲将的胡须和鬓毛都花白了，仅仅剩下喘息的力气。他回家后就对晚辈们讲，以后要禁绝习字练书。”献之揣摩到了谢安的意思，严肃地说：“仲将是魏朝的大臣，岂有此事！假如果真如此，那也就从这里知道了魏代短命的原因。”谢安于是不再勉强献之。谢安又问道：“你的书法与令尊相比怎么样？”献之答称：“本来就有不同。”谢安说：“外间议论不这样看。”答称：“别人哪里知道！”不久授官建威将军、吴兴太守，后又征召回朝任中书令。

及安薨，赠礼有同异之议，惟献之、徐邈共明安之忠勋。献之乃上疏曰：“故太傅臣安少振玄风，道誉洋溢。弱冠遐栖，则契齐箕皓；应运释褐，而王猷允塞。及至载宣威灵，强猾消殄。功勋既融，投韨高让。且服事先帝，眷隆布衣。陛下践阼，阳秋尚富，尽心竭智以辅圣明。考其潜跃始终，事情缱绻，实大晋之俊辅，义笃于曩臣矣。伏惟陛下留心宗臣，澄神于省察。”孝武帝遂加安殊礼。

未几，献之遇疾，家人为上章，道家法应首过，问其有何得失。对曰：“不觉余事，惟忆与郗家离婚。”献之前妻，郗昙女也。俄而卒于官。安僖皇后立，以后父追赠侍中、特进、光禄大夫、太宰，谥曰宪。无子，以兄子静之嗣，位至义兴太守。时议者以为羲之草隶，江左中朝莫有及者，献之骨力远不及父，而颇有媚趣。桓玄雅爱其父子书，各为一袠，置左右以玩之。始羲之所与共游者许迈。

【译文】

到谢安逝世后，朝中对他的追赠礼仪持有分歧意见，只有献之、徐邈一同辨明谢安的忠诚和功勋。献之为此上疏道："已故太傅大臣谢安，少年时就名震玄学领域，受到普遍赞誉。年轻时隐居，节操与箕子、商山四皓相同。应运入仕做官，谋划国事公允而周到。及至提师出征，强寇得以消灭。建立辉煌功勋之后又退位谦让。而且尽心奉侍先帝，关心厚爱百姓。陛下即位，年纪正轻，他尽心竭智给以辅佐。考察他隐居和出仕的生平，建树接连不断，真正是大晋的良辅，德义超过以往大臣。希望陛下关注这位世人宗仰的大臣，明于省察。"孝武帝于是提高了谢安赠礼的待遇。

不久，献之患病，家人帮他上报奏章，按照当时的习惯，叙述家法时应陈述自己所犯的过失。就问他有何过失，他回答说："不记得别的事了，只想起来与郗家离婚的事。"献之的前妻是郗昙的女儿。说罢不一会儿，便逝世于衙署。安僖皇后被册立时，因献之是皇后的父亲，又被追赠为侍中、特进、光禄大夫、太宰，追谥为"宪"。因为没有子嗣，就以哥哥的儿子静之过继为嗣，官至义兴太守。当时舆论认为羲之的草书、隶书，在江左朝廷中无人可比，献之书法的骨力远远不及其父，但颇有媚趣。桓玄特别喜欢他们父子的书法，各装于一帙，放在身边以供玩赏。当初，与羲之同游的人还有许迈。

# 〔宋书〕

## 檀道济列传

檀道济，高平金乡人，左将军韶少弟也。少孤，居丧备礼。奉姊事兄，以和谨致称。

高祖创义，道济从入京城，参高祖建武军事，转征西。讨平鲁山，禽桓振，除辅国参军、南阳太守。以建义勋，封吴兴县五等侯。卢循寇逆，群盗互起，郭寄生等聚作唐，以道济为扬武将军、天门太守讨平之。又从刘道规讨桓谦、荀林等，率厉文武，身先士卒，所向摧破。及徐道覆来逼，道规亲出拒战，道济战功居多。迁安远护军、武陵内史。复为太尉参军，拜中书侍郎，转宁朔将军，参太尉军事。以前后功封作唐县男，食邑四百户。补太尉主薄、谘议参军。豫章公世子为征虏将军镇京口，道济为司马、临淮太守。又为世子西中郎司马、梁国内史。复为世子征虏将军司马，加冠军将军。

**【译文】**

檀道济，高平金乡人，是左将军檀韶的幼弟。少年时丧失父母，居丧期间依礼行事，侍奉姐姐和哥哥，以和顺谨慎著称。

高祖首倡大义，檀道济随从进京，参高祖建武军事。转征西，讨平鲁山，活捉桓振，官拜辅国参军、南阳太守。因建义的功勋，封爵吴兴县五等侯。卢循反叛寇掠，群盗并起，郭寄生盘踞在作唐。朝廷委任檀道济为扬武将军、天门太守，讨平郭寄生。然后跟随刘道规进讨桓谦、荀林等，他率领激励部属，身先士卒，所向披靡。徐道覆领兵逼近，刘道规麾军抵抗，檀道济因战功卓著，升任安远护军，武陵内史。不久又任太尉参军、中书侍郎，迁转宁朔将军，参太尉军事。录前后所立功勋，封爵作唐县男，食邑四百户。又补授太尉主簿、咨议参军。豫章公世子代替征虏将军镇守京口，檀道济担任他的司马，兼临淮太守。继而任世子西中郎司马，兼梁国内史。后任世子征虏将军司马，加冠军将军。

义熙十二年，高祖北伐，以道济为前锋出淮、肥，所至诸城戍望风降服。进克许昌，获伪宁朔将军、颍川太守姚坦，及大将杨业。至成皋，伪兖州刺史韦华降。径进洛阳，伪平南将军陈留公姚洸归顺。凡拔城破垒，俘四千余人。议者谓应悉戮以为京观。道济曰："伐罪吊民，正在今日。"皆释而遣之。于是戎夷感悦，相率归之者甚众。进据潼关，与诸军共破姚绍。长安既平，以为征虏将军、琅邪内史。世子当镇江陵，复以道济为西中郎司马、持节、南蛮校尉。又加征虏将军。迁宋国侍中，领世子中庶子，兖州大中正。

高祖受命，转护军，加散骑常侍，领石头戍事。听直入殿省。以佐命功，改封永修县公，食邑二千户。徙为丹阳尹，护军如故。高祖不豫，给班剑二十人。

出监南徐兖之江北淮南诸郡军事、镇北将军、南兖州刺史。景平元年，虏围青州刺史竺夔于东阳城，夔告急。加道济使持节、监征讨诸军事，与王仲德救东阳。未及至，虏烧营，焚攻具遁走。将追之，城内无食，乃开窖取久谷，窖深数丈，出谷作米，已经再宿，虏去已还，不复可追，乃止。还镇广陵。

**【译文】**

义熙十二年，高祖北伐，以檀道济为前锋，先出淮、肥，军队所到之地，城戍纷纷望风归顺。檀道济引军攻克许昌，俘获后秦宁朔将军兼颍川太守姚坦及大将杨业。兵至成皋，后秦兖州刺史韦华降附。他又引军直趋洛阳，后秦平南将军陈留公姚洸出降。一路陷城池破壁垒，俘虏敌军将士四千余人。军中有人建议将战俘全部杀死，尸体封土成高冢，以炫耀武功。檀道济说："讨伐有罪，抚慰人民，才是今天应该做的。"他将俘虏全部放回。戎夷心悦诚服，相率归顺他的人很多。他领兵西进，据守潼关，与诸路兵马联合，击败姚绍。长安平定以后，迁任征虏将军、琅邪内史。世子将镇守江陵，又以檀道济为西中郎司马、持节、南蛮校尉，加征虏将军。再迁宋国侍中，领世子中庶子，兼兖州大中正。

高祖刘裕称帝后，檀道济转为护军，加散骑常侍，领石头戍事务。允许他直接进入殿省。因辅佐高祖登基有功，改封永修县公，食邑二千户。又迁任丹阳尹，仍兼护军之职。高祖病重时，赐给他二十人，出入手持有花纹的木剑，作为仪仗队。

后出任地方官，监南徐州与兖州的江北、淮南诸郡军事，兼任镇北将军、南兖州刺史。景平元年，魏军把宋青州刺史竺夔围困在东阳城内，竺夔向朝廷告急。朝廷加檀道济使持节、监征讨诸军事，与王仲德联合，救援东阳。援军尚未赶到东阳，魏军闻讯，烧毁营寨和攻城器具，北逃。檀道济准备追击魏军，但东阳城中没有军粮。于是令士卒开地窖取陈谷，地窖深数丈，将谷子取出，加工成米，已经过了两夜，魏军已远去。于是不再追赶，回师镇守广陵。

徐羡之将废庐陵王义真，以告道济，道济意不同，屡陈不可，不见纳。羡之等谋欲废立，讽道济入朝，既至，以谋告之。将废之夜，道济入领军府就谢晦宿。晦其夕竦动不得眠，道济就寝便熟，晦以此服之。太祖未至，道济入守朝堂。上即位，进号征北将军，加散骑常侍，给鼓吹一部。进封武陵郡公，食邑四千户。固辞进封。又增督青州、徐州之淮阳下邳琅邪东莞五郡诸军事。

及讨谢晦，道济率军继到彦之。彦之战败，退保隐圻，会道济至。晦本谓道济与羡之等同诛，忽闻来上，人情凶惧，遂不战自溃。事平，迁都督江州荆州之江夏豫州之西阳新蔡晋熙四郡诸军事、征南大将军、开府仪同三司、江州刺史，持节、常侍如故。增封千户。

**【译文】**

徐羡之打算废黜庐陵王刘义真，先将此事告知檀道济。檀道济不同意，屡次陈述己见。说不能这样，但不被徐羡之采纳。徐羡之等人策划废黜宋少帝刘义符，拥立宜都王刘义隆，托辞让檀道济入朝。檀道济来到，方告知此谋。当天夜里，檀道济在领军府与谢晦同宿。谢晦因心情紧张，辗转反侧，不能入眠，檀道济刚卧床便已睡熟，谢晦佩服他临事镇定。太祖没有到来之前，檀道济进朝堂守护。待太祖登基，进檀道济征北将军，加散骑常侍，赐给鼓吹一部。不久又爵封武陵郡公，食邑四千户，檀道济坚决辞让，于是加都督青州、徐州的淮阳、下邳、琅邪、东莞等五郡诸军事。

后来讨伐谢晦，以到彦之为前部，檀道济后继。到彦之接战败北，退保隐圻，适逢檀道济领兵到达。谢晦原以为檀道济已与徐羡之等人同时被杀，忽然听说他领兵前来，于是军中人心惶恐，士兵不战而自行溃散。谢晦作乱被平息之后，檀道济迁都督江州、荆州的江夏郡、豫州的西阳、新蔡、晋熙四郡诸军事，征南大将军、开府仪同三司、江州刺史，仍为持节和常侍。并增封食邑千户。

元嘉八年，到彦之伐索虏，已平河南，寻复失之，金墉、虎牢并没，虏逼滑台。加道济都督征讨诸军事，率众北讨。军至东平寿张县，值虏安平公乙旃眷。道济率宁朔将军王仲德、骁骑将军段宏奋击，大破之。转战至高梁亭，虏宁南将军、济州刺史寿昌公悉颊库结前后邀战，道济分遣段宏及台队主沈虔之等奇兵击之，即斩悉颊库结。道济进至济上，连战二十余日，前后数十交，虏众盛，遂陷滑台。道济于历城全军而反。进位司空，持节、常侍、都督、刺史并如故。还镇寻阳。

道济立功前朝，威名甚重，左右腹心，并经百战，诸子又有才气，朝廷疑畏之。太祖寝疾累年，屡经危殆，彭城王义康虑宫车晏驾，道济不可复制。十二年，上疾笃，会索虏为边寇，召道济入朝。既至，上间。十三年春，将遣道济还镇，已下船矣，会上疾动，召入祖道，收付廷尉。诏曰："檀道济阶缘时幸，荷恩在昔，宠灵优渥，莫与为比。曾不感佩殊遇，思答万分，乃空怀疑贰，履霜日久。元嘉以来，猜阻滋结，不义不昵之心，附下罔上之事，固已暴之民听，彰于遐迩。谢灵运志凶辞丑，不臣显著，纳受邪说，每相容隐。又潜散金货，招诱剽猾，逋逃必至，实繁弥广，日夜伺隙，希冀非望。镇军将军仲德往年入朝，屡陈此迹。朕以其位居台铉，豫班河岳，弥缝容养，庶或能革。而长恶不悛，凶慝遂遘，因朕寝疾，规肆祸心。前南蛮行参军庞延祖具悉奸状，密以启闻。夫君亲无将，刑兹罔赦。况罪衅深重，若斯之甚。便可收付廷尉，肃正刑书。事止元恶，余无所问。"于是收道济及其子给事黄门侍郎植、司徒从事中郎粲、太子舍人隰、征北主簿承伯、秘书郎遵等八人，并于廷尉伏诛。又收司空参军薛彤，付建康伏法。又遣尚书库部郎顾仲文、建武将军茅亨至寻阳，收道济子夷、邕、演及司空参军高进之诛之。薛彤、进之并道济腹心，有勇力，时以比张飞、关羽。初，道济见收，脱帻投地曰：“乃复坏汝万里之长城！”邕子孺乃被宥，世祖世，为奉朝请。

【译文】

元嘉八年，到彦之统领诸路兵马伐魏，平定了黄河以南地区，不久又丢失。洛阳金墉城和虎牢关等要塞同时陷落，魏军逼近滑台。宋朝廷加檀道济都督征讨诸军事，率军北伐。军队到达东平郡寿张县时，与魏安平公乙旃眷的军队相遇。檀道济率领宁朔将军王仲德、骁骑将军段宏等奋勇作战，大败魏军。又转战到高梁亭，魏宁南将军、济州刺史、寿昌公悉颊库结前来阻击，檀道济派遣段宏和台队主沈虔之出奇兵攻打，斩杀悉颊库结。然后进军到济水南岸，连续作战二十多天，前后与魏军交锋数十次。因魏军兵多势盛，滑台被攻陷。檀道济带领宋军，从历城安全返回。进位司空，持节、常侍、都督、刺史等仍然保留。于是檀道济返回江州，镇守寻阳。

檀道济在前朝就立有战功，威信高，名望重。左右心腹，都曾身经百战。诸子又都很有才气，因而受到朝廷的猜忌。太祖连年疾患，屡次病危，彭城王刘义康常常担心太祖去世后，檀道济难以控制。十二年，太祖病危，恰逢魏军寇掠边境，于是召檀道济入朝，准备除掉他。等檀道济来到京城，太祖病情又有好转。十三年春天，让檀道济还镇寻阳，已经上船，太祖病情复发。于是以设宴饯行为名，将檀道济召回，拘押廷尉狱中。下诏说：“檀道济因时势靠幸运，在往昔蒙受大恩，待遇的优厚，他人无法比拟。不务报答万一，却凭空产生狐疑和离贰之心，戒备惊惧已久。元嘉年间以来，猜忌隔阂更深。不义不亲的心思，附下欺上的事迹，本来就暴露在民间，彰显于远近。谢灵运心毒言丑，不臣之心显著，檀道济却听信他的邪说，并予以宽容和隐瞒。私下散金钱珍宝，招引剽悍狡诈的人，乃至逃亡的罪犯。这种人在他身边聚集了很多，仍更广泛地搜罗。日夜等待时机，希冀非分之望。镇军将军王仲德往年入朝时，多次陈说他的种种劣迹。朕因他位居台辅，班次崇高，采取弥补缝合和宽容隐忍的态度，希望他能改过自新。而他怙恶不悛，于是构成大逆。趁朕患病，图谋滋事构难。前南蛮行参军庞延祖完全知晓他的奸状，曾密启朕躬。君主的亲戚如不顺从，尚且用刑不赦，何况他罪恶如此深重呢？便可收押廷尉狱中，以正刑典。事情只限于元凶，其他人不予追究。”于是拘捕檀道济及其子给事黄门侍郎檀植、司徒从事中郎檀粲、太子舍人檀隰、征北主簿檀承伯、秘书郎檀遵等八人，在廷尉狱中杀死。又拘捕司空参军薛彤，在建康伏法。另派遣尚书库部郎顾仲文、建武将军茅亨到寻阳，逮捕檀道济的儿子檀夷、檀邕、檀演以及司空参军高进之，全部杀死。薛彤、高进之是檀道济的心腹，当时人比作张飞、关羽。起初，檀道济被拘执入狱时，摘下头巾扔在地上，说：“竟又毁坏你的万里长城！”檀邕的儿子檀孺被宽宥，世祖在位时，官至奉朝请。

# 范晔传

范晔字蔚宗，顺阳人，车骑将军泰少子也。母如厕产之，额为砖所伤，故以砖为小字。出继从伯弘之，袭封武兴县五等侯。

少好学，博涉经史，善为文章，能隶书，晓音律。年十七，州辟主簿，不就。高祖相国掾，彭城王义康冠军参军，随府转右军参军，入补尚书外兵郎，出为荆州别驾从事史。寻召为秘书丞，父忧去职。服终，为征南大将军檀道济司马，领新蔡太守。道济北征，晔惮行，辞以脚疾，上不许，使由水道统载器仗部伍。军还，为司徒从事中郎。顷之，迁尚书吏部郎。

元嘉九年冬，彭城太妃薨，将葬，祖夕，僚故并集东府。晔弟广渊，时为司徒祭酒，其日在直。晔与司徒左西属王深宿广渊许，夜中酣饮，开北牖听挽歌为乐。义康大怒，左迁晔宣城太守。不得志，乃删众家《后汉书》为一家之作。在郡数年，迁长沙王义欣镇军长史，加宁朔将军。兄暠为宜都太守，嫡母随暠在官。十六年，母亡，报之以疾，晔不时奔赴，及行，又携妓妾自随，为御史中丞刘损所奏，太祖爱其才，不罪也。服阕，为始兴王浚后军长史，领南下邳太守。及濬为扬州，未亲政事，悉以委晔。寻迁左卫将军、太子詹事。

**【译文】**

范晔，字蔚宗，顺阳人，车骑将军范泰的小儿子。母亲上厕所时所生，由于出生时头部坠地被砖碰伤，所以小名称作“砖”。后来又过继给伯父范弘之，世袭武兴县五等侯。

范晔自幼好学，广读经史著作，擅长做文章，又能写隶书，通晓音律。十七岁时，州府召他做主簿，没有就任。高祖即位后，先后做过相国掾、彭城王刘义康的冠军参军，又随刘义康迁转而转任右军参军，入朝任尚书外兵郎，又出任荆州别驾从事史。不久被召回做秘书丞，因父亲过世离职服丧。服丧期满，任征南大将军檀道济司马，兼任新蔡太守。檀道济讨伐北魏时，范晔因害怕出征故意以脚病推辞，皇帝没有批准他，派他由水路用船押运兵器和军队。北征军回来之后，范晔任司徒从事中郎。不久，又被迁调尚书吏部郎。

元嘉九年冬，彭城王的母亲彭城王太妃逝世，下葬的头天晚上举行祭祀路神的仪式，义康的僚属和故吏都集合在东府。当时范晔之弟范广渊任司徒祭酒，这一天正在值班。范晔和司徒左西属王深住宿在弟弟那里，开怀畅饮一直喝到深夜，并且打开北窗听挽歌取乐。刘义康大为震怒，贬范晔去宣城做太守。范晔因仕途不得志，于是截取和采集众家所作的《后汉书》撰写合成一部新作。在宣城几年之后，范晔转任长沙王刘义欣镇军长史，加号宁朔将军。其兄范暠为宜都太守，范晔的嫡母随范暠在宜都。元嘉十六年，嫡母去世。之前范暠写信告诉范晔说母亲病重，范晔没有及时赶去；快要出发时，他又因随带歌伎小妾，被御史中丞刘损奏参。宋文帝爱惜他的文才，并没治他的罪。丧期服满后，他又任始兴王刘浚后军长史兼南下邳太守。刘濬治理扬州时，从来不亲自处理政务，一切全都委托给范晔。不久范晔又升任左卫将军、太子詹事。

晔长不满七尺，肥黑，秃眉须。善弹琵琶，能为新声，上欲闻之，屡讽以微旨，晔伪若不晓，终不肯为上弹。上尝宴饮欢适，谓晔曰："我欲歌，卿可弹。"晔乃奉旨。上歌既毕，晔亦止弦。

初，鲁国孔熙先博学有纵横才志，文史星算，无不兼善。为员外散骑侍郎，不为时所知，久不得调。初熙先父默之为广州刺史，以赃货得罪下廷尉，大将军彭城王义康保持之，故得免。及义康被黜，熙先密怀报效，欲要朝廷大臣，未知谁可动者，以晔意志不满，欲引之。而熙先素不为晔所重，无因进说。晔外甥谢综，雅为晔所知，熙先尝经相识，乃倾身事综，与之结厚。熙先借岭南遗财，家甚富足，始与综诸弟共博，故为拙行，以物输之。综等诸年少，既屡得物，遂日夕往来，情意稍款。综乃引熙先与晔为数，晔又与戏，熙先故为不敌，前后输晔物甚多。晔既利其财宝，又爱其文艺。熙先素有词辩，尽心事之，晔遂相与异常，申莫逆之好。始以微言动晔，晔不回，熙先乃极辞譬说。晔素有闺庭论议，朝野所知，故门胄虽华，而国家不与姻娶。熙先因以此激之曰："丈人若谓朝廷相待厚者，何故不与丈人婚，为是门户不得邪？人作犬豖相遇，而丈人欲为之死，不亦惑乎？”晔默然不答，其意乃定。

【译文】

范晔身高不到七尺，又肥又黑，眉秃须疏。但他很会弹奏琵琶，自己能创作出流行的曲调。当今皇上多次想听他的演奏，予以暗示，而范晔故意装作不知，始终不肯。一次宴会上，皇帝喝酒喝得很高兴，对范晔说：“我想放歌一首，你来为我演奏。”范晔这才弹奏。然而皇帝的歌声一落，范晔的琴声即止。

此前，鲁国人孔熙先博学多能，才气纵横，对于文史星算没有什么不精通的。他官居员外散骑侍郎，地位卑微不受人重用。当初，熙先的父亲孔默之在广州担任刺史，由于贪赃受贿获罪将交付廷尉查处，因大将军彭城王刘义康庇护他才得以免罪。后来刘义康遭到贬黜，孔熙先密怀报恩之心，准备邀结朝中大臣起事，但却不知朝中大臣谁可以被说动，因范晔对朝廷心怀不满，便打算拉拢他。然而熙先平时不受范晔重视，没有机缘前去游说。范晔的外甥谢综很受范晔赏识，孔熙先曾经和谢综相识，于是就一心亲近谢综，想和他结下深厚的情谊。孔熙先凭借他父亲在岭南遗留的财产，家业十分富足，便开始和谢综兄弟们一起赌博，故意表现得十分笨拙，把钱财输给他们。谢综兄弟们都年轻，既然屡屡赢得财物，便天天同孔熙先往来，情意逐渐融洽。谢综便把孔熙先引荐给范晔，范晔和孔熙先赌博，孔熙先又故意装作不是对手，前前后后输给范晔很多财物。范晔既贪图孔熙先的财宝，又爱惜他的文才和技艺。孔熙先素来善于辞令，又尽心侍奉范晔，于是范晔待他不同于一般，结成莫逆之交。孔熙先开始用委婉的话来说动范晔，范晔没有理睬，孔熙先便想尽言辞多方譬说。范晔的家风素来不正，招人议论，朝廷内外都知道，所以范氏门第虽然显贵，可是皇室不肯同他家结为姻亲。孔熙先借此来激他说：“您如果认为朝廷优待您，但为什么皇帝不愿跟您结亲，难道是因为不门当户对吗？人家对待你像对待猪狗一样，您还想着为他效忠，不是很糊涂吗？”范晔沉默不答，但其谋反之心已定。

时晔与沈演之并为上所知待，每被见多同。晔若先至，必待演之俱入，演之先至，尝独被引，晔又以此为怨。晔累经义康府佐，见待素厚。及宣城之授，意好乖离。综为义康大将军记室参军，随镇豫章。综还，申义康意于晔，求解晚隙，复敦往好。晔既有逆谋，欲探时旨，乃言于上曰："臣历观前史二汉故事，诸蕃王政以袄诅幸灾，便正大逆之罚。况义康奸心衅迹，彰著遐迩，而至今无恙，臣窃惑焉。且大梗常存，将重阶乱，骨肉之际，人所难言。臣受恩深重，故冒犯披露。"上不纳。

熙先素善天文，云："太祖必以非道晏驾，当由骨肉相残。江州应出天子。"以为义康当之。综父述亦为义康所遇，综弟约又是义康女夫，故太祖使综随从南上，既为熙先所奖说，亦有酬报之心。广州人周灵甫有家兵部曲，熙先以六十万钱与之，使于广州合兵。灵甫一去不反。大将军府吏仲承祖，义康旧所信念，屡衔命下都，亦潜结腹心，规有异志。闻熙先有诚，密相结纳。丹阳尹徐湛之，素为义康所爱，虽为舅甥，恩过子弟，承祖因此结事湛之，告以密计。承祖南下，申义康意于萧思话及晔，云："本欲与萧结婚，恨始意不果。与范本情不薄，中间相失，傍人为之耳。"

【译文】

范晔和沈演之在当时都很受皇帝的赏识厚待，两人常常同时被召见。召见时，范晔如先到，皇上一定要等沈演之到后一同召见；而沈演之若早到，却往往单独被召见，范晔又因此心怀怨恨。范晔长期担任刘义康的佐僚，曾受义康的厚待。等到被贬做宣城太守之后，范晔对刘义康就不再是一条心了。谢综做刘义康的大将军记室参军，随从镇守豫章。谢综回家时，向范晔传达义康的心意，希望范晔能与他消除过去的嫌隙，重修旧好。范晔既有反意，就想探听皇帝的意旨，于是便向皇帝进言说："我从头至尾阅读前代两汉时期的历史，各封国藩王用妖言诅咒幸灾乐祸，朝廷就治以大逆不道之罪。如今刘义康谋反的奸险之心，谋叛之迹，远近皆知，可是直到今天还安然无事，我私下里迷惑不解。何况大害久存不除，将会引起祸乱，本来骨肉亲人之间的关系，局外人是很难说话的。不过我受皇恩深厚，所以才冒死吐露真诚。"皇帝没有采纳。

熙先熟知天文，说：“太祖将死于骨肉相残而不是非常的变故。江州地方应该要出天子。”认为这新天子应是刘义康。谢综之父谢述也受到刘义康的知遇，谢综之弟谢约又是刘义康的女婿，所以太祖让谢综随从刘义康南上。在孔熙先的劝说之后，谢综也有了酬报刘义康的心意。广州人周灵甫养有家兵部队，孔熙先拿出六十万钱给他，让他在广州会合兵力。周灵甫拿了钱一去不回。大将军府吏仲承祖，原为刘义康所信任，多次奉刘义康的命令来到京城，并且在暗中勾结心腹之人，窥测心怀不满的人。听说孔熙先有诚意，便秘密同他交结。丹阳尹徐湛之，平素受到刘义康的喜爱，虽然是舅父和外甥的关系，他对徐湛之的恩惠却超过对自家子弟，仲承祖因此和徐湛之结交，并且把秘密谋划的计划告诉给他。仲承祖南下，便将刘义康的心意告知萧思话与范晔说：“原本打算和萧家结成姻亲，遗憾的是没能实现。我与范晔的情意本来很深，但因别人的闲话离间，使我们的关系出现不和。”

有法略道人，先为义康所供养，粗被知待，又有王国寺法静尼亦出入义康家内，皆感激旧恩，规相拯拔，并与熙先往来。使法略罢道，本姓孙，改名景玄，以为臧质宁远参军。熙先善于治病，兼能诊脉。法静尼妹夫许耀，领队在台，宿卫殿省。尝有病，因法静尼就熙先乞治，为合汤一剂，耀疾即损。耀自往酬谢，因成周旋。熙先以耀胆干可施，深相待结，因告逆谋，耀许为内应。豫章胡遵世，藩之子也，与法略甚款，亦密相酬和。法静尼南上，熙先遣婢采藻随之，付以笺书，陈说图谶。法静还，义康饷熙先铜匙、铜镊、袍段、棋奁等物。熙先虑事泄，鸩采藻杀之。湛之又谓晔等：“臧质见与异常，岁内当还，已报质，悉携门生义故，其亦当解人此旨，故应得健儿数百。质与萧思话款密，当仗要之，二人并受大将军眷遇，必无异同。思话三州义故众力，亦不减质。郡中文武，及合诸处侦逻，亦当不减千人。不忧兵力不足，但当勿失机耳。”乃略相署置，湛之为抚军将军、扬州刺史，晔中军将军、南徐州刺史，熙先左卫将军，其余皆有选拟。凡素所不善及不附义康者，又有别簿，并入死目。

**【译文】**

道人法略，先前受到刘义康的供养，被视作知己。王国寺尼姑法静也经常出入刘义康家，他们感激刘义康旧日的恩德，约定同甘共苦来报答他。他们跟孔熙先往来密切。孔熙先让法略还俗，恢复本姓孙，改名为景玄，并任他做臧质的宁远参军。孔熙先善于治病，又会诊脉。尼姑法静的妹夫许耀，是值宿保卫皇城的领队。曾得病，托法静到孔熙先那里求医，孔熙先给他调和一剂汤药，许耀的病便药到即除。许耀亲自前去酬谢，两人经常交往便成为了朋友。孔熙先很赏识许耀的胆量与他结成了深交，并将他谋反的意图告诉许耀，许耀也答应做内应。豫章胡遵世是胡藩的儿子，和法略的情感很融洽，也秘密配合。法静南上，孔熙先打发婢女采藻随她前去，交给法静书信，信中陈说了图谶的内容。法静回来时，刘义康送给孔熙先铜匙、铜镊、袍缎、棋盘、奁匣等礼物。孔熙先担心这事泄露，用毒酒害死采藻。徐湛之又对范晔等说："臧质受到的待遇不同寻常，他年内就要回来，我已经写信告诉他，让他带上所有的门生故旧，他也会同意我们，所以我们从他那里能得到几百壮士。臧质和萧思话感情很好，我们应当邀约他们，这两个人也都受过大将军的爱护厚待，一定忠诚没有二心。萧思话三州地方的部下故旧的力量，也不会比臧质的少。加上郡中的文武官员，以及会合各地方侦察巡逻人员，也应该不少于一千人。不必担心兵力不足，只是不能错过时机。"于是便开始安排设置官员，徐湛之做抚军将军、扬州刺史，范晔做中军将军、南徐州刺史，孔熙先做左卫将军，其他人都考虑了任用。凡是平时关系不好以及不亲附刘义康的人，他都将其另立名簿，填入处死栏内。

熙先使弟休先先为檄文曰：

夫休否相乘，道无恒泰，狂狡肆逆，明哲是殛。故小白有一匡之勋，重耳有翼戴之德。自景平肇始，皇室多故，大行皇帝天诞英姿，聪明睿哲，拔自藩国，嗣位统天，忧劳万机，垂心庶务，是以邦内安逸，四海同风。而比年以来，奸竖乱政，刑罚乖淫，阴阳违舛，致使衅起萧墙，危祸萃集。贼臣赵伯符积怨含毒，遂纵奸凶，肆兵犯跸，祸流储宰，崇树非类，倾坠皇基。罪百浞、獍，过十玄、莽，开辟以来，未闻斯比。率土叩心，华夷泣血，咸怀亡身之诚，同思糜躯之报。

湛之、晔与行中领军萧思话、行护军将军臧质、行左卫将军孔熙先、建威将军孔休先，忠贯白日，诚著幽显，义痛其心，事伤其目，投命奋戈，万殒莫顾，即日斩伯符首，及其党与。虽豺狼即戮，王道惟新，而普天无主，群萌莫系。彭城王体自高祖，圣明在躬，德格天地，勋溢区宇，世路威夷，勿用南服，龙潜凤栖，于兹六稔，苍生饥德，亿兆渴化，岂唯东征有《鸱鸮》之歌，陕西有勿翦之思哉。灵祇告征祥之应，谶记表帝者之符，上答天心，下惬民望，正位辰极，非王而谁。

【译文】

孔熙先让他弟弟孔休先提前写好起事的檄文：

世上事情的吉凶是相互联系的，世道也不能永远安宁，狂暴狡猾之徒放纵作乱，圣明睿智的人就会将其歼灭。所以齐桓公小白才建树起匡扶天下的功勋，晋文公重耳才取得保卫天子的功绩。自从少帝景平年间开始，皇室内部便不断发生变故，已故的皇帝天生英才，聪明睿智，他从藩王中被选拔做太子，即皇位后，忧劳军国事务，谨慎于细小的事情，因此国泰民安，四海清明。然而近年来，奸臣乱政，刑罚错乱，阴阳不顺，宫廷祸乱不断，灾难集中出现。贼臣赵伯符心怀怨恨，胸藏毒计，纵兵侵犯皇帝，祸害朝廷。他推崇扶植的人都不是什么好东西，时时让皇室的基业受到威胁。他的罪恶超过寒浞和他的儿子戈豷百倍，还超过刘玄和王莽十倍，他的罪恶自开天辟地以来都没有人能比得过。所以，全天下的人都为之痛心，汉夷各个民族都为此泣血，都怀着献身的诚意，决心为国家粉身碎骨。

徐湛之、范晔和行中领军萧思话、行护军将军臧质、行左卫将军孔熙先、建威将军孔休先，忠心直射日月，诚意彰著明幽，为正义不伸而痛心，为国事危急而不忍目睹，舍命举兵，万死不顾，起兵当日斩下赵伯符的首级，诛歼他的党羽。虽然豺狼已被杀掉，王道焕然一新，但是天下没有圣明的君主，百姓没有归属。彭城王刘义康是高祖子孙，自身圣明，德高天地，勋业誉满天下。但世道不平，不能受到重用。而处在南方藩国，如同龙潜在渊、凤栖于林，至今已经六年。苍生盼望德行崇高的帝王，天下百姓对圣明的教化渴盼如饥似渴，难道只有周公东征才会产生《鸱鸮》的歌谣，难道只有陕西百姓才会有思念召公的诗篇吗？神灵告知吉祥的征兆，谶记已经表明帝者的符瑞，这样上合天心，下悦民望，而能登上皇帝御座的，不是彭城王又有谁呢？

今遣行护军将军臧质等，赍皇帝玺绶，星驰奉迎。百官备礼，骆驿继进，并命群帅，镇戍有常。若干挠义徒，有犯无贷。昔年使反，湛之奉赐手敕，逆诫祸乱，预睹斯萌，令宣示朝贤，共拯危溺，无断谋事，失于后机，遂使圣躬滥酷，大变奄集，哀恨崩裂，抚心摧哽，不知何地，可以厝身。辄督厉尪顿，死而后已。

熙先以既为大事，宜须义康意旨，晔乃作义康与湛之书，宣示同党曰：

吾凡人短才，生长富贵，任情用己，有过不闻，与物无恒，喜怒违实，致使小人多怨，士类不归。祸败已成，犹不觉悟，退加寻省，方知自招，刻肌刻骨，何所复补。然至于尽心奉上，诚贯幽显，拳拳谨慎，惟恐不及，乃可恃宠骄盈，实不敢故为欺罔也。岂包藏逆心，以招灰灭，所以推诚自信，不复防护异同，率意信心，不顾万物议论，遂致谗巧潜构，众恶归集。甲奸险好利，负吾事深；乙凶愚不齿，扇长无赖；丙、丁趋走小子，唯知谄进，伺求长短，共造虚说，致令祸陷骨肉，诛戮无辜。凡在过衅，竟有何征，而刑罚所加，同之元恶，伤和枉理，感彻天地。

**【译文】**

如今派行护军将军臧质等人，拿着皇帝的御玺印绶昼夜急奔来迎接皇帝驾临，文武百官们已经准备就绪，陆续前进，并且命令所有的将士严格镇守各地加强警戒。如果有不法之徒肆意破坏，则严惩不贷。往年使者回来，徐湛之接到彭城王亲赐的手书，预料并告诫朝廷将有祸乱，看出祸乱征兆后，曾命令我们告知朝中贤臣，一起来拯救国家危难。但我们由于谋事不果断，错失良机，让天子陷入无边的灾难。等到大乱发生时，我们捶胸悲咽，不知该往哪里去。因此我们只有奋起疲弱之躯，死而后已。

孔熙先认为既然要干大事，必须凭借刘义康的意旨才行，范晔于是伪造一篇刘义康写给徐湛之的信，向他们同党宣示说：

我无才无德，生在富贵皇室，自幼任性而行，有过失也无人指出，待人接物都没有恒心，喜怒之情常常不合世情，致使一些小人对我多怀怨恨，善人贤士不肯前来归附。我自己的过失，却不能及时察觉，认真思索反省，才知道是咎由自取，虽然这种怨恨刻骨铭心，但现在又不知该如何弥补。然而至于尽心恭奉皇上，我的忠诚贯通幽明，诚恳谨慎，唯恐有不足之处，怎么可以仗恃宠信骄傲自满，实在不敢有意欺罔君上。难道还敢暗怀反逆的心思，因此招来杀身之祸？所以推心致诚表明自己的本心，不再提防回避有什么嫌隙，全凭着本性诚心，不顾虑众人会有什么议论。致使谗佞奸巧之徒暗中诬陷，众多罪名都归到我身上。甲某生性奸险，贪图小利，深深辜负了我的用心；乙某凶顽无耻，煽扬无稽之谈；丙某、丁某趋利小人，只知道谄媚求进，他们窥伺搜集我的短处，制造谣言，致使我兄弟骨肉相残，无辜之人被迫害。那些强加给我的罪名，究竟有什么根据，然而我所受到的刑罚全同元凶大恶，这样伤天害理，真使天地为之共愤。

吾虽幽逼日苦，命在漏刻，义慨之士，时有音信。每知天文人事，及外间物情，土崩瓦解，必有朝夕。是为衅起群贤，滥延国家，夙夜愤踊，心腹交战。朝之君子及士庶白黑怀义秉理者，宁可不识时运之会，而坐待横流邪。除君侧之恶，非唯一代，况此等狂乱罪骫，终古所无，加之翦戮，易于摧朽邪。可以吾意宣示众贤，若能同心奋发，族裂逆党，岂非功均创业，重造宋室乎。但兵凶战危，或致侵滥，若有一豪犯顺，诛及九族。处分之要，委之群贤，皆当谨奉朝廷，动止闻启。往日嫌怨，一时豁然，然后吾当谢罪北阙，就戮有司。苟安社稷，瞑目无恨。勉之勉之。

二十二年九月，征北将军衡阳王义季、右将军南平王铄出镇，上于武帐冈祖道，晔等期以其日为乱，而差互不得发。于十一月，徐湛之上表曰："臣与范晔，本无素旧，中忝门下，与之邻省，屡来见就，故渐成周旋。比年以来，意态转见，倾动险忌，富贵情深，自谓任遇未高，遂生怨望。非唯攻伐朝士，讥谤圣时，乃上议朝廷，下及藩辅，驱扇同异，恣口肆心，如此之事，已具上简。近员外散骑侍郎孔熙先忽令大将军府吏仲承祖腾晔及谢综等意，欲收合不逞，规有所建。以臣昔蒙义康接盼，又去岁群小为臣妄生风尘，谓必嫌惧，深见劝诱。兼云人情乐乱，机不可失，谶纬天文，并有征验。晔寻自来，复具陈此，并说臣论议转恶，全身为难。即以启闻，被敕使相酬引，究其情状。于是悉出檄书、选事及同恶人名、手墨翰迹，谨封上呈，凶悖之甚，古今罕比。由臣暗于交士，闻此逆谋，临启震惶，荒情无措。”诏曰：“湛之表如此，良可骇惋。晔素无行检，少负瑕衅，但以才艺可施，故收其所长，频加荣爵，遂参清显。而险利之性，有过溪壑，不识恩遇，犹怀怨愤。每存容养，冀能悛革，不谓同恶相济，狂悖至此。便可收掩，依法穷诘。”

【译文】

虽然我被幽禁，度日艰难，随时会被处死，然而那些仗义的朋友，时时有书信寄来。告诉我天象和人事的变化，我觉得土崩瓦解的形势，很快就会来临。因此群贤首先察觉征兆，散播全国，异常激愤，内心交战。朝廷中的君子和臣子中凡是明辨黑白、怀义守理的人，怎么能不清醒认识到这是关乎国家命运的关键时刻，反而坐视邪恶的势力危害国家呢？清除皇帝旁边的邪恶之臣，已经不止一个朝代如此，何况现在这等为非作恶狂暴逆乱的罪魁，自古少见，如果我们齐心协力将其剪除消灭，不是比摧枯拉朽更容易吗？可以把我的心意告诉各位贤士，假如我们同心协力灭除逆党，那不是和开国创业的功绩相等，如同重新缔造宋朝皇室的基业吗？但是兴兵作乱是很危险的事，可能会发生一些混乱，假如有一丝一毫触犯皇上的事，将会受到诛灭九族的刑罚。策划大事的重任，交付给各位贤人办理，大家都要恭敬地尊奉朝廷，一举一动都要启奏。待到大家往日的嫌隙怨恨，一下子通通化解，然后我就该向皇上请罪，请有关部门处置，甘心受死。假如能够使国家得到安定，我也死而无怨。请诸位多加勉励。

征北将军衡阳王刘义季、右将军南平王刘铄于元嘉二十二年九月出京赴镇所，皇帝在武帐冈设宴饯别，范晔等人计划在这天作乱，但是出了差错没能实现。在十一月，徐湛之上表自首说：“我和范晔，原来没有交情，后来我们有幸在宫中任职，又和他的官署邻近，他多次来相见，所以逐渐有了交往。近年来，他的心态显现出来，这人居心险恶，贪图高官厚禄，自以为没有得到更高的信任和重用，便产生了怨恨。不仅攻击朝中的人士，还讥刺诽谤圣明时代，还经常对上议论朝廷，对下议论藩王大臣，宣扬鼓动是非，思想言论放肆无忌。这类事情，我在先前呈上的奏表中全都写过。最近员外散骑侍郎孔熙先突然让大将军府吏仲承祖转达范晔和谢综等人的意见，打算有所图谋。因为我过去受到过刘义康的接待关照，同时去年又有一些小人对我造谣诬蔑，他们认为我一定会对皇上产生又恨又怕的心理，所以就接受他们的劝说和引诱。而且又说喜欢混乱是人之常情，机会不可错过，谶纬图书和天文星象，都有征候预兆。范晔不久亲自到来，又具体叙说了这事，并且说人们对我的议论更加险恶，想保全自己是很难的。我立即启奏上闻，接到命令让我同他们应酬接近，详尽了解他们的情况。这时范晔全部拿出来他们的檄书、选官的文件以及同伙的人名册、亲手写的书信，我小心封好呈给皇上。这已可见他们的凶恶悖逆到了极点，古今很少有能和他们相比的。由于我在交友方面思想糊涂，听到这样大逆不道的阴谋，在写奏书的时候还感到震恐惊慌，怀着恐惧之情不知所措。”宋文帝下诏说：“徐湛之表奏的这些情况，让人感到震惊可怕。范晔向来行为不检，年轻时就犯有前科，因为他才艺出众，所以我用他的长处，多次赐给他荣耀和爵位，并委以朝中要职。可是他险诈贪利的本性，超过了深沟大壑，不对主上的优待感恩，反而心怀怨恨。过去多次宽容，希望他能迅速改过，没有想到他竟然与恶人狼狈为奸，狂妄到如此地步。现在就可以将他收捕，依法严加追究。”

其夜，先呼晔及朝臣集华林东阁，止于客省。先已于外收综及熙先兄弟，并皆款服。于时上在延贤堂，遣使问晔曰：“以卿粗有文翰，故相任擢，名爵期怀，于例非少。亦知卿意难厌满，正是无理怨望，驱扇朋党而已，云何乃有异谋。”晔仓卒怖惧，不即首款。上重遣问曰：“卿与谢综、徐湛之、孔熙先谋逆，并已答款，独尚未死，征据见存，何不依实。”晔对曰：“今宗室磐石，蕃岳张跱，设使窃发侥幸，方镇便来讨伐，几何而不诛夷。且臣位任过重，一阶两级，自然必至。如何以灭族易此。古人云：‘左手据天下之图，右手刎其喉，愚夫不为。’臣虽凡下，朝廷许其粗有所及，以理而察，臣不容有此。”上复遣问曰：“熙先近在华林门外，宁欲面辩之乎？”晔辞穷，乃曰：“熙先苟诬引臣，臣当如何。”熙先闻晔不服，笑谓殿中将军沈邵之曰：“凡诸处分，符檄书疏，皆范晔所造及治定。云何于今方作如此抵蹋邪。”上示以墨迹，晔乃具陈本末，曰：“久欲上闻，逆谋未著，又冀其事消弭，故推迁至今。负国罪重，分甘诛戮。”

其夜，上使尚书仆射何尚之视之，问曰：“卿事何得至此？”晔曰：“君谓是何？”尚之曰：“卿自应解。”晔曰：“外人传庾尚书见憎，计与之无恶。谋逆之事，闻孔熙先说此，轻其小儿，不以经意。今忽受责，方觉为罪。君方以道佐世，使天下无冤。弟就死之后，犹望君照此心也。”明日，仗士送晔付廷尉，入狱，问徐丹阳所在，然后知为湛之所发。熙先望风吐款，辞气不桡，上奇其才，遣人慰劳之曰：“以卿之才，而滞于集书省，理应有异志。此乃我负卿也。”又诘责前吏部尚书何尚之曰：“使孔熙先年将三十作散骑郎，那不作贼。”

**【译文】**

这天夜里，朝廷先传范晔和朝臣在华林园东阁集合，先休息在客馆处。事前，皇上已在宫外将谢综和孔熙先兄弟收押，他们也都招供服罪。此时，宋文帝在延贤堂派人问范晔说：“因为你的文才，才对你任用提拔，名位爵禄你都如愿得到，给你的恩宠已经不少。也知道你很难满足，你的一些怨言牢骚，只是为了煽惑鼓动同党而已，为什么竟然起了谋反的心思？”范晔突然得知谋反之事败露，但他没有立刻招供认罪。宋文帝又一次派人来问说：“你同谢综、徐湛之、孔熙先等阴谋反逆，他们已经供认服罪，还没处死，现在证据确凿，你为什么还不从实招来？范晔回答说：“如今皇室宗亲坚固如同磐石，藩国如同山岳般耸立，假使谁胆敢企图侥幸，各方藩镇就会前来讨伐，怎能不遭到诛灭？况且我的职位责任已经很重要，再晋升一阶两级的事，会自然实现的。我为什么要拿灭族的危险来换取高位？古人说：‘左手握着天下的地图，右手拿刀割自己的喉头，蠢人都不干这种事。’我虽然地位低下，然而皇上如果认为我的确做了此事，按照道理来想，我不可能有这种谋反的心思。”宋文帝又一次派人问说：“孔熙先就在华林园门外，难道你需要当面说清吗？”范晔无言可对，便说：“是孔熙先的诬陷牵连了我，我又能怎么办？”孔熙先听说范晔不认罪，笑着对殿中将军沈邵之说：“所有谋反策划的过程以及各种文件，都是范晔一手制作或由他改定。怎么到今天他还要做如此抵赖呢？”皇帝便把范晔亲笔的墨迹拿给他看，范晔才全部招供了事情的始末，说：“早就想禀明皇上知晓，但谋反的事迹还不明显，又希望这事能够自消自灭，所以推迟迁延到今天交代。我背叛国家，罪行深重，甘心受到诛杀。”

这天夜里，宋文帝派尚书仆射何尚之来看望范晔，问：“你怎么弄到这种地步？”范晔说：“您认为是什么缘故？”何尚之说：“你自己应该明白。”范晔说：“外面人传说庾尚书嫉恨我，我想我和他没有什么矛盾。阴谋反逆的事，是听孔熙先说起的，但轻视他是个小孩子，也没在意。今天忽然受到责问，才发觉这是犯罪。您正在用大道辅佐皇上治理天下，当使天下不再有冤屈。兄弟我被处死之后，还希望您能够明白我的心意。”第二天，派执仗的军士押送范晔交付给延尉审处，送进监狱，范晔问徐湛之在什么地方，而后知道了事情是徐湛之告发的。孔熙先临事招供，辞气不衰，宋文帝认为他有奇才，派人去慰问他说：“以你的才能，却久在集书省不得升迁，按道理说是会有反叛之心的。这是我对不起你。”又责问原吏部尚书何尚之说：“让孔熙先年近三十岁了还是只做个散骑郎，他哪能不成为叛贼。”

熙先于狱中上书曰：“囚小人猖狂，识无远概，徒徇意气之小感，不料逆顺之大方。与第二弟休先首为奸谋，干犯国宪，鳌脍脯醢，无补尤戾。陛下大明含弘，量包天海，录其一介之节，猥垂优逮之诏。恩非望始，没有遗荣，终古以来，未有斯比。夫盗马绝缨之臣，怀璧投书之士，其行至贱，其过至微，由识不世之恩，以尽躯命之报，卒能立功齐、魏，致勋秦、楚。囚虽身陷祸逆，名节俱丧，然少也慷慨，窃慕烈士之遗风。但坠崖之木，事绝升跻，覆盆之水，理乖收汲。方当身膏铁钺，诒诫方来，若使魂而有灵，结草无远。然区区丹抱，不负夙心，贪及视息，少得申畅。自惟性爱群书，心解数术，智之所周，力之所至，莫不穷揽，究其幽微。考论既往，诚多审验。谨略陈所知，条牒如故别状，愿且勿遗弃，存之中书。若囚死之后，或可追存，庶九泉之下，少塞衅责。”所陈并天文占候，谶上有骨肉相残之祸，其言深切。

晔在狱，与综及熙先异处，乃称疾求移考堂，欲近综等。见听，与综等果得隔壁。遥问综曰："始被收时，疑谁所告？"综云："不知。"晔曰："乃是徐童。"童，徐湛之小名仙童也。在狱为诗曰："祸福本无兆，性命归有极。必至定前期，谁能延一息。在生已可知，来缘憓无识。好丑共一丘，何足异枉直。岂论东陵上，宁辨首山侧。虽无嵇生琴，庶同夏侯色。寄言生存子，此路行复即。"

**【译文】**

孔熙先在狱中给皇帝写信说："我是个狂妄放肆的小人，没有远见，屈从个人的意气用事，而不顾叛逆和忠顺这一大节。与二弟孔休先带头策划奸计，触犯国法，即使我们粉身碎骨剁成肉酱，也弥补不了我们的罪过。陛下伟大圣明宽宏大量，心胸宽如大海，不弃我微不足道的小节，荣蒙发下来宽大的诏书。这样的恩惠原本是没有想到的，即便是我死了也有不尽的荣幸，自古以来，没有能同这样的恩德相比的。那盗马和扯断冠缨的臣子，那怀璧投书的士人，他们的行为最低贱，他们的过失很微小，由于他们认识到受了国君前所未有的恩宠，所以竭尽捐躯舍命的报效，终于能为齐国、魏国立功，得到秦国、楚国的勋赏。罪囚我虽然陷于叛逆，名誉和节操都已丧失，然而我从青年时代就怀抱慷慨的志向，私心仰慕古代忠烈之士的遗风。可是从山崖上倒下来的大树，断绝了再攀登的希望，从翻盆里倒出的水，不会有收取回来的可能。当受斧钺之刑，给后来的人留下教训；假如死后有知，那么一定对皇上结草相报。然而我怀有一片丹忱，就是想辜负从前的志向，珍惜得到的生存时机，多少还可以申述我的心怀，我自己认为生来喜爱群书，理解数术，凡是智力所能接触的领域，无不穷尽地钻研，探索其深微之处。以往我考察论述过的事情，确实多有应验。谨在这里把我所知的事情略加陈述，分条书写如另外附上的材料，希望陛下不要即刻遗弃，把它们存在内府。假如我死之后，或许可以保存下来，这样我在九泉之下，多少可以弥补我的罪过。"孔熙先所陈述的天文占卜情况，图谶上都预言了皇帝将遭到骨肉相残的祸患的事，他的话很深刻切实。

范晔在狱中，开始没有与谢综及孔熙先关押在同一个地方。于是范晔声称自己有病，要求换个地方，想要接近谢综等人。要求得到准许，果然让他和谢综住在隔壁。范晔远远地问谢综说："起初被逮捕时，你猜想是谁告发的？"谢综说："不知道。"范晔说："就是徐童。"徐童，是指徐湛之，他的小名叫仙童。范晔在狱里作诗说："虽然祸与福本来没有什么预兆，但人终归有一死。命中注定未来的期限，谁有能力延长一息。活着的事情可以知道，未来变化多端不可预料。好人恶人无论好歹都归于一丘黄土，又何必说什么是非曲直。也不管是死在东陵之丘，还是埋在首阳山侧。虽然不能像嵇康那样临死前从容弹琴，但总还能做到像夏侯玄那样死无惧色。留言给活着的士人君子，这条路上也将有他们的足迹。"

晔本意谓入狱便死，而上穷治其狱，遂经二旬，晔更有生望。狱吏因戏之曰："外传詹事或当长系。"晔闻之惊喜，综、熙先笑之曰："詹事尝共畴昔事时，无不攘袂瞋目。及在西池射堂上，跃马顾盼，自以为一世之雄。而今扰攘纷纭，畏死乃尔。设令今时赐以性命，人臣图主，何颜可以生存。"晔谓卫狱将曰："惜哉！薶如此人。"将曰："不忠之人，亦何足惜。"晔曰："大将言是也。"

将出市，晔最在前，于狱门顾谓综曰："今日次第，当以位邪？"综曰："贼帅为先。"在道语笑，初无暂止。至市，问综曰："时欲至未？"综曰："势不复久。"晔既食，又苦劝综，综曰："此异病笃，何事强饭。"晔家人悉至市，监刑职司问："须相见不？"晔问综曰："家人已来，幸得相见，将不暂别。"综曰："别与不别，亦何所存。来必当号泣，正足乱人意。"晔曰："号泣何关人，向见道边亲故相瞻望，亦殊胜不见。吾意故欲相见。"于是呼前。晔妻先下抚其子，回骂晔曰："君不为百岁阿家，不感天子恩遇，身死固不足塞罪，奈何枉杀子孙。"晔干笑云罪至而已。晔所生母泣曰："主上念汝无极，汝曾不能感恩，又不念我老，今日奈何？"仍以手击晔颈及颊，晔颜色不怍。妻云："罪人，阿家莫念。"妹及妓妾来别，晔悲涕流涟，综曰："舅殊不同夏侯色。"晔收泪而止。综母以子弟自蹈逆乱，独不出视。晔语综曰："姊今不来，胜人多也。”晔转醉，子蔼亦醉，取地土及果皮以掷晔，呼晔为别驾数十声。晔问曰：“汝恚我邪？”蔼曰：“今日何缘复恚，但父子同死，不能不悲耳。”晔常谓死者神灭，欲著《无鬼论》；至是与徐湛之书，云“当相讼地下”。其谬乱如此。又语人：“寄语何仆射，天下决无佛鬼。若有灵，自当相报。”收晔家，乐器服玩，并皆珍丽，妓妾亦盛饰，母住止单陋，唯有一厨盛樵薪，弟子冬无被，叔父单布衣。晔及子蔼、遥、叔蒌、孔熙先及弟休先、景先、思先、熙先子桂甫、桂甫子白民、谢综及弟约、仲承祖、许耀，诸所连及，并伏诛。晔时年四十八。晔兄弟子父已亡者及谢综弟纬，徙广州。蔼子鲁连，吴兴昭公主外孙，请全生命，亦得远徙，世祖即位得还。

【译文】

范晔本认为一经入狱，就会被立即处死，没想到皇上对此案加以深究，拖了二十天都没有定夺。这时，范晔又幻想着自己能够活命。狱吏便戏弄他说：“外面传说你或许会被关在这长期监禁。”范晔听后又惊又喜。谢综和孔熙先讥笑他说：“你以前跟我们一起谋划事情时，都是振臂怒目非常有气概的。等到在西池射堂上，你跃马扬威左右顾盼，自认为是一代英雄豪杰。而现在怎么会如此纷乱，以致坐卧不宁，你怎么这样怕死!假设皇上让你活命，但你作为臣子图谋杀害君主，你有何面目活在世上？”范晔对卫狱将说：“可惜呀!这样的人居然被埋没。”卫狱将说：“不忠于国君的人，死了有什么可惜的。”范晔说：“大将说的是。”

即将走向刑场时，范晔走在最前面，到监狱门前回头对谢综说：“今天出门受刑的次序也应当按照职位大小安排吗？”谢综说：“贼首应当在先。”一路上范晔有说有笑，始终没有停顿过。到了刑场，问谢综说：“行刑的时候到了吧？”谢综说：“看情形用不了多久了。”范晔吃过长休饭永别酒，又苦劝谢综。谢综说：“这又不同于得了重病，为什么要勉强吃饭。”范晔家人全都来到刑场，监刑官员问道：“要不要和家人相见？”范晔问谢综说：“家人已经来了，有机会能见一面，是不是要告别一下？”谢综说：“告别不告别，又何必在意。家人来了必定号啕大哭，只能扰乱我的思绪。”范晔说：“号啕哭泣和别人有什么关系，方才看路旁的亲友故旧远远望着我们，这也胜过不曾相见。我愿意同家人见面。”于是呼唤范晔家人前来。范晔的妻子最先来拍抚她的儿子，回过头骂范晔说：“你不替婆婆的后半生着想，也不感激天子的恩遇，你自己死了还抵不上犯的罪，为何又屈杀了儿孙。”范晔的生母哭着说：“主上对你的关照是宽厚无边的，你从来不知感恩图报，又不关心我已经年老，事到如今可怎么办？”并动手打范晔的脖子和面颊，范晔脸上没有愧怍的表情。妻子又说：“罪人，婆婆您就别惦记他了。”妹妹和妓妾来告别，范晔悲伤泪流满面，谢综说：“舅父的表现根本不同于夏侯玄临刑前的面不改色。”范晔听了便收泪止哭。谢综的母亲认为是子弟们自己走上了逆乱的死路，只有她不肯出来相见。范晔对谢综说：“姐姐如今不肯来见，远胜过来见的人。”范晔很快醉了，儿子范蔼也醉了，他拾起土块和果皮拿来扔给范晔，喊了几十声，称范晔为别驾。范晔问道：“你恨我吗？”范蔼说：“今天还有什么理由来恨你，只是父子同日被杀，不能不悲伤而已。”范晔经常说人死之后，神魂便会消失，想要写作《无鬼论》；但这时却写了一封信给徐湛之说：“我死后要在阴间控告你。”可以看出，他的思想就是这样混乱。他又对人说：“捎话告诉何仆射，天下绝没有神仙鬼怪。如果人死有灵，自然会来报恩。”正当抄检范晔家时，却发现他家的乐器服饰玩物全都贵重华丽，妓妾的服饰也都美盛；然而见他母亲住的房子却简单粗陋，只有一间厨房堆满薪柴，侄子冬天没有被子盖，叔父只有单布衣衫。范晔和儿子范蔼、范遥、范叔蒌、孔熙先和他的弟弟孔休先、孔景先、孔思先、孔熙先的儿子孔桂甫、孔桂甫的儿子孔白民、谢综和弟弟谢约、仲承祖、许耀，凡是牵连到的，都一并被杀。范晔死时四十八岁。朝廷把范晔已死兄弟的儿辈和谢综的弟弟谢纬，都流放到广州。范蔼的儿子范鲁连，是吴兴昭公主的外孙，经过多次请求保全了性命，也被流放到边远山区，孝武帝即位后，被召回。

晔性精微有思致，触类多善，衣裳器服，莫不增损制度，世人皆法学之。撰《和香方》，其序之曰：“麝本多忌，过分必害；沈实易和，盈斤无伤。零藿虚燥，詹唐黏湿。甘松、苏合、安息、郁金、㮈多、和罗之属，并被珍于外国，无取于中土。又枣膏昏钝，甲煎浅俗，非唯无助于馨烈，乃当弥增于尤疾也。”此序所言，悉以比类朝士：“麝本多忌”，比庾炳之；“零藿虚燥”，比何尚之；“詹唐黏湿”，比沈演之；“枣膏昏钝”，比羊玄保；“甲煎浅俗”，比徐湛之；“甘松、苏合”，比慧琳道人；“沈实易合”，以自比也。

晔狱中与诸甥侄书以自序曰：

吾狂衅覆灭，岂复可言，汝等皆当以罪人弃之。然平生行己任怀，犹应可寻。至于能不，意中所解，汝等或不悉知。吾少懒学问，晚成人，年三十许，政始有向耳。自尔以来，转为心化，推老将至者，亦当未已也。往往有微解，言乃不能自尽。为性不寻注书，心气恶，小苦思，便愦闷，口机又不调利，以此无谈功。至于所通解处，皆自得之于胸怀耳。文章转进，但才少思难，所以每于操笔，其所成篇，殆无全称者。常耻作文士。文患其事尽于形，情急于藻，义牵其旨，韵移其意。虽时有能者，大较多不免此累，政可类工巧图缋，竟无得也。常谓情志所托，故当以意为主，以文传意。以意为主，则其旨必见；以文传意，则其词不流。然后抽其芬芳，振其金石耳。此中情性旨趣，千条百品，屈曲有成理。自谓颇识其数，尝为人言，多不能赏，意或异故也。

**【译文】**

范晔生性精深细密，见解独到，学什么便能精通什么，他的衣裳器物都由自己重新设计或改变样式，成为世人效法的对象。他曾经撰写《和香方》，序中说：“麝香本身有种种禁忌，用量过分必定有害；沉香坚实性质平易温和，成斤使用也无害。零藿香令人气虚燥热，詹唐香性质黏湿。甘松、苏合、安息、郁金、㮈多、和罗一类，在外国都受到珍惜，中国不出产。又枣膏令人昏沉，甲煎淡薄一般，不仅不能增加香气的浓烈，将会更增加人们的疾病。”这一序文所用的药物，都是用来比喻象征朝中人士的：“麝本多忌”，比喻庾炳之；“零藿虚燥”，比喻何尚之；“詹唐黏湿”，比喻沈演之；“枣膏昏钝”，比喻羊玄保；“甲煎浅俗”，比喻徐湛之；“甘松、苏合”，比喻慧琳和尚；“沉实易和”，是用来自比的。

范晔在狱中给外甥侄子写信用来叙述自己，信中说：

我因狂傲逆上的大罪遭到杀身之祸，再也没有什么可说的了，你们都应当把我当作罪人般鄙弃。然而自己的平生兴趣爱好，还是可以探求的，至于其中的成败得失，内心的感受，你们或许全不理解。我在年少时并不勤于学问，成熟得很晚，在三十多岁时，才开始有了明确的志向。从这以来，逐渐在内心起了变化，自信即使逐渐到了老年，也将不会中止追求。往往得到一点点的新的认识，有时用言语也不能完全表达出来。我的性格不习惯追求注解古书，心气不好，稍稍认真苦思，便感到头昏气闷，口才谈吐又不爽利，因此在清谈方面没有什么成就。至于在读书时有了透彻的理解的地方，都是自己的心得体会。后来写文章逐渐有了进步，但是限于才学浅薄，思路不敏捷，所以每次提笔写作，能够成篇的大多都有不足的地方。常常以做文士自耻。文章最怕的是内容受形式的拘束，往往事尽于形，辞藻改变了情感，语义牵动了主旨，韵律改换了立意。即使偶有佳作，大多也摆脱不了这种拖累，恰好可以比作匠人画图，虽然精细，终究不能有新意。我常说文章是传达情感的，应当以表意为主，用文字来表达思想情感。以意为主，那么文章的主旨就必定显现出来；用文字来表达思想，那么文辞就不会流宕放纵。这样写作才能够提出立意芬芳的主题，选择金石一般振响的文辞。文章里面表达出来的性情旨趣，虽是千差万别的，但婉转变化中都有一定的道理。我自以为很了解为文的规律，也曾经对别人说过，别人大多不能赏识，这是见解不同的缘故吧。

性别宫商，识清浊，斯自然也。观古今文人，多不全了此处，纵有会此者，不必从根本中来。言之皆有实证，非为空谈。年少中，谢庄最有其分，手笔差易，文不拘韵故也。吾思乃无定方，特能济难适轻重，所禀之分，犹当未尽。但多公家之言，少于事外远致，以此为恨，亦由无意于文名故也。

本未关史书，政恒觉其不可解耳。既造《后汉》，转得统绪，详观古今著述及评论，殆少可意者。班氏最有高名，既任情无例，不可甲乙辨。后赞于理近无所得，唯志可推耳。博赡可不及之，整理未必愧也。吾杂传论，皆有精意深旨，既有裁味，故约其词句。至于《循吏》以下及《六夷》诸序论，笔势纵放，实天下之奇作。其中合者，往往不减《过秦》篇。尝共比方班氏所作，非但不愧之而已。欲遍作诸志，前汉所有者悉令备。虽事不必多，且使见文得尽。又欲因事就卷内发论，以正一代得失，意复未果。赞自是吾文之杰思，殆无一字空设，奇变不穷，同合异体，乃自不知所以称之。此书行，故应有赏音者。纪、传例为举其大略耳，诸细意甚多。自古体大而思精，未有此也。恐世人不能尽之，多贵古贱今，所以称情狂言耳。

【译文】

人能够辨别音调的清浊不同，这是自然的道理。观古往今来的文人，大多并不完全明白这一道理。纵使对此有所体验的，也不是从根本上来理解的。我说的声韵问题都有确实的证据，并不是出于空谈。年轻人中，谢庄最有这方面的能力，写作文章多有变化，而且在文章中又不受声韵的拘束。我写作构思的时候没有固定的框子，特别是能够处理难易轻重不同的问题，我所具备的能力，还没能充分发挥出来。但是我平常所写的大多是公文类的文章，很少做表达高远的情致的文章，正以此为憾，这也是我无意于在文章方面追求名声的缘故。

本来我并未关注史书，正是感到其艰深难以理解。后来既作了《后汉书》，因此掌握了头绪，详细观察古今的著述和评论，很少有令人满意的著作。史学上班固是享有最高声望的人，他是凭着自己的见识写史，并没有统一的体例，许多问题不能分类归纳出条理。传后的赞语在道理上几乎没有什么创见，只有他本人的志趣这一部分还可以推崇的。相比之下，内容的广博丰富是不可及的，要是经过加工整理未必不如班固。我写的众多传论，都有精到的见解和深刻的含义；既然应有剪裁之味，所以要简约其词句。至于《循吏》以下到《六夷》各篇的绪论，笔势纵横奔放，实在是天下的奇作。其中最满意的，往往逊色于贾谊的《过秦论》。我曾经拿《后汉书》和班固的《汉书》相比较，不只是感到毫无愧色而已。本打算全面写作各志，凡是《汉书》中所有的全都要有。虽然文中记事不必多，但要使人看了文章后有全面的了解。又打算就所记之事在书里发表议论，用来论证一代政治的得失，这个意愿未能实现。赞语自然是我的史书之中最为突出的思想成果，几乎没有一个字是虚设的，文思史识奇变无穷，融合各种不同体裁，竟然自己也感到不知应该怎样评价才合适。这部史书在人间流传，应该有赏识它的知音人。《纪》、《传》中写到的事只是列举出个大概而已，文中细微之意很多。此书体制宏大、思想精深，自古以来的史著未必有超过它的。我担心世人不能全面了解这本书，而人们又大多是厚古薄今，所以我在此任情狂言来自我称赞罢了。

吾于音乐，听功不及自挥，但所精非雅声，为可恨。然至于一绝处，亦复何异邪。其中体趣，言之不尽，弦外之意，虚响之音，不知所从而来。虽少许处，而旨态无极。亦尝以授人，士庶中未有一豪似者。此永不传矣。吾书虽小小有意，笔势不快，余竟不成就，每愧此名。

晔《自序》并实，故存之。

蔼幼而整洁，衣服竟岁未尝有尘点。死时年二十。

晔少时，兄晏常云："此儿进利，终破门户。"终如晏言。

**【译文】**

我对于音乐，用耳欣赏的能力不如我自己演奏的技艺，但我精通的不是传统的高雅乐曲，这是很遗憾的。然而当弹奏到了绝妙之处，那就和雅声就没什么区别了。我弹奏时，其中的深长趣味，用语言是不能完全表达的，而弦外之蕴意，声外之幻妙的旋律，真是不知道从何而来。即使是一首短的曲子，那里面的旨趣和情意也是无止境的。我也曾拿演奏的经验教授别人，但无论是官员或是百姓，没有一个人奏得与我有相似之处。这些经验永远不会流传了。我的信中虽然多少表达了我的心意，行文笔势也不够流畅，其余方面也没有什么成就，常常感到愧对了自己的名声。

范晔的《自序》说的确实是实话，所以保存了下来。

范蔼自幼就爱整洁，衣服上一年四季都没有污迹。死的时候才二十岁。

范晔年少时，他哥哥范晏常说："这个孩子喜欢追逐名利，终究是要败坏家门。"最后果然被他说中。